Haar bloed

Kristien Hemmerechts

Haar bloed

DE GEUS

0 1. 02. 2012

Deze publicatie is mede mogelijk gemaakt door het VU medisch centrum, Amsterdam

© Wit Zand bvba, 2012
Omslagontwerp Berry van Gerwen
Omslagillustratie © Getty Images/Rhea Anna
ISBN 978 90 445 1828 3
NUR 301

Wilt u het gratis magazine *Geuzennieuws* met informatie over onze nieuwe uitgaven ontvangen, ga dan naar www.degeus.nl en meld u aan.

In memoriam Mischa Peeters-Marras
(9 augustus 1970 – 1 november 2010)
en Rodney van Breenen
(27 april 1989 – 28 juni 2010)

Bijsluiter

Er was in die dagen een hemelsbreed verschil tussen binnen en buiten. Buiten liep de temperatuur op tot vijfendertig graden en kleurde de stad oranje. In de parken van Amsterdam hielden mensen in oranje T-shirts, met oranje pruiken en oranje nagellak barbecues. Of ze dronken bier op een terras waarboven oranje slingers gespannen waren. Zelfs de drank en het eten waren soms oranje gekleurd. Kilometers verder, in Zuid-Afrika, won het Nederlandse elftal wedstrijd na wedstrijd van het wereldkampioenschap voetbal. Op zondag 11 juli om half negen 's avonds werd de finale gespeeld. Spanje won en het oranje verdween uit het straatbeeld.

Ook in het ziekenhuis van de Vrije Universiteit aan de De Boelelaan werd de match gevolgd. In het restaurant op de benedenverdieping staarde een zee van mensen in witte jassen naar het televisiescherm. Het was niet het moment om een hartaanval te krijgen. Op de derde verdieping, waar de afdeling hematologie is ondergebracht, stonden televisietoestellen aan. Iemand had oranje vlagjes opgehangen. Veel sfeer bracht dat niet. Om te beginnen was de hitte niet voelbaar.

De afdeling kent geen klimaat. De temperatuur verandert er nooit; de ramen blijven potdicht. Niemand komt er voor zijn plezier. Er wordt geen bier gezopen, er worden geen feestjes gebouwd, geen overwinningsliederen gezongen. Toch is het geen oase van rust. Een mierenhoop, noemde een verpleegster het. Helemaal ongelijk kon ik haar niet geven. Overdag rinkelen de telefoons constant. Mensen lopen in en uit. Er wordt veel gepraat. Gekwekt, noemde ik het soms bij mezelf.

Van 20 juni tot 20 juli 2010 logeerde ik in een vreemd huisje in het Westergasfabriekpark. Mijn bed stond onder een dak van golfplaat. Ook 's nachts bleef de hitte er hangen. Ik sluimerde eerder dan ik sliep. Dikwijls stond ik dan maar op en reed op mijn vouwfiets naar het ziekenhuis. Ik liep er door de verlaten gangen en verbaasde me over de onwezenlijke stilte. Of ik lag te luisteren naar Anouk of Marco Borsato, die optraden in het park. Op een nacht brak een onweer los. Kletsnatte mensen stroomden onder mijn raam, weg van het park en van de regen. Had Anouks stem de hemelsluizen opengezet? Of was het die van Borsato?

'Buiten' was er overal veel volk. En dat volk gedroeg zich als een massa: allemaal naar hetzelfde concert, allemaal supporteren voor dezelfde ploeg, allemaal picknicken in hetzelfde park. Ik keek naar die massa, waar ik me geen deel van voelde, en ik wist dat ook die massa een deel moest worden van het boek waarvoor ik research deed. Een boek over bloed. En ook de sudokupuzzels die ik maakte wanneer ik te lamlendig was om te lezen of te fietsen of naar het ziekenhuis te gaan, moesten een rol spelen.

Mensen willen bijzonder zijn. Ze noemen zichzelf individuen. Tegelijkertijd zoeken ze de massa op. Niet allemaal doen ze het, maar vrij veel mensen doen het wél. Waarom? Om zichzelf te verliezen, of om zichzelf te zijn? Om aan de groep een identiteit te ontlenen? Hoe uniek is dat 'zelf', die identiteit?

Die massa's, die de stad bezetten, verwarden me een beetje. En ze doen het nog altijd. Kun je alleen dan van een massa spreken wanneer de leden van de massa een zekere overeenkomst vertonen? Moet er sprake zijn van homogeniteit? Sluiten mensen zich bij gelijkgezinden aan? Of is er ruimte voor diversiteit? En hoe groot is die ruimte dan?

Zijn wij allemaal anders of zijn wij eigenlijk allemaal min of meer gelijk? Of gelijkend?

Wie voor het eerst in China komt, heeft de indruk dat alle Chinezen op elkaar gelijken. Het oog is nog niet getraind om de verschillen in de Chinese fysionomie te onderkennen. Misschien zouden we altijd met zo'n ongetraind oog naar de mensheid moeten kijken.

Hoe uniek is ons bloed? Niet erg uniek, als je bedenkt dat we het aan elkaar kunnen doorgeven, ook aan mensen die geen bloedverwanten zijn. En toch is het bloed van geen twee mensen identiek. Er zijn overeenkomsten en er zijn verschillen. Wat weegt het zwaarst?

De ene keer denk ik dat we veel te veel belang aan de verschillen hechten, of die nu van fysieke of psychische aard zijn, van seksuele of politieke, van biologische of culturele. We bedenken er namen voor, en die plakken we op mensen en op de hokjes waarin we hen stoppen. De andere keer denk ik: wat zou de wereld zijn zonder verschil?

Gelukkig hoeven romanschrijvers geen antwoorden te formuleren. Ze stellen vragen. Ze roepen personages in het leven aan wie ze elk een kant van de medaille toewijzen. Zo ziet Titus Serfonteyn in zijn bloed het bewijs van zijn uniciteit; hij is niet zoals andere mensen en hij wenst dat ook niet te zijn. Zijn vriend Pieter Kalhorn voelt zich door zijn bloed met de hele mensheid verbonden. Hij is zich sterk bewust van wat in het Engels 'our common humanity' wordt genoemd. Die overstijgt verschillen van welke aard dan ook. Vindt hij.

Toen ik de opdracht kreeg me door een verblijf op de afdeling hematologie tot het schrijven van een boek te laten inspireren, werd me carte blanche gegeven. Er was slechts één voor de hand liggende beperking: ik moest de privacy van de patiënten respecteren. Verder mocht ik schrijven wat ik wilde. Ik mocht overal komen en met iedereen praten. En ik praatte met iedereen: met patiënten, met hun familie, met verpleegkundigen, met fysiotherapeuten, met radiologen, met hematologen, met de schoonmaakploeg, met de mensen die het eten opdienen, met de psychologe ... Ik kreeg het gevoel – ongetwijfeld absoluut onterecht – dat ik het ziekenhuis beter kende dan wie ook. Ik praatte met de laagste echelons en ik had toegang tot de hoogste. Ik merkte dat aan de doorstroming tussen de twee hard werd gewerkt, maar dat die desondanks niet altijd optimaal verliep. Ik fantaseerde over een nieuwe functie: die van doorstroomcoördinator. Misschien kan die rol inderdaad aan een schrijver worden toevertrouwd. Schrijvers kunnen goed luisteren. Dat hoort bij hun vak.

Over de soms gebrekkige communicatie tussen hoog en laag is niets in de roman terechtgekomen. Heel snel al was het me duidelijk dat ik niets negatiefs wenste te melden. Ik was vooral onder de indruk van de gigantische inzet van alle personeelsleden voor de patiënten; van het koppige gevecht om de kanker klein te krijgen. En ook de moed van de patiënten maakte diepe indruk. Hun bereidheid door de hel te gaan om te kunnen leven. De meeste mensen willen leven. Geen prijs is te hoog.

Vanuit mijn Belgische perspectief sprongen me drie dingen in het oog: de zelfredzaamheid die van de patiënten werd verwacht, de rationele aanpak, en de grote openheid. Wat het eerste betreft: in Nederland moet je flink zijn, zelfs op een afdeling hematologie, waar in sommige fasen van de behandeling niet veel overblijft van een mens. Soms dacht ik: kunnen ze niet iets meer 'tutten', iets meer pamperen? Ook een ziekte, zo vernam ik, is een *life event*. Je moet die als een uitdaging zien en er op een goede manier mee omgaan. Dat houdt in dat je niet op je bed ligt te jammeren. Je behoudt de controle. Je bent niet zielig. Geen zelfmedelijden en ook geen verbittering. Je blijft rationeel. Soms dacht ik: geen berg is voor een Nederlander te hoog, geen probleem te complex. Over elk aspect van de ziekte was grondig nagedacht en overlegd, en vervolgens waren inzichten in regels vertaald en in protocollen vastgelegd. In een van die protocollen stond blijkbaar dat er een schrijfster op de afdeling mocht komen rondlopen en dat zij met iedereen mocht praten en alle besprekingen mocht bijwonen en inzage kreeg in mappen en dossiers. Ik heb van die openheid volop gebruikgemaakt. Ik heb bij besprekingen gezeten waar in elke zin termen vielen die ik niet kende. Ik noteerde ze, ik zocht hun betekenis op, ik bestookte artsen met vragen, ik las handboeken en websites. Langzaam maar zeker begon ik er iets van te begrijpen. Fascinerende werelden gingen voor me open.

In een van de schriftjes die ik met notities heb gevuld staat: de arts als God versus de arts als charlatan. De arts als de man of vrouw die nieuw leven geeft. Hij of zij schept geen nieuwe mens, maar wel nieuw bloed. Hij/zij rukt wie ten dode opgeschreven is uit de klauwen van de man met de zeis. Hij/zij geeft hem of haar een tweede leven.

Maar ook de arts als man of vrouw die het lichaam van de patiënten afbreekt in de hoop het opnieuw te kunnen opbouwen. Die gigantische schade aanricht in de hoop genezing te brengen. Ik herinner me een borst die zwol en zwol en niemand die het zwellen leek te kunnen indijken. Slijmvliezen gingen stuk, huid werd hard, patiënten hallucineerden. Niet door de ziekte, wel door de middeltjes om die te bestrijden. Er worden op een afdeling hematologie veel medicijnen toegediend. Heel erg veel. Bij sommige patiënten wordt een deurtje geplaatst om de medicijnen door te sluizen. Een Port-a-Cath heet het. Na een transplantatie krijgt een patiënt soms wel achtentwintig verschillende medicijnen mee naar huis. En die hebben allemaal hun neveneffecten.

Bij de besprekingen kwam er vaak veel giswerk aan te pas. Misschien was het dit, misschien was het dat; misschien zou dit helpen, misschien dat. Dezelfde patiënt werd door de ene 'best pittig' genoemd, de volgende vond dat ze 'vegeteerde'. Ik bedacht de term HEF, Human Error Factor. En ik beeldde me in dat robotten de patiënten zouden onderzoeken en de medicijnen zouden toedienen. Misschien gaat het over een halve eeuw inderdaad zo.

De arts als puzzelaar. Ook dat noteerde ik. De arts die het probleem probeert op te lossen. Die de sleutel zoekt om de code te kraken.

Hoe immens groot mijn bewondering voor hun kunde ook was, voor hun goddelijke interventie, voor hun durf, soms had het ook iets hilarisch, zeker wanneer het moment van de Grote Visite was aangebroken en alle artsen in hun witte jassen met wapperende panden van het ene bed naar het andere trokken. In kamer na kamer streken ze neer als een zwerm exotische vogels. Hoofdschuddend keken ze naar de gruwelijke dingen die hun medicijnen hadden aangericht. Of die door een schimmel waren veroorzaakt. Door een geniepige bacterie.

Op een ochtend ging ik naar het Rijksmuseum en zag er een schilderij van een piskijker, dé incarnatie van de arts als charlatan. Daar kon ik wel om glimlachen. En er hing een portret dat Rembrandt schilderde van zijn zoon Titus. Daarmee had ik een naam voor mijn hoofdpersonage. Ik schat de kans gering dat een echtpaar uit Zwelegem hun eerstgeborene Titus zou noemen, maar in een roman kan meer dan in de werkelijkheid. Ga trouwens niet op zoek naar de precieze locatie van Zwelegem. Het dorp bestaat alleen in dit boek. Vlaanderen kent een Zwevegem, een Zedelgem, een Zwevezele, een Zevenkote en een Zottegem. Maar geen Zwelegem.

Bij het schrijven van deze roman heb ik me enige dichterlijke vrijheid veroorloofd. Zo is het weinig waarschijnlijk dat Roos meteen resistent is voor imatinib, dasatinib en nilotinib. Indien ze geen personage was maar echt bestond, zou het verloop van haar ziekte meer tijd in beslag nemen. Het beschrijven ervan zou heel wat meer bladzijden tellen. Daar staat tegenover dat geen twee kankers identiek zijn. Het kan met andere woorden niet helemaal uitgesloten worden dat een vrouw van vlees en bloed met het beschreven ziektebeeld te kampen krijgt. Aangenomen mag worden dat het behoorlijk uitzonderlijk zou zijn.

Dit alles maar om te zeggen dat ik zeer erkentelijk ben voor de unieke kans die mij in de zomer van 2010 werd gegund. Graag wil ik iedereen bedanken die mijn aanwezigheid op de afdeling hematologie van het medisch centrum van de Vrije Universiteit heeft gefaciliteerd. Ik bedank alle personeelsleden voor hun impliciete vertrouwen en hun grote gastvrijheid. Ook de patiënten wil ik graag bedanken voor de vele openhartige gesprekken. Mijn bijzondere dank gaat uit naar het hoofd van de afdeling, Peter Huijgens, en zijn rechterhand Sonja Zweegman. Ondanks hun drukke agenda's en lange werkdagen vonden zij telkens weer de tijd om mijn vaak erg naïeve vragen te beantwoorden. Grote dank ook aan Arko Oderwald, die deze opdracht heeft bedacht en vervolgens aan mij heeft uitbesteed. Hij leidt het literatuur-en-geneeskundeprogramma van de afdeling Metamedica van de Vrije Universiteit, een discipline die nog niet tot in België is doorgedrongen, maar waar ik intussen een groot bewonderaar én voorstander van ben. En ten slotte wil ik graag mijn dochter Katherine Smith bedanken. Anders dan ik heeft zij wetenschappen gestudeerd. Zonder haar hulp had ik nooit een bijzonder leerrijke introductie tot de microbiologie met succes kunnen doorworstelen. Waarmee andermaal bewezen is dat het loont om in de opleiding van je kinderen te investeren.

I

De dode man lag op de tafel. Het kleed was weggehaald, net als de spullen die erop hadden geslingerd: het vergrootglas met het benen handvat waarmee hij ellelange voetnoten had ontcijferd; de beduimelde boeken waarin die voetnoten stonden; de beker waarop Mona Lisa hem trouw had toegelachen telkens wanneer hij een slok van zijn koffie nam; de zwarte sokken die een schoonzus voor hem had gekocht en die nog niet losgeknipt waren van het kaartje met het merk, de maat en de prijs; het bord waarop zijn laatste boterham had gelegen; zijn bril; de krant; een takje gekneusde blauwe druiven. De tafel was van donker eikenhout. Elke poot vormde een sierlijke boog die eindigde in gebeeldhouwde hondennagels. Van de zes oorspronkelijke stoelen waren er maar drie over. Op een ervan lag een bordeaux kussentje. Daarop had de man meestal gezeten. Onder zijn gewicht was het platgedrukt, zodat het nog nauwelijks een kussentje kon worden genoemd.

Meer dan de helft van zijn leven had de man nu eens met mate, dan weer overdadig aan de tafel gegeten en gedronken. Hij had er met vrienden gepokerd, wanneer die in het dorp waren voor de verjaardag van een moeder of de begrafenis van een oom om wiens flauwe grappen ze als broekventje hadden gelachen. Of van een buurvrouw die voor hen wafels gebakken had. Maar vooral had hij er boeken gelezen en naslagwerken bestudeerd over de man wiens bloed in zijn aders stroomde. Hij had er voetnoten uitgeplozen en de minuscule lettertjes verwenst waarin cruciale informatie begraven lag. De jongens met wie hij als kind op het grasveld achter de kerk tegen een voetbal had geschopt, hadden een voor een het dorp verlaten om werk te zoeken dat genoeg geld in het laatje bracht voor een appartement in de stad. Of om vrouwen te ontmoeten die ze niet meer hoefden te ontmoeten wanneer ze hen beu waren ontmoet. Hij was gebleven. Hij hoorde niet thuis in het dorp, maar ook niet in de steden binnen zijn bereik. Om thuis te komen had hij de Alpen moeten oversteken, net als Hannibal eeuwen geleden had gedaan. Eerst had die de Pyreneeën overgestoken en vervolgens de Alpen.

Wanneer hij zich volgezogen had met woorden over zijn illustere voorvader en er geen lettergreep meer bij kon, had hij in zijn fantasie een machtige olifant bestegen. Op de brede rug van de logge viervoeter had hij zich over verraderlijke bergpassen laten dragen tot hij aan zijn voeten Italië ontwaarde. Zijn Beloofde Land. Het werd voor hem uitgerold als de balen stof die gewiekste marktkramers aan kieskeurige huisvrouwen probeerden te slijten. Of als het canvas waarop zijn voorvader meesterwerken geschilderd had. Hoog op zijn troon had hij de vruchtbare vallei bespeurd met daarin het huis waar híj was geboren: Leonardo da Vinci. Een man die de toekomst had gelezen én mee ontworpen. Zoon van Piero da Vinci, telg uit een notarissengeslacht, en van boerendochter Chataria, met wie Piero niet in de echt verbonden was. De beste mensen werden buiten de stalen greep van de wet geboren. Het was de natuur die haar wil opdrong. Geen honderd wetteksten konden haar aan banden leggen.

De opgebaarde man had zich niet voortgeplant. Zijn kracht zat in zijn bloed, niet in zijn sperma, dat door artsen lui werd genoemd. Wie was hij om hen tegen te spreken? Met hem stierf de bloedlijn uit. Die trok een spoor over berg en dal van het kraambed waarin Chataria de bastaard had gebaard naar de tafel met het lijk. 'Hartaderbreuk', constateerde de arts nuchter. En pisvlekken, maar dat zei hij niet hardop. 'Een pijnloze dood. Vergelijkbaar met een dijkbreuk die in geen tijd de hele omgeving blank zet. Het bloed zal uit zijn hoofd wegtrekken. Over een paar uur ziet het lijkbleek. Zoals het hoort.' De arts glimlachte tevreden. Hij hield ervan zijn dorpsgenoten met toegankelijke beelden in te lichten over de finesses van hun biologie. Andere bloedlijnen waren uit Leonardo's geboortehuis vertrokken, maar alleen deze had de Alpen getrotseerd. Hij had koude doorstaan en ontberingen geleden. Roofzieke mensen en dieren hadden hem belaagd. De arts legde een hand op de naakte dode arm, waaruit het laatste restje lichaamswarmte koppig weigerde te verdwijnen. Ga nu maar, zei hij in gedachten. Het moet. De pisvlekken ontroerden hem meer dan hij had verwacht. In het uur van onze dood zijn we niet meer dan ... Er wilde hem geen treffend beeld te binnen schieten.

Toen Titus aan de hand van zijn grootvader het huis van de dode man betrad, zag het hoofd zoals de arts had voorspeld niet langer paars. Er waren kaarsen in de kamer ontstoken en bedwelmende lelies op en rond het lijk gelegd. Het lichaam was afgekoeld. In plaats van sandalen droeg het de nieuwe zwarte sokken, die eindelijk van het kaartje waren geknipt, en schoenen die nog maar twee weken eerder waren gelapt. De haren waren gekamd. Het overhemd was helemaal dichtgeknoopt, maar de vieze broek was niet vervangen, waardoor terecht of onterecht de indruk ontstond dat het lijk niet gewassen was. De boeken over Leonardo da Vinci lagen in keurige stapeltjes op de buffetkast, die de man net als de tafel met de sierlijke poten van zijn ouders had geërfd.

Ruim zeven kilometer hadden ze afgelegd, wat veel was voor een jongen die zijn eerstecommuniekleren nog niet was ontgroeid. Telkens wanneer ze iemand kruisten, had de grootvader haltgehouden om een praatje te maken. Het nieuws had intussen iedereen bereikt. Zijn grootvader kon niemand op de hoogte brengen, hoe graag hij dat ook had gewild. Titus had de ontgoocheling van de oude man gevoeld toen duidelijk werd dat ze lang niet als eersten het lijk zouden groeten. Al wie kon, was meteen op pad gegaan. Moeders met boorlingen hadden zich met hun kind in de armen naar het huis gehaast, zieken waren uit hun bed opgestaan. Tegen de tijd dat de grootvader en zijn kleinzoon de straat van de dode man insloegen, hadden ze uit de mond van drie verschillende mensen vernomen dat Leonardo's nazaat op de dorpel van zijn huis in elkaar was gezakt. Vermoedelijk was hij op weg naar het café. In de zak van zijn broek was een niet-gevalideerd lottoformulier ontdekt.

Op een meter van het huis bukte de grootvader zich zodat hij zijn kleinzoon recht in de ogen kon kijken.

'Niet bang zijn, Titus.'

'Ik ben niet bang.'

'Zo hoor ik het graag.'

De ogen van de oude baadden in een vochtig waas, waardoor het leek alsof hij permanent treurde. Over de dood van Titus' vader, bijvoorbeeld, toen Titus nog niet zindelijk was. Sindsdien probeerde hij als een vader voor het ventje te zijn, al voelde hij zich voor die rol te oud. En ook Titus vond zijn opa oud. Soms werd hij door schaamte overvallen wanneer hij hem aan de schoolpoort tussen de jonge ouders zag staan.

Dan ergerde hij zich aan zijn vader omdat die gestorven was. Het gebeurde dat zijn tengere lichaam van machteloze woede trilde. En later op zijn kamer gooide hij de foto tegen de grond die zijn moeder op zijn nachtkastje had gezet. Verblind door tranen greep hij een glasscherf en sloot hem in zijn hand.

'In de man die we zo meteen zullen zien, Titus, zit het bloed van een van de grootste genieën ooit. Als iemand die wil laten herrijzen, moet hij vertrekken van dit bloed.'

'Kan dat?'

'Alles kan waarin mensen geloven. Op voorwaarde dat ze het geloven. Het begint met geloof. Echt geloof. Sommige mensen hebben geloofd dat de mens naar de maan zou reizen. Hebben ze gelijk gekregen?'

Titus knikte.

'Waarin geloof jij, Titus?'

'In mama.'

'Dat is goed.'

Zijn grootvader kuste hem, al deed het pijn aan zijn hart dat de jongen zijn vader niet noemde. Jongens hadden een vader nodig, anders ontwikkelden ze geen stevige ruggengraat. Hij tilde zijn kleinzoon op om op de bel te drukken, hoewel de voordeur openstond. Hard en krachtig galmde de bel. De grootvader zette Titus op de grond en nam hem bij de hand. In het huis riep iemand dat ze naar binnen mochten komen.

'Goed kijken, Titus.'

Aan de dorpel viel niet te merken dat er nauwelijks zes uur eerder een man was bezweken. De dijkbreuk had zich louter inwendig afgespeeld.

Voor ze de weg terug naar huis aanvatten, gingen ze het café binnen waar op de dode man werd geklonken. Titus kreeg een glas oranje limonade met een rietje.

'Hij is je tweede dode', zei zijn opa. 'Wie was de eerste?'

Titus hield op met zuigen. 'Mijn papa.'

'Juist, jouw papa.' Hij streek de jongen over het haar. 'Heb je daarnet goed gekeken?'

Titus knikte.

'Je zult Leonardo's nazaat niet vergeten.'

De jongen reageerde niet. Hij dacht aan de welving van de buik, de vlekken op de grijze broek, de wasbleke vingers, de bruine lippen, de spitse adamsappel, de grote rechteroorlel waarop een vliegje was geland. Fluisterend had hij gevraagd of de dode hen kon horen. Zijn grootvader had geantwoord dat een dood lichaam niets meer kon. Het was niet meer de persoon die had geleefd. Daarom werd het begraven. Iets anders kon je er niet mee doen. Ook het bloed was dood. Het had zich uit de kransslagader gestort en over het hele lichaam verspreid. Het kon niet meer worden afgetapt of opgevangen. Nooit zou het zijn geheim prijsgeven.

'Waar is het?' had de jongen gevraagd.

'Wat?'

'Het bloed.'

'Overal.'

Titus had begrepen dat dit het antwoord was waarmee hij zich tevreden moest stellen. Het bevredigde hem niet. Bloed was rood, maar het lijk zag even bleek als de kaarsen in de kandelaars. Waar was het gebleven? Loste bloed op wanneer iemand stierf? Verloor het zijn kleur?

'Leonardo da Vinci was de grootste', zei de grootvader, die geen benul had van de vragen die hij bij zijn kleinzoon had losgeweekt. 'Hij zag de eenheid in de veelheid. Da Vinci verloor zich niet in details. Mensen noemen hem een uitvinder, maar hij was geen uitvinder. Alles was al uitgevonden. Zelfs toen, in zijn tijd, eeuwen en eeuwen geleden. Heb jij ooit van de Renaissance gehoord?'

Titus schudde zijn hoofd.

'En van de Middeleeuwen?'

'Merlijn de tovenaar leefde in de Middeleeuwen. En Arthur. En de Ridders van de Ronde Tafel.'

'Dat is waar. Maar toen werd Leonardo geboren en het was afgelopen met de Middeleeuwen. Overal werd het licht aangeknipt. Gedaan met de duisternis! En weet je hoe dat kwam? Leonardo zag wat er was. De wereld werd niet opnieuw geboren of geschapen, maar wel voor het eerst gezien. Daar is lef voor nodig. Heb jij lef, Titus? Ken jij het woordje "lef"?' Titus' grootvader glimlachte zoals oudere mensen doen wanneer ze zich wijzer voelen dan de erg jonge, al is dat geen verdienste. Hij gaf de jongen een tik op zijn blozende rechterkaak om de hiërarchie tussen hen te onderstrepen. 'Alles is uitgevonden, Titus, maar niet alles is gevonden. Of ontdekt.' Hij pakte zijn zakdoek en snoot zijn neus. Daarna snoot hij de neus van zijn kleinzoon. 'Leonardo was een ontdekker. Hij zag dat de mens een vogel is zonder vleugels. Dus gaf hij hem vleugels. En kijk, de mens vliegt.'

'In een vliegtuig.'

De grootvader besloot de opmerking van de wijsneus te negeren. Het ging hem om de les.

'Het vliegen bestond als mogelijkheid. Leonardo heeft het gevonden. Gezien. Je moet goed kijken, Titus. Geef je ogen de kost. Als je niet kijkt, kun je niets zien. En als je niets ziet, kun je niets vinden. Je moet durven kijken. Lef is durf. Wie niet durft, niet wint. Zeg me: wat heb je vandaag gezien?'

'Een dode man', zei Titus. En pisvlekken, maar dat zei hij niet.

'Een dode man vol met bloed. Goed bloed. Ken jij het verschil tussen goed en slecht bloed?'

De jongen knipperde met zijn ogen, wat hij altijd deed wanneer hij het antwoord schuldig bleef.

'Slecht bloed is bloed van iemand die niet wil deugen. Een

dief. Een leugenaar. Een lafaard. Kortom, een zwakkeling. Heb ik jou goed bloed gegeven, Titus?'

De jongen knikte.

'Zijn wij sterk?'

Opnieuw knikte hij.

'Ook in moeilijke omstandigheden? Wanneer we tegenwind krijgen? Staan wij stevig in onze schoenen ook wanneer niemand ons steunt? Blijven wij alleen overeind?'

Titus bleef knikken, hoewel zijn moed nog nooit was getest. Ook zijn opa had zelden voor hete vuren gestaan, al zag hij zichzelf graag als een eenzame held.

'Zo wil ik het horen.' Met de achterkant van zijn hand veegde de grootvader het bierschuim van zijn lippen. 'Jij bent mijn bloedverwant. Begrijp je dat? Door ons bloed zijn wij aan elkaar verwant.' Ontroering maakte zich van hem meester. En ook diepe dankbaarheid. Stel je voor dat je naar je graf moest zonder nabestaanden!

'Het zoontje van de laatste keizer van Rusland had goed bloed, maar het was ziek. Goed bloed kan ziek zijn. En slecht bloed kan gezond zijn. Daarom is waakzaamheid geboden. Ga nooit op de schijn af, Titus. Schijn bedriegt. Heb je een zakdoek?'

Titus viste zijn zakdoek uit zijn broekzak. Er kleefde bloed aan van toen hij zich laatst aan een scherf had gesneden. Zijn moeder had het gebroken glas bij elkaar geveegd, maar nog niet vervangen. Misschien had ze eindelijk begrepen dat de foto niet telkens opnieuw viel, maar op de grond werd gesmeten. Hij had het bloed uit de wond opgelikt. Toen het bleef stromen, had hij zijn zakdoek als verband gebruikt. Daarin zaten nu vlekken die zijn moeder 'hardnekkig' noemde. Al het wasgoed dat met bloed was besmeurd, werd in koud water geweekt voor het in de machine ging. Bij het water deed zijn moeder een schep zout. Het was zaak er snel bij te zijn, zei ze, anders gingen de vlekken er nooit meer uit. Bloed op een zakdoek was minder erg dan bloed op een shirt. Of op een broek. Zakdoeken waren daar eigenlijk een beetje voor bedoeld.

Zijn grootvader leek het bloed niet op te merken. Of hij deed alsof hij het niet zag, zoals zijn moeder deed alsof ze de littekens in zijn handpalmen niet zag. Of de bruine penseelstrepen die de korstjes er trokken. Hij legde een knoop in de vieze zakdoek en gaf hem aan zijn kleinzoon terug.

'En ook in je oren moet je het knopen', zei hij. 'Hou je bezig met de essentie. Anders verspil je je tijd.'

Titus stopte de zakdoek terug in zijn broekzak. Hoelang moest hij die zo bewaren?

'De Russische kroonprins was moedig en slim, maar zijn bloed was ziek. Daarom was zijn gezondheid zwak.' Hij greep zijn kleinzoon bij de schouders en keek hem diep in de ogen. 'Zijn gezondheid, Titus. Niet zijn karakter. Hij was de waardige zoon van een groot vorst. Met hem op de troon zou Rusland erbovenop zijn gekomen. Russisch zou de wereldtaal zijn geworden. Wij zouden geen bier, maar wodka drinken. Jouw naam zou Vladimir zijn, of Igor. Of Aleksej, zoals de prins. Helaas was zijn bloed ziek. Het sijpelde uit zijn aders. Het was te dun. Als hij zich verwondde, bleef het uit hem stromen. Hij mocht niet buiten spelen. Als hij zijn knie schaafde, bloedde hij dood.'

'Dood?'

'Dood.' De grootvader nam zijn glas en keek naar het blonde bier. 'Bloed mag niet te dun zijn, anders stolt het niet. Maar ook niet te dik. Anders verstopt het de aders met klonters. En ga je dood. Alles met mate, Titus. Ook dit.' Hij tikte tegen zijn bierglas. De bazin, die het gebaar verkeerd interpreteerde, zette een verse pint voor hem neer. Titus' grootvader hees zich overeind, terwijl hij een teken gaf dat hij het volgende rondje voor zijn rekening nam. Hij moest dringend water lozen.

Terwijl hij plaste, dacht hij aan de vieze broek van de dode man. Waarom hadden ze hem geen schone broek aangetrokken? Hing er geen in zijn kast? En als er geen in de kast hing, hadden ze er dan niet een van een buurman kunnen lenen? Besefte de man of de vrouw die hem had opgebaard niet wie daar lag? Zorgvuldig schudde hij de laatste druppel van zijn lul. Had Titus eigenlijk ooit geleerd hoe dat moest?

In het café vroeg iemand aan de jongen hoe hij heette.

'Titus', antwoordde Titus. Er werd gelachen. Hij staarde naar de lijnen op de binnenkant van zijn arm. Waarom zagen die blauw, en niet rood?

'Drink er nog eentje', riep iemand. 'Ik trakteer.'

'Op "Leonardo".'

'Op Leonardo!'

De monden zwegen terwijl de glazen erin werden leeggegoten.

'Geef dat kind ook iets', riep de man die het snelste dronk. Hij boerde.

'Geen scheten laten, Staf!'

'Dat was geen scheet! Zal ik een scheet laten? Dan zult ge het verschil wel horen.'

'Ge bedoelt: ruiken.'

Titus sloeg zijn ogen op en keek naar de mannen. De een na de ander zette zijn lege glas op de toog neer. Ook zij zaten vol bloed. Het was overal.

Hij had honger. De limonade was niet lekker.

Jaren later leerde Titus woorden voor wat zijn grootvader hem die dag had verteld. De Russische kroonprins leed aan hemofilie. Hij had voldoende bloedplaatjes, maar het eiwit dat ervoor zorgt dat bloed stolt, ontbrak. Een tekort aan bloedplaatjes heet trombocytopenie, een woord waarvan de kennis Titus met trots vervulde, net als pancytopenie, de verdwijning van alle cellen uit het bloed, wat pijnlijk of penibel – penie-bel – is. Trombocytose betekende precies het tegenovergestel-de: te veel bloedplaatjes. Je moest zo gauw mogelijk een lading zien te lozen anders ontwikkelde je een trombose. Dat rijmde.

Voor elk woord dat hij leerde, bedacht hij trucjes om het te onthouden. Hematologie, de studie van het bloed, was sa-mengesteld uit twee Griekse woorden: logos – leer – en haima – bloed, wat hem aan heimat deed denken. Je bloed was je thuis. En ook leukemie kwam van het Grieks: leukos – wit – en opnieuw haima – bloed. Door een teveel aan witte bloed-cellen verloor je bloed zijn bloedrode kleur. Dat was niet leuk.

Nog altijd waren wetenschappers ontdekkers eerder dan uitvinders. Ze bestudeerden de natuur in de hoop bruikbare principes op het spoor te komen. Ook daar bestond een duur woord voor: bestaanstheorema. Titus leerde dat elke mens met vijfduizend stamcellen geboren werd. Dat was het pakketje waarover hij beschikte. Hij stelde het zich voor als een hand kaarten die je was gedeeld. Die stamcellen volstonden niet om een mens te laten herrijzen, maar wat niet was kon komen. Voorlopig werd de mens nog altijd uit de fusie van eicel en spermacelkern geboren. Dat was zijn oercel. Zijn oerstamcel.

De grootvader had zich op meerdere punten vergist. De laatste Russische prins leed inderdaad aan hemofilie, maar de kans dat hij aan een banale schaafwond zou zijn bezweken was onbestaand. De jongen was hoe dan ook ten dode opgeschre-ven. Genadeloos werd zijn bloed vergoten, samen met dat van zijn ouders en lieve zussen. Titus leerde dat het geheim van het bloed niet in het bloed zelf moest worden gezocht. Beenmerg bewaarde de sleutel. Als de dorpelingen Leonardo's bloed hadden willen doorgronden, hadden ze de dode man op zijn zij moeten kantelen. Met een boortje hadden ze in zijn heup moeten prikken om wat beenmerg op te zuigen. Een le-vende mens moest eerst plaatselijk worden verdoofd, maar de dode zou er geen hinder van hebben ondervonden. Met een beetje geluk zouden ze een hematopoëtische stamcel hebben gevangen, de moedercel van alle bloedcellen. Ze zouden de vangst niet hebben kunnen bewijzen. Hematopoëtische stamcellen zijn berucht om hun listen en schuwheid. Liever dan zich te laten zien, transformeren ze zich. Of ze verkiezen de dood. Nog nooit heeft een sterveling ze onder een microscoop kunnen observeren. Maar ze bestaan. En ze kunnen worden gevat. Met geduld. En doorzettingsvermogen. Met listigheid die de hunne overtreft. En vervolgens kunnen ze in een ander lichaam worden geïnjecteerd. Om daar nieuw bloed te maken.

Titus' grootvader kon onmogelijk zijn bloed aan zijn kleinzoon hebben gegeven. Als enige in de familie had Titus bloedgroep AB. Daarin was hij een beetje uniek. Zijn grootvader had O en zijn moeder had A. Die A had zij van háár moeder gekregen en aan hem doorgegeven. De B in Titus' bloedgroep kwam van zijn vader, die hem van zíjn moeder had. Titus' bloed was door zijn oma's gevormd. Zijn opa had daarbij geen rol gespeeld. En ook zijn andere opa niet, die dood was en begraven. Titus was de eerste in wie A en B verenigd waren. De combinatie kwam zelden voor. Hij had uitzonderlijk bloed.

De voorspelling van zijn grootvader kwam uit: Titus vergat de dode man niet. Het lijk maakte zich van de tafel los. Vrij en ongebonden zweefde het in zijn geheugen. Het hart begon opnieuw te kloppen. Het wekte het lusteloze bloed en zweepte het door de verkalkte aderen. De dode kaken begonnen te blozen, de penis richtte zich nieuwsgierig op. Het hart verspreidde een rode gloed, de aderen lichtten op in roze en blauwe tinten. Ook de vaderloze jongen aan de hand van zijn grootvader zweefde daar. In hem bleef tegen beter weten in de overtuiging leven dat een mens aan zijn bloed kon worden gekend. Het was goed of het was slecht. Bloed was de essentie. Eén druppel volstond om een mens te laten herrijzen. Niet het hart was de kern, maar het bloed dat door dat hart werd voortgestuwd. De mens wás zijn bloed.

De ogen van de jongen sperden zich steeds verder open; zijn oren werden almaar spitser. Hoe hard hij ook zijn best deed, hij kon het bloed niet peilen van het lijk dat naast hem zweefde. Samen met het lijk zat hij in een bel, die niemand kapot kon spatten. Zonder die tocht om de laatste groet te brengen aan de afstammeling van de beroemde man zou alles in zijn leven anders zijn gelopen. Het bezoek was de stamcel. De kiem.

Het kind is de vader van de man, en dat kind was dankbaar om het goede bloed dat het van zijn opa had geërfd. Het was goed bloed en het was gezond bloed. Net als zijn opa werd hij niet door kwaaltjes geplaagd. Zijn lichaam was niet atletisch en ook niet beresterk, maar het functioneerde zoals het hoorde. Het at, het verteerde, het groeide, het sliep, het kakte, het piste, het bewoog, het hoorde, het zweette, het zag, het ademde, het dronk. Geruststelling zaaide onrust. Wat gezond was, kon ziek worden. Wat goed was, kon bederven. Wat je had, kon je verliezen.

Hij verloor zijn grootvader, maar in zijn bloed leefde de man verder. Daarom had zijn grootvader zich voortgeplant, opdat hij zou blijven bestaan. In hem. In Titus. De kleinzoon op wie hij zijn hoop had gericht.

Ik ben een huis, dacht Titus soms. Mijn aderen zijn een huis.

Ook zijn vader had daar een kamer.

Anders dan ze zijn moeder hadden beloofd, kwamen de grootvader en het kleinkind niet voor donker thuis. Titus voelde hoe het kille vocht uit de weilanden opsteeg en zijn neusgaten binnendrong. In de donkere contouren van het lome vee vermoedde hij bloeddorstige monsters. De zuigkracht van het natte land wekte sluimerende angsten. De donzige haartjes op zijn rug stonden overeind. Wat gebeurde er als hij de weg verliet? Zijn maag gromde en zijn hoofd was licht. Hij struikelde en moest door zijn grootvader overeind geholpen worden. Nauwelijks enkele passen verder viel hij op zijn knie. Hij schreeuwde het uit van de pijn. Warm, kleverig vocht stroomde over zijn been. Zou het zijn sok bereiken? Als het bloed stolde, werd het een zwarte streep op zijn been. Die zou hij wegkrabben zoals hij de korstjes in zijn handpalmen wegkrabde. Bloedstolsel zou onder zijn nagels komen te zitten. Maar zou zijn bloed wel stollen? Was het gezond? Twijfel woekerde in zijn hoofd. Elke vraag riep een nieuwe op. Was hij waardig? Slim? Zouden mensen op een dag naar zíjn bloed komen kijken? Nu daagde het besef dat ook hij zou doodgaan. Dan zou híj roerloos liggen als een wassen pop. Op een tafel? In een bed? Op de straat? Misschien zou hij jong sterven zoals zijn vader had gedaan. Hij wilde niet opgebaard liggen in een vieze broek. Hoe kon hij dat verhinderen? Hij trok aan zijn oorlel en sloeg op zijn rechterkaak. Hij duwde zijn nagels in zijn handpalmen. Dit lichaam dat fietste en voetbalde en sprong, zou in een graf worden gelegd. Híj zou in een graf worden gelegd. De dood loerde overal. Naar huis! dacht hij. Naar huis!

Koppig hield hij vol dat hij niet moe was. 'Ik wel', zei zijn grootvader, die zich beklaagde dat hij het tweede biertje had gedronken. En een derde. En een vierde. Het was hem aangeboden door een buur van de dode man die beweerde zwaarder aangeslagen te zijn dan hij had verwacht. Weigeren zou onbeleefd zijn geweest. Titus, die veel te veel limonade had gedronken, wilde van geen rusten weten. Hij hunkerde naar de veilige warmte van zijn ouderlijke huis, zijn heimat. Hij dacht aan eten en vocht tegen zijn tranen. Toen zijn opa van de weg af ging om tegen een eenzame boom te plassen, klampte hij zich aan het been van de oude vast. Urine klaterde tegen de knoestige stam. 'Moet jij niet?' vroeg zijn opa bezorgd. Hij moest, maar hij kon niet, niet in die verlatenheid waar hij gegrepen kon worden, door wie of wat had hij niet kunnen zeggen. 'Zal ik je helpen?' vroeg zijn opa, al kon hij zich niet voorstellen dat de jongen niet alleen kon pissen. Titus schudde zijn hoofd. Zijn piemel was van hem en van hem alleen. De laatste kilometer droeg de grootvader de kleinzoon op zijn schouders. De handen van de jongen rustten op zijn voorhoofd. Als een hoofddeksel. Titus beet op zijn tong om wakker te blijven. Hij proefde bloed, maar durfde het niet in te slikken. In het verleden had hij dikwijls onnadenkend op een bloedende vinger gezogen, maar hij was niet langer onnadenkend. Zijn mond vulde zich met kwijl waarvan hij wist dat het roze was gekleurd.

Voor de deur van zijn ouderlijke huis zette zijn grootvader hem op de grond zodat hij op eigen benen naar binnen kon wandelen. Hete tranen sprongen in Titus' ogen toen hij de armen van zijn moeder om zich voelde. Hij kon geen seconde langer wachten en rukte zich uit haar omhelzing los. 'De bril!' riep zijn moeder hem na. Mona wist dat haar zoon die dikwijls vergat omhoog te klappen, zeker wanneer hij haast had. En hij had dikwijls haast. In het toilet ontdekte Titus dat de knoop van zijn broek was gesprongen. Kwam dat door de druk van zijn blaas? Zijn penis was klein en nietig, maar ooit zou die zich vullen met bloed, zoals de penis van het paard in de wei aan de overkant. Niet zijn kaken, maar zijn penis zou blozen. Dan zou ook hij leven kunnen verwekken.

2

Ook Mona vergat Leonardo's verre nazaat niet. Haar vader had het lijk zo levendig beschreven dat het was alsof ook zij in die propvolle woonkamer rond de eikenhouten tafel had gestaan en door zwoele lelies was bedwelmd. De lelies hadden Mona aan Sams kist doen denken en aan de witte rozen waaronder zij en zijn zus die hadden bedolven. Wat had ze die gesloten kist gehaat! Voor haar was er maar één lijk, dat van Sam. Daarom was ze niet meegegaan om Leonardo's nazaat te groeten. Trouw tot in de dood. Ze kon niet anders.

Uit Titus had ze geen woord gekregen. Terwijl ze de schaafwond op zijn knie ontsmette, had hij zo hard geknikkebold dat ze bang was geweest dat hij van de stoel zou vallen. Zelfs om een pleister te kiezen was hij te moe geweest. Ze had er een met een beertje opgeplakt, hoewel hij te groot werd voor die dingen. En ook voor het kusje op de pleister omdat 'kusjes alles beter maken' was hij toen al te oud. Ze had zijn pyjama naast hem op de rand van het bad gelegd en hem gezegd die aan te trekken. Versuft was hij blijven zitten. Ondanks haar voornemen hem niet klein te houden, had ze hem geholpen.

'Morgen ga je onder de douche, hoor!' had ze tegen hem gezegd, terwijl ze zijn broek over zijn billen trok. Ze kon ruiken dat hij die weer niet goed had afgeveegd. 'En dan moet je me alles vertellen.' Maar hij had haar nauwelijks iets verteld, ook niet nadat de koorts was geweken waarmee hij de volgende ochtend wakker was geworden. Veertig graden! Ze had het bad met koud water gevuld. Toen het vol was, had ze de jongen er niet durven in te leggen, hoewel ze altijd had gehoord dat hoge koorts zo bestreden werd. De remedie leek haar te drastisch. Wat als zijn hart het van de schok begaf?

Titus had zelfs de kracht niet gehad om het glas vast te houden dat ze aan zijn lippen zette. Slap hing hij in haar armen.

'Overal bloed', mompelde hij.

'Hier is geen bloed, Titus!'

Hij bleef die twee woorden herhalen, alsof hij aan een slachtpartij was ontsnapt. Ook tegen hun huisarts had hij het over bloed, overal bloed. De arts had haar verzekerd dat er geen reden was tot paniek. Koorts betekende dat Titus' lichaam tegen een infectie vocht. Extra witte bloedcellen werden massaal aangemaakt om zich tegen de vijand schrap te zetten. Het was niet raadzaam tussenbeide te komen, tenzij zijn verdediging het onderspit dreigde te delven. Dat betwijfelde de arts.

'Hoe weet u dat?'

'Ervaring. Uw zoon heeft de kracht van de jeugd. Ik kom morgen nog eens langs. Zorg ervoor dat hij veel water drinkt.'

Ondanks die geruststellende woorden had Titus' opa dag en nacht bij de jongen gewaakt. Pas toen de thermometer eindelijk weer tot zevendertig was gezakt, had hij de kamer van zijn kleinzoon verlaten. Mona had geen woord van verwijt over haar lippen laten komen. Ze besefte dat haar vader door schuldgevoelens werd verteerd. Nooit eerder had ze hem zo gebroken geweten. Hij durfde haar nauwelijks in de ogen te kijken. 'Ik vond dat hij het moest zien', mompelde hij af en toe. Zonder het uit te spreken wisten ze dat ze geen van beide een tweede tragedie zouden overleven. Ook haar moeder belde drie keer per dag. Als de begrafenisondernemer ooit Titus kwam halen, kon hij maar beter ook hen meteen kisten.

De huisarts kreeg gelijk: Titus' witte bloedcellen schakelden de indringer uit. De jongen genas. Toen hij weer beter was, deed de arts haar patiëntje een poster cadeau waarop het bloedvatenstelsel afgebeeld stond. 'Voor Titus. Het bloed zit overal en het zit niet overal', had de arts er met een rode stift op geschreven.

Nog altijd hing die tussen de koelkast en het fornuis. Als Mona de keuken schilderde, wrikte ze de punaises uit de muur, rolde de poster op om hem daarna op precies dezelfde plek opnieuw op te hangen. De kleuren van het bloedvatenstelsel waren intussen verbleekt, maar het bloed zat nog altijd overal en niet overal. In rode en blauwe lijnen van wisselende lengte en dikte liep het over een lichaam dat ooit marsepeinen-varkentjes-roze was geweest. Hoelang was het geleden? Negen, tien jaar? Het leek zo veel langer. Haar vader was intussen gestorven en haar moeder had een nieuwe man. Geruisloos was hij uit hun leven verdwenen, Sam achterna, die op een ochtend onderweg naar zijn werk door een lege tankauto was aangereden. Als hij volgeladen was geweest, had hij niet door de dorpskern mogen rijden. Dan zou Sam nog leven en zou zij geen weduwe zijn. Een weduwe met een kind, die vanwege dat kind moest blijven leven.

Titus was bang dat ook zij zou verdwijnen. Aan de therapeuten naar wie ze hem sleurde, weigerde hij dat toe te geven. Ook tegen haar loste hij geen woord. Als ze zijn nachtmerries ter sprake bracht, hield hij vol dat ze zich die angstkreten inbeeldde. Niet hij, maar zij had in haar slaap geroepen. Zijn hardnekkigheid vertederde haar. Hij was haar trotse, lieve, stoere, koppige, kleine prins.

Hoe zou hij haar zich herinneren wanneer ook zij uit zijn leven verdwenen was? Zou hij om haar treuren? Wilde ze dat hij om haar treurde? Of zou hij zich aan zijn lot overgelaten wanen, zoals zij zich door zijn vader in de steek gelaten voelde?

Titus bewaarde geen herinneringen aan Sam. Dat vond ze vreselijk voor de ene zowel als voor de andere. Om de leemte te vullen had ze hem intussen zo veel prachtige verhalen over zijn vader verteld dat ze niet meer wist waar waarheid ophield en verzinsel begon. De eenzame fietser was een ruiter geworden op een volbloed hengst, een krijger in kleurrijk ornaat. De dode hoek waarin de vrachtwagenchauffeur hem niet had gezien was nu eens een draaikolk waarin schepen vergingen, dan weer de opengesperde muil van een tijger of een vuurspuwende draak. Soms gaf ze Sam krachtige vleugels waarmee hij van zijn zadel opsteeg seconden voor de tankauto rechts afsloeg.

'Papa's gaan niet echt dood', zei ze. 'Daarvoor houden ze te veel van hun kinderen.' En ze bedoelde: echtgenoten gaan niet echt dood. Daarvoor houden ze te veel van hun vrouw.

Uren had Sam Titus lopen sussen toen hij als baby door krampjes werd geplaagd. Hij had wiegeliedjes voor hem gezongen tot zijn keel er schor van werd. En later had hij telkens opnieuw een rode glimmende bal naar de kraaiende peuter gerold. Hij had hem in een rugzakje gezet en verre wandelingen met hem gemaakt. Hij had hem de namen van gewassen geleerd, hoewel het ventje die nog niet kon uitspreken en zeker niet kon onthouden. Hij had besjes voor hem geplukt, en hem uitgelegd waarom de ene wolk wit was en de andere grijs, waarom de ene er als watten uitzag en de andere niet meer was dan een veeg. Hij had hem meegenomen naar de manege en getoond hoe hij de paarden kon aaien. Op een avond hadden vader en zoon bij de poel in het bosje een hert verrast. Sam had er een goed voorteken in gezien.

Titus' lege geheugen verontrustte Mona. Hij kende de foto's, zei hij. Hij herinnerde zich dat hij en zij iedere avond in het fotoalbum hadden gebladerd, maar de man zelf, de levende man van vlees en bloed, herinnerde hij zich niet. Was dat normaal?

'Heel wat mensen verwarren herinneringen met foto's', had een van de therapeuten haar gezegd. 'Uw zoon doet dat niet. Dat pleit voor hem.'

Sam was een goede vader geweest, en zij een goede moeder. Dat bewees de vergeelde poster en daarom moest hij er blijven hangen. Telkens wanneer Titus zijn kennis van vaten en organen had willen testen, had hij zich door haar laten ondervragen. Alles liet ze ervoor vallen. Ze trok de stekker van het strijkijzer uit het stopcontact, of legde het aardappelmesje neer waarmee ze aan het snijden of het schillen was. Ook als ze midden in een lastige zin zat, hield ze meteen op met vertalen. Ze veegde haar handen af aan haar schort en pakte de Post-itjes uit de lade. Terwijl ze de namen op de poster afdekte, keek Titus strak naar buiten. Zelfs met haar rug naar hem toe voelde ze zijn concentratie. Hij deed haar denken aan een atleet die zich voorbereidde op de beslissende sprong. En zij was als de moeder van het jonge sporttalent die elke minuut van haar vrije tijd opofferde om haar kind naar trainingen en wedstrijden te begeleiden. Wanneer vriendinnen het over de sportclubs hadden waarop hun kinderen zaten, zei zij: 'Mijn zoon beoefent bloed.' Als ze er breed genoeg bij lachte bestond de kans dat niemand het ongezond of luguber noemde. Meestal dachten ze dat ze een grapje maakte. Of dat ze bedoelde dat hij van vampierverhalen hield. Ook hún kinderen waren eraan verslingerd. Als de zombies en bloedzuigers de revue hadden gepasseerd, legde ze uit hoe Titus haar Millecroquettes had gebruikt voor een spreekbeurt over bloed. Normaal stopte je aardappelpuree in de bak en gleden er lange slierten kroket uit de gaten op het plankje waaronder wieltjes zaten. Titus zette het ding op zijn kop en maakte er een bloedmachine van. In de eerste opening stopte hij rode knopen – die stelde de rode bloedcellen voor; in de tweede witte voor de witte bloedcellen en in de derde blauwe voor de bloedplaatjes. De drie 'ingrediënten' vielen samen in de bak met 'bloed'. Bloed bestond bij de gratie van diversiteit. Cellen moesten uitrijpen en zich uitsplitsen. Het heilige principe van bloed.

Ja, Titus. Zeker, Titus. Maar breng alsjeblieft mijn aardappelkroketmachine terug mee naar huis, want ik heb hem van je vader zaliger gekregen.

De grap duurde al erg lang. Vond ze. Voor Titus was het geen grap. Het was bloedserieus.

Soms verwenste Mona de arts die haar zoon de poster had gegeven. En ze verwenste zichzelf omdat ze de poster in de keuken had gehangen. Ze was bang geweest dat Titus de slaap niet zou kunnen vatten met het bloedvatenstelsel bij zijn bed aan de muur. Of dat hij opnieuw hoge koorts zou krijgen. Ook de bloedatlas met de vele plaatjes mocht 's nachts niet op zijn kamer blijven liggen. Daar kreeg hij die nare dromen van. Intussen was het kwaad geschied. Het bloedvatenstelsel zat gebeiteld in zijn hoofd. Waar hij het ook neerlegde, hij had het altijd bij zich. Zij had hem geholpen het zich in het hoofd te prenten. Ook zij kende de namen van alle vaatjes, adertjes en organen.

Wanneer alle papiertjes op de poster waren gekleefd, gaf ze hem een pen. Om bij de hoogste Post-itjes te kunnen, moest hij op een stoel gaan staan. De ene naam na de andere verscheen op de gele briefjes: aorta, halsslagader, milt, linkerhartboezem, longslagader, pulmonale klep. Als alle briefjes een naam hadden gekregen, gaf hij haar de pen terug. Ze nam hem niet meteen aan. 'Klaar?' vroeg ze om hem de kans te bieden iets te verbeteren. Titus maakte er nooit gebruik van. Hij was zeker van zijn zaak en ging recht op zijn doel af. Nu was zij aan de beurt. Ze ging op de toppen van haar tenen staan en las hardop de naam die haar zoon op het hoogste Post-itje geschreven had. Een seconde lang keek ze hem vragend aan. Met een korte hoofdknik bevestigde hij dat hij die naam en geen andere had bedoeld. Daarop trok ze het Post-itje van de poster en las het woord dat er stond gedrukt. Opnieuw keek ze naar haar zoon, dit keer met een tevreden glimlach. Even verdween de spanning uit zijn gezicht, maar híj glimlachte niet. Hij wilde weten of ook de volgende goed was. Soms deden ze er meer dan een half uur over om alle Post-itjes te controleren. Het kon veel sneller, maar moeder en zoon genoten ervan de controle te rekken. Post-itje na Post-itje bewees hoe schrander hij was. En hoeveel hij al wist over bloed.

Algauw verschafte de test hem geen voldoening meer. Hij wilde weten hoeveel tijd hij nodig had om alle namen op de Post-itjes te schrijven. Mona stelde zich naast hem op met een chronometer in de linkerhand en een fluitje in de rechter. Daarop floot ze bij wijze van startsignaal. En ze vuurde hem aan. 'Twee minuten en drie seconden', riep ze opgewonden, alsof haar zoon een wereldrecord had gebroken. Ze was bereid hem voor te liegen dat hij onder de twee minuten was gezakt, maar hij zou eisen dat ze hem de chronometer toonde. Haar bedrog zou een zwaardere vernedering betekenen dan een matige tijd.

Toen het bloedvatenstelsel geen uitdaging meer bood, hadden ze het lymfevatenstelsel aangepakt, waarvan tot haar verrassing de zwezerik deel uitmaakte. De poster vermeldde die naam tussen haakjes achter de officiële Latijnse: thymus. Dat klonk een beetje zoals Titus. Moeder en zoon namen zich voor nooit kalfszwezeriken te eten, hoewel die als een delicatesse werden beschouwd. Op de poster oogde het lymfestelsel een beetje als een sterrenbeeld. Vond zij. Titus de thymus vond dat niet.

Hij was op de tabel van Mendelejev overgeschakeld. Om die te oefenen gebruikten ze eerst Post-itjes, daarna ook pijltjes. De tabel hing in de kelder op het dartbord naast de wasmachine. Ze ging op een veilige afstand van het bord staan met een ander exemplaar van de tabel in haar handen en riep bijvoorbeeld: 'Chroom'. Binnen de seconde plantte Titus een pijltje in het bewuste vak. De jongen had een bijzonder vaste hand. De hand van een chirurg, dacht ze soms. Of van een pianist. Wanneer ze de naam riep van een element uit de onderste rij – Hassium, Roentgenium, Bohrium – zag ze hem aarzelen. Als het pijltje in het verkeerde vakje belandde, beweerde hij nooit dat hij niet goed had gemikt. Het ergerde hem zelfs wanneer zij die mogelijkheid suggereerde. Hij wees alle excuses of uitvluchten af. 'Iets is wit of iets is zwart, mama.' – 'Ja, ja', antwoordde Mona vaag. En ze dacht: grijs bestaat toch ook? Haar zoon was streng voor zichzelf. Veel strenger dan zij ooit voor zichzelf was geweest. Hersenen moesten worden getraind, zei hij. Daarin verschilden die niet van spieren. Hoe meer je oefende, hoe krachtiger ze werden. De meeste mensen lieten hun hersenen grotendeels onbenut. Ze konden er net zo goed zonder geboren zijn.

Naast hem voelde Mona zich dom, oppervlakkig, frivool. Even oppervlakkig als de reisgidsen waarvan ze er stapels had vertaald. Ze was de tel kwijtgeraakt. Hoe meer er werd gereisd, hoe meer werk ze had. En hoe minder tijd om te reizen. Ze had er ook het geld niet voor. Dat vond ze niet erg. Ze had een dak boven haar hoofd en een schrandere zoon. Te schrander. Titus had het opgegeven haar het onderliggende principe van de tabel van Mendelejev uit te leggen. Of waarom die ook 'het periodiek systeem' werd genoemd. Ze vergat het telkens opnieuw.

'Het interesseert je niet', zei hij kregelig. 'Daarom onthoud je het niet. Mendelejev heeft bewezen dat wij de natuur kunnen doorgronden. Er bestaat een code. Die kunnen we kraken.'

'Het interesseert me wel', hield ze koppig vol.

Als ze eerlijk was, moest ze toegeven dat hij gelijk had. Het interesseerde haar niet. Het kostte haar zelfs moeite te begrijpen waarom het hem interesseerde. Als er al sprake van een code was, dan wilde ze die niet kennen. Ze wilde geen code zijn. Was het normaal voor zo'n jongen om het allemaal te willen kunnen opdreunen? Maar ook zijn vriend Pieter ging er prat op met accuratesse en souplesse pijltjes in de juiste vakjes te kunnen mikken. Dan stonden die twee naast elkaar op vijf passen van het bord op de rode strip die zij daar had gekleefd. 'Klaar?' riep ze. Ze stak haar arm omhoog alsof ze het startschot gaf. Om beurten gooiden ze een pijltje naar het element dat ze afriep. Wanneer ze elk hun drie pijltjes hadden gegooid, was het tijd voor de controle. Ontspannen slenterde Pieter naar het bord. Hem maakte het niet uit of hij gewonnen had of niet. Titus keek alsof hij zo meteen te horen zou krijgen of hij al dan niet Olympisch goud gewonnen had. Ze durfde er vergif op in te nemen dat Pieter met opzet fouten maakte zodat Titus de beste kon zijn. Vaak kon hij de spot niet uit zijn stem weren wanneer hij Titus proficiat wenste. 'Drie keer in de roos!' Of beeldde ze zich dat in?

Pieter Kalhorn. Zodra ze aan hem dacht, verscheen een glimlach op haar lippen. Het gebeurde automatisch. Mona betwijfelde of dat met verhoogde bloedtoevoer te maken had, maar met bloed wist je het nooit. Titus was een opdracht. Iedere dag opnieuw kostte het haar een inspanning zijn moeder te zijn. Ze herinnerde zich Sams verrukte toewijding en deed haar best die te evenaren. Ze probeerde hem door de ogen van haar vader te zien, die zo dol op de jongen was geweest. Nooit maakte ze een schampere opmerking over bloed. Of een flauwe. Ze luisterde aandachtig naar hem en nam hem altijd ernstig. De inspanning was haar intussen zo vertrouwd dat ze zich er nog nauwelijks bewust van was, maar het bleef een inspanning. Iets wat ze zichzelf oplegde en plichtsbewust uitvoerde. Hij was haar kind en ze hield van hem, maar waarom tilde hij zo zwaar aan alles? Waarom kon niets ooit licht of luchtig zijn?

Hij weet het, dacht ze soms en ze deed nog harder haar best. Als kind had hij aan haar rokken gehangen, alsof hij bang was dat ze hem ergens zou achterlaten in een donker bos. Of in een warenhuis. Dat kwam door het abrupte verlies van zijn vader, zei iedereen. Maar er was meer aan de hand. Zijn aanwezigheid drukte op haar. Tegelijkertijd werd ze ziek van ongerustheid als ze niet wist waar hij was. Ze liet hem alleen naar school fietsen, hoewel ze doodsangsten uitstond dat ook hij zou worden aangereden. Als hij later thuiskwam dan afgesproken, was ze niet in staat de onnozelste zin te vertalen. Geen seconde kon ze haar aandacht bij haar werk houden. Maar ze belde of sms'te hem niet. Ze mocht hem niet verstikken, zeiden de therapeuten. Ook als ze hem in zijn eentje ergens naartoe had laten gaan, mocht ze hem niet als een zottin achternahollen. Ze moest zich leren beheersen. En ze beheerste zich.

Pieters fietsbanden walsten het grind plat op de oprit naast haar huis. Zo meteen zou hij de achterdeur opengooien en naar binnen stormen met de vraag of Titus thuis was.

'Ja', zou ze zeggen. 'Hij is thuis.'

Titus was altijd thuis, tenzij Pieter hem op sleeptouw nam. Of hij op school zat.

Mona nam de dadels uit de kast die ze speciaal voor Pieter had gekocht en keek hoe hij in zijn haast zijn dure fiets tegen de grond gooide en een bloempot met geraniums omstootte. Ze nam zich voor straks niet te kijken of de bloempot het heelhuids had overleefd. Geraniums konden tegen een stootje. Net als fietsen.

'Eet je met ons mee?' vroeg ze, nadat hij haar op de wang had gekust en ze haar hand even door zijn ongekamde haren had laten glijden. De vraag was overbodig. Sinds Pieter in hun buurt was komen wonen, had hij meer maaltijden bij hen gebruikt dan in de witte villa met het verwarmde zwembad in de kelder, de batterij zonnepanelen op het platte dak en de twee imposante stenen bollen links en rechts van de zware poort die de lange oprit aan het oog van het plebs onttrok. Op het kookeiland in de riante keuken werd zelden gekookt. Wie bij de Kalhorns honger had pakte een maaltijd uit de diepvriezer en warmde hem in de microgolfoven op. Alleen op zondag werd er samen aan de marmeren tafel in de tuinkamer gegeten. Het uitzicht op de bloemperken verzachtte de zeden niet. Zelden werd het dessert gehaald zonder een sarcastische opmerking van de vader en een huilbui van de moeder. 'Ze kunnen niet zonder elkaar, maar blijkbaar ook niet met elkaar', zei Pieter gelaten. Hij sprak over het gezin alsof hij er geen deel van uitmaakte. Zijn vader was een onvoorspelbare man. Nu eens liet hij zijn charmante gezicht zien, dan weer liep hij met op elkaar geklemde lippen verongelijkt rond op zoek naar een slachtoffer op wie hij zijn norse humeur kon botvieren. In opgewekte stemmingen was hij een babbelwater met pretoogjes. Dan greep hij Mona's hand en complimenteerde haar met haar kapsel of jurk. Of hij kuste haar nat op de mond en nodigde haar uit om bij hen te komen zwemmen. Mona wilde die villa weleens met haar eigen ogen aanschouwen, maar ze zag niet hoe zo'n zwempartijtje ooit goed zou aflopen. Ze was er zeker van dat hij zijn vrouw bedroog. Zij was een zenuwachtige blondine, die iedere dag naar de fitness ging en elke zaterdag om acht uur 's morgens bij de kapper zat. Ze liet er zich ook manicuren, wat Mona het toppunt van luxe vond. Haar verzorgde uiterlijk kon niet maskeren dat ze leed onder de wispelturigheid van haar man. De ene week liep ze met een stok omdat ze sukkelde met haar knie, de volgende had ze last van eczeem, en weer een week later droeg ze een donkere bril omdat haar hoornvlies was ontstoken. Ze kampte met aandoeningen waarvan Mona het bestaan niet had vermoed en die ingewikkelde behandelingen vereisten. Even plotseling was de ziekte vergeten en kondigde zich een nieuwe kwaal aan.

De dochter, die zes jaar ouder dan Pieter was, aardde naar de vader. Mona wist van de moeder van de ex-vriend van de dochter dat ze die jongen dagen kon negeren als ze haar zin niet kreeg. Hij had op den duur alle zelfvertrouwen verloren. De moeder was zelfs bang geweest dat haar zoon een depressie zou krijgen. Sinds hij iemand anders had, was hij helemaal opgefleurd. De zus had een nieuw slachtoffer gevonden, iemand van goeden huize, van wie de oma de eerste vrouwelijke notaris van Vlaanderen was. Werd in Zwelegem beweerd.

'Alles goed thuis?' vroeg Mona. Ze hoopte iets te vernemen dat haar nieuwsgierigheid over het echtpaar zou bevredigen. Of haar visie op hen zou bevestigen.

'Mijn zus gaat trouwen', zei Pieter. Hij stopte een dadel in zijn mond.

'Nu al?'

'Ze verwacht een kind.'

'Echt waar?'

'Ik word oom. Oom Pieter.' Hij lachte breed.

'Trouwen ze vanwege het kind?'

'Niet alleen daarom. Naar het schijnt houden ze van elkaar.

Hij houdt van haar en zij houdt van hem. Precies zoals het hoort.' Een tweede dadel verdween in zijn mond. 'Is Titus boven?'

Ze knikte. Wat zou de moeder van de ex daarvan wel niet denken? Nog geen jaar geleden was zij samen met haar man bij de Kalhorns uitgenodigd omdat er een huwelijk in de lucht hing, en nu was de bruidegom al vervangen! Morgen tijdens de yogales zou ze haar matje naast het hare leggen. Spreken tijdens de les was verboden, maar nood brak wet.

Ook zij was zwanger geweest toen ze Sam haar ja-woord gaf. Ze hadden er geen geheim van gemaakt. Dat hoefde toen allang niet meer. Zelfs haar oma's waren opgetogen. Op de huwelijksaankondiging stond een ooievaartje met een licht-blauw en roze geruit sjaaltje om de hals. Tijdens de plechtig-heid op het stadhuis had ze haar handen ostentatief op haar buik gelegd. Liever een zwangere bruid dan een onvruchtbare, had ze trots gedacht. Halfweg hun huwelijksreis was ze begon-nen te bloeden. Ze had het gemerkt terwijl ze op het balkon van hun hotelkamer in de ochtendzon zaten te ontbijten. Vijf-tig meter verder kabbelde de zee. 'Ik bloed', had ze tegen Sam gezegd. Haar mooie nieuwe nachthemd kleurde rood. Ze had geen maandverband bij zich gehad.

Een ambulance had haar naar een ziekenhuis gebracht, waar ze op een bed in een gang had moeten wachten tot een arts tijd voor haar had. Mannen en vrouwen in witte jassen liepen haar achteloos voorbij terwijl er bloed uit haar lekte. Hun stemmen klonken des te hartelozer omdat ze geen woord van wat ze zeiden verstond. Ze kon zelfs de opschriften niet lezen. Hoeveel bloed zat er intussen op de witte hotelhand-doek die ze tussen haar benen had gepropt? Het voelde alsof ze had geplast en misschien had ze ook geplast. Sam zat in een wachtkamer op een oranje plastic stoel. Tot vandaag begreep ze niet waarom hij niet geëist had bij haar te mogen blijven.

Maar zelf had ze ook niets geëist. Allebei hadden ze vertrouwen in het ziekenhuis gehad. En in de artsen. Ze waren ervan uitgegaan dat die wisten wat ze deden en misschien wisten ze het ook. Griekenland was geen ontwikkelingsland.

Ze was ervan overtuigd geweest dat ze in die gang zou sterven, hoewel de pijn best draaglijk was. Aan de baby had ze niet gedacht. Die was ook nog geen baby. Eerder een reptieltje. Iets met een diafane huid. Ze had proberen te bidden, hoewel ze niet wist hoe dat moest.

Toen ze eindelijk werd geholpen had de arts haar met irritante opgewektheid gemeld dat de routineklus snel zou zijn geklaard. 'Even die benen open, mevrouw.' In het Engels, want zij sprak geen Grieks en hij geen Nederlands. 'Pijn?' had hij gevraagd zonder het antwoord af te wachten. Wat kon het hem schelen? Ze was patiënt nummer zoveel. Een van de vele toeristen die in zijn ziekenhuis aanspoelden.

Ze had niet gevraagd of ze het mocht zien. Daar voelde ze zich pas schuldig over toen vriendinnen haar begonnen te vragen of het een jongetje of een meisje was. En of ze hem of haar nog had vastgehouden. Ze schrokken toen ze hun zei dat er geen begrafenis of crematie was geweest. Ze schrokken echt.

Wat was er met het lijkje gebeurd? Had het ziekenhuis een aparte verbrandingsoven voor foetussen? Of werd alle afval samen verbrand? Ze hoedde zich ervoor dat woord in het bijzijn van haar vriendinnen te gebruiken. Afval. Later had haar eigen gynaecoloog zijn duim en wijsvinger gespreid om te tonen hoe groot het kindje was geweest. 'Hooguit zeventien centimeter. En waarschijnlijk met een chromosomale afwijking. Beter zo, mevrouw. Beter zo.' Zeventien. Dat was groter dan ze had gedacht. Als het een meisje was geweest, had ze op dat moment vijf miljoen eicellen. Bizar genoeg zouden er daarvan bij de geboorte 'slechts' één miljoen zijn overgebleven. De voorraad voor een leven dat er niet gekomen was.

Waarvoor had een vrouw in 's hemelsnaam één miljoen eicellen nodig? De natuur overdreef. En ook mensen overdreven. Wie had er baat bij een jonge vrouw schuldgevoelens aan te praten omdat ze een niet-levensvatbare foetus geen uitvaart had bezorgd?

'Had jíj hem willen zien?' had ze meer dan eens aan Sam gevraagd.

'Wie?'

'De baby.'

Hij had nooit een antwoord gegeven.

Het was anders voor mannen, dacht ze. Natuurlijk was het anders.

Elf maanden later was Titus geboren. Opnieuw had ze veel bloed verloren. De jas van de gynaecologe zag van onder tot boven rood, alsof iemand er een emmer bloed over had gekieperd, zoals je water waarmee je de stoep hebt geschrobd met een kordaat gebaar in de goot weggiet. Ook de dagen na de bevalling was er bloed uit haar blijven lekken. Telkens wanneer ze de baby uit zijn wiegje tilde, had ze het uit zich voelen stromen.

Daar was het begonnen, dacht ze. Niet met het lijk dat Titus samen met zijn opa was gaan groeten, en ook niet met de poster die de goedhartige arts haar zoon had gegeven, of met de bloedatlas die haar vader voor Titus had gekocht, maar met het bloed waarin hij was geboren. Haar bloed.

Of het was begonnen met het bloed dat uit Sams hoofd op de straatstenen was gevloeid. De agent had haar willen tegenhouden. 'Het is beter, mevrouw, als u uw man niet ziet.' Alsof zij rustig thuis zou zijn gebleven terwijl Sam daar lag! Ze had zich op de grond laten vallen. Op handen en voeten was ze tot bij hem gekropen. Daar had ze met een knik aangegeven dat de jas mocht worden weggenomen. Lang had ze niet kunnen kijken.

Wat was er met de jas gebeurd? Wie had hem over Sam gelegd? Die vragen hadden zich pas in haar hoofd gevormd toen de dierlijke paniek was weggeëbd.

Op haar pantoffels en in haar badjas was ze naar hem gehold. Als een zottin.

De chauffeur was toen al afgevoerd. In shock.

Sams oor was weg. Daar gaapte het rood, vlezig, bloederig.

Titus wist waar het was gebeurd, en hij wist dat hij daar extra voorzichtig moest zijn. Naar links kijken, naar rechts kijken en dan weer naar links. En nooit afgaan op je gehoor. Altijd goed kijken. Beter om zes uur thuis dan om vijf uur in het ziekenhuis.

Ja, mama.

Als ze alleen was, dwaalden haar gedachten dikwijls af naar de vrouw op haar pantoffels en in haar badjas. Ze had met haar te doen.

Mona was vaak alleen.

Hij had de naam gekregen die voor het eerste kindje was bestemd. Een meisje zouden ze Mathilde hebben genoemd. Vanwege Roald Dahl. Titus dankte zijn leven aan die eerste, afgebroken zwangerschap, waarover nooit gesproken werd. Ging hij onbewust onder de last gebukt? Zou ze het hem moeten vertellen? Het waren vragen die ze zich dikwijls stelde en waarop ze het antwoord schuldig bleef, net zoals op de vraag of Titus een gelukkiger kind was geweest met broertjes en zusjes, zelfs als het halfjes waren geweest. Zij kon zich het bestaan van een enig kind niet voorstellen, maar Titus leek geen speelkameraadjes te missen. En ook zijn vader miste hij niet. Hij had genoeg aan haar en aan zijn microscoop en aan zijn boeken over bloed. Hij begreep niet waarom ze hem telkens weer naar een therapeut stuurde. Hij had die mensen niets te vertellen. Echt waar niet. En ook zij hadden hem niets te vertellen. Nog nooit had hij uit de mond van een van hen iets interessants gehoord. Kon ze dat alsjeblieft eindelijk geloven?

Gelukkig was er Pieter. Nauwelijks een dag ging voorbij zonder een bezoekje van Pieter. Die twee waren als broers. Ze kibbelden als broers en als broers vergaten ze hun twisten.

Hoe zou ze reageren als haar zoon haar op een dag voor de voeten wierp: Jij zou liever de moeder van Pieter zijn!

Ze zou blozen. Alle haarfijne vaatjes in haar wangen, die op de poster in haar keuken 'capillairen' werden genoemd, zouden zich vullen met bloed. Hoe dat kwam kon zelfs expert Titus haar niet vertellen. Verhoogde bloedtoevoer, ja, dat kon ze zelf ook bedenken, maar waarom moest er bij bepaalde emoties zo nodig extra bloed naar haar hoofd worden gepompt?

Stel dat je een baby voor een proefperiode mee naar huis kreeg en dat je dan kon beslissen of je hem hield. Zou ze Titus hebben gehouden of zou ze hem naar het ziekenhuis hebben teruggebracht? Zou ze hebben gezegd: liever een spontaner kind? Eentje dat danst en zingt en lacht. En voetbalt. Eentje van wie de vader niet gestorven is. En dat niet maalt om bloed.

Ze was vrij zeker dat ze niet van Titus zou houden als hij haar kind niet was. Maar hij was haar kind. Haar bloed. Ze was als de dood dat ze ook hem zou verliezen. Desondanks viel het haar zwaar zijn moeder te zijn.

Misschien was ze zo dol op Pieter omdat hij haar kind niet was. Over hem maakte ze zich geen zorgen. Angst dat hem een dodelijk ongeval zou overkomen hield haar niet uit de slaap. En al helemaal was ze niet bang dat ze hem de dood in zou drijven door hem naar de supermarkt of de slager te sturen. Of dat ze hem opgewekt bij de voordeur zou uitwuiven om nauwelijks een kwartier later aan diezelfde voordeur een sombere politieagent te zien staan.

Ze trok een lade open en pakte het cadeautje dat Titus jaren geleden voor Moederdag had gemaakt: de stamboom van zijn bloed. Naast de naam van haar vader had hij twee O's getekend, naast die van haar moeder een O en een A. En ook achter 'mama' stonden een O en een A. De 'papa'-tak had de B geleverd. Titus had de A's en B's in het rood op het blad geschreven. Voor zijn eigen naam had hij een goudkleurig potlood gebruikt. Trots had hij ermee zijn bloedgroep genoteerd: AB. Hij had er een cirkel rond getrokken die hij van gouden stralen had voorzien. In hem was het bloed van zijn ouders vermengd tot iets bijzonders. Hij had O kunnen hebben, of A, of B, maar het was AB geworden. Onder aan de tekening had hij met zijn bloed zijn duimafdruk gezet. Met het zakmes dat hij van haar vader had gekregen had hij in zijn duim gekerfd. Een rode bel was uit de wond ontsnapt. 'Doet dat geen pijn?' had ze verschrikt geroepen. 'Je moet dat ontsmetten, hoor!'

Hij had zich voor haar kreten doof gehouden.

De afdruk van Titus' duim was intussen verbleekt, net als de herinnering aan de wrede blik waarmee hij in zijn eigen vlees had gesneden. Alsof hij zichzelf haatte, had ze destijds gedacht. En ze had zich nog meer voor hem uitgesloofd. Soms kerfde hij zich in zijn handpalmen. Hij dacht dat ze het niet wist, maar ze was niet blind voor de littekens en korstjes.

Waarom was Sam gestorven? Wat moest ze met dit vreemde, weerbarstige kind?

3

Titus begon te vermoeden dat hij een fout had gemaakt in de sudokupuzzel die zijn moeder voor hem uit de krant had gescheurd. Hij had zich aan de puzzel overgegeven als een duiker aan het water. In een roes had hij het ene getal na het andere ingevuld. Kijk met het oog van je verbeelding. Vaar koers op je intuïtie. Nu vreesde hij dat er iets niet klopte. Maar wat?

Leonardo da Vinci had het zo veel makkelijker gehad. In zijn tijd was er nauwelijks kennis verworven. Harvey, die de bloedsomloop zou ontdekken, moest nog geboren worden. De kans was groot dat Da Vinci net als zijn tijdgenoten niet liggend had durven te slapen uit angst dat er te veel bloed naar zijn hoofd zou stromen. Misschien zwoer ook hij bij aderlaten als medicijn voor elke pijn. Waar kwam die bizarre overtuiging vandaan dat je beter te weinig dan te veel bloed kon hebben? Je zou denken dat mensen zonder medische kennis tot precies de tegenovergestelde conclusie zouden komen. Bloed: levenssap van het lichaam. Daar kun je toch nooit te veel van hebben?

Aderlaten had trouwens geen zin. Een gezonde mens kreeg er voortdurend vers bloed bij. Iedere seconde werden er twee miljoen rode bloedcellen aangemaakt, anderhalf miljoen witte bloedcellen en bijna vijf miljoen bloedplaatjes. Gelukkig werden er evenveel cellen vernietigd, anders barstten aders uit hun voegen. Mensen zouden ontploffen! Bij iemand die bloed verloor, kon de celproductie vijf- tot tienmaal worden opgedreven. Zo kon je blijven aderlaten. Stel dat Da Vinci honderd kilo woog, dan stroomde er zevenenhalve liter bloed in hem. Maar dat was dus niet altijd hetzelfde bloed. Het werd continu aangemaakt en afgebroken, aangemaakt en afgebroken, en ook in hem en in Pieter en in zijn moeder werden op dit moment bloedcellen aangemaakt en afgebroken, aangemaakt en afgebroken. Voorzover hij wist, gebeurde het geruisloos. Zelfs hypergevoelige opnameapparatuur zou in beenmerg geen gezoem of geritsel of getik opvangen. Vermoedde hij.

Soms had hij zin om opnameapparatuur in de keuken te verstoppen om te weten wat zijn moeder Pieter altijd te vertellen had.

Mijn vriend, mama, niet de jouwe.

Hij hoopte dat ze de bloemkool had klaargemaakt die hij in de provisiekelder had zien liggen. Pieter moest er scheten van laten. Niet die scheten, maar het compleet gebrek aan gêne waarmee hij ze loste fascineerde hem. Pieter trok zich geen reet aan van wat andere mensen over hem dachten. Of zeiden. De mogelijkheid kwam zelfs niet bij hem op dat hij er zich iets van zou kunnen aantrekken. Hij was vrij, zo vrij dat hij Titus als vriend had uitgekozen. Elf dagen. Welgeteld elf dagen zat hij toen bij hen op school. Iedereen kende al zijn naam. En wist dat hij in die chique villa woonde die jaren had leeggestaan en onlangs van onder tot boven was gerenoveerd. Een villa met een zwembad in de kelder. Zwelegem telde een handvol zwembaden in tuinen, maar nooit eerder was iemand op het vermetele idee gekomen er eentje in zijn kelder te laten graven zodat je ongeacht de weersomstandigheden iedere dag een duik kon nemen. Als Pieter met natte haren op school verscheen, wist iedereen: hij heeft vanmorgen nog gauw een paar baantjes getrokken. Dat natte haar was als een kroon op zijn mooie hoofd.

Het was die dag nog niet helemaal droog toen hij enthousiast had uitgeroepen: 'Bloed wordt dus gedicht!' Titus wilde net aan de conclusie van zijn spreekbeurt beginnen, maar die nam Pieter Kalhorn voor zijn rekening. 'Als ik het goed begrepen heb, begint het met een hematopoëtische stamcel en het eindigt met bloed.' Hij sprak 'hematopoëtisch' langzaam uit, zijn tijd nemend om elke lettergreep van het nieuwe woord te savoureren. 'Bloed ís een gedicht!' Zijn tanden deden Titus aan de kralen denken van de Masaikrijgers op de foto in zijn bloedatlas. 'Masai voeden zich niet alleen met de melk maar ook met het bloed van hun vee.'

Zonder de lerares toestemming te vragen was Pieter naar voren gelopen. Hij had de Millecroquettes, die Titus voor zíjn demonstratie op zijn kop had gezet, weer omgekeerd. 'De moedercel gaat in deze bak, bijvoorbeeld deze glimmende blauwe knoop, en er komen verschillende cellen uit.' Pieter stak zijn vingers door de gaten waaruit in Mona's keuken op feestdagen slierten kroket op het plankje gleden. Van die kroketten zou hij in de jaren die volgden dikwijls smullen. Bij hem thuis werden alleen diepvrieskroketten gebakken.

In een handomdraai had Pieter de magie van bloed aanschouwelijk gemaakt. Het ontstond uit een stamcel, een hematopoëtische stamcel, die tot vele verschillende cellen uitrijpte. Het wonder was niet dat bloed verschillende soorten cellen bevatte, maar wel dat die verschillende soorten zich uit één moedercel ontwikkelden. Titus' gedegen spreekbeurt had de informatie aangereikt, Pieters flitsende intelligentie had de essentie blootgelegd.

Een paar weken later hield Pieter een verhaal over de Galapagoseilanden. Want daar was hij toen net met zijn ouders geweest. Zijn powerpoint bestond alleen uit foto's, waarop de meest vreemdsoortige wezens waren te zien. Hij had niets op papier gezet, maar babbelde vlot de voorgeschreven twintig minuten vol. Hij bleef zelfs langer aan het woord. De lerares onderbrak hem niet.

Titus nam zijn pen en vulde een vier in. Dit keer had hij elke stap zorgvuldig beredeneerd. Verschillende denkpistes had hij verkend. En hij was beloond. Tevreden leunde hij achterover. Hij moest zichzelf vertrouwen. De puzzel was een code die hij kon kraken. Het was een kwestie van concentratie en discipline. Als je die scherpte, kon je alles aan. Het maakte niet uit hoe je je hersenen trainde. Als je ze maar trainde. Dmitri Mendelejev had de zijne geoefend door patience te spelen. Het kaartspel had hem het inzicht verschaft dat ten grondslag lag aan zijn beroemde tabel. Zo ingenieus én onfeilbaar was Mendelejevs systeem dat hij eigenschappen had voorspeld van elementen die nog niet waren ontdekt. Mendelejev wist dat ze moesten bestaan. Hij geloofde rotsvast in zijn systeem. En terecht. Als je greep op de dingen wilde krijgen moest je het systeem achterhalen en dat systeem moest je voorstellen in een grafiek, een curve of een tabel.

Zijn oog viel op de vier in de onderste rij van de puzzel. Wat deed die daar? Een van de twee vieren stond niet op zijn plaats. Of ze stonden geen van beide op hun plaats. Wanneer had hij die eerste vier ingevuld? Op basis van welke redenering? Was er een redenering aan te pas gekomen?

Hij werd dommer in plaats van slimmer.

Zelfvertrouwen, Titus, maar geen overmoed!

De fout kon onmogelijk ongedaan worden gemaakt. Elke puzzel was een uitgekiend evenwicht. Eén fout bracht alles uit balans.

Hij trok een kruis over de puzzel en borg hem in zijn mapje weg. Met sudoku was het erop of eronder. Daarom was het zo'n goede leerschool.

Hij stond op en liep naar de deur. Beneden ging de gangdeur open. Hij ging weer zitten en sloeg een boek open. Zo meteen zou Pieter met zijn vaste vraag zijn kamer binnenstormen: 'Titus, heb je zin om …?' Of: 'Titus, hef je kont op, we gaan naar …' Hij zou doen alsof hij er geen zin in had. Hij zou tegenstribbelen en bezwaren bedenken. Iets in hem wilde zich losrukken van het sleeptouw waaraan hij zat vastgebonden. Hij moest het voortouw zien te nemen. Pieter wist hem dat altijd te ontfutselen. Met een onschuldige glimlach. Alsof hij eigenlijk het tegenovergestelde beoogde van wat hij deed.

Pieter liep harder, zong beter, fietste beter, baskette beter, volleybalde beter, skateboardde beter, danste beter. Hij trapte de bal vaker in het doel en versierde meer meisjes. Dat laatste was niet moeilijk want Titus versierde er geen. Pieter had niet alleen de Galapagos maar ook New York, Kaapstad, Moskou en Rome bezocht. Titus was tussen reisgidsen opgegroeid, maar had nog geen stap in een buitenland gezet. Pieter kon skiën en gitaar spelen, Titus niet. Eén keer had Titus zijn vriend overklast. Tijdens de wetenschapsweek afgelopen maand had Pieter de directeur zo gek gekregen dat hij in de sportzaal vijftien dartborden liet opstellen met de tabel van Mendelejev. Er werden vijftien ploegen gevormd met telkens vier leerlingen die allemaal de tabel hadden ingestudeerd. Pieter zat boven op een scheidsrechtersstoel en riep de naam van een element door een megafoon. Vijftien pijltjes vlogen naar vijftien verschillende borden. Ze ketsten af, ze vielen op de grond, ze belandden naast het bord. Van de enkele pijltjes die in het bord bleven zitten, zaten er twee in het juiste vakje. De volgende leerlingen traden aan. 'Zwavel', riep Pieter. Dat was een makkelijke. Allemaal konden ze dat element aanwijzen, maar opnieuw weigerden de pijltjes te gehoorzamen. Uiteindelijk hadden Titus en Pieter een demonstratiewedstrijd gehouden. Hoog op zijn troon koos de leraar chemie de meest geniepige elementen uit. Allebei wisten ze feilloos welke vakjes ze moesten treffen. Twee pijltjes van Pieter belandden naast het bord. Titus won. De beker én het applaus waren voor hem.

De deur van zijn kamer werd opengeduwd.

'Je zult dit niet geloven', zei Pieter triomfantelijk. 'Ik heb twee backstagepasjes voor The Night of the Proms.'

'Wie wil er nou naar The Night of the Proms?'

'Wij. Jij en ik. Het is een special edition met Beyoncé. Kun je je dat voorstellen? Beyoncé heeft hetzelfde backstagepasje als wij.'

'Wie is Beyoncé?'

'Titus!'

'Wanneer wil je ernaartoe?'

'Volgende week donderdag. Op donderdag worden studenten en masse met autobussen aangevoerd. Allemaal mensen die ouder zijn dan wij én die er het topje van hun pink voor over zouden hebben om Beyoncé up close te kunnen bewonderen.'

'Neem mijn moeder mee, Pieter. Zij is dol op Beyoncé.'

'Ik hou van je moeder.'

'Dat weet ik.'

'Maar ik ga volgende week met jou naar het Sportpaleis. Er zullen daar zeventienduizend mensen zitten, Titus. Zeventienduizend!'

'Dat is precies het probleem.'

Hij dacht aan het bloed in de aders van al die mensen. Aan de witte en rode cellen in dat bloed, en aan de chromosomen in die cellen; aan de eiwitten die nodig waren om nieuwe cellen aan te maken.

'We hoeven niet tussen hen te zitten, Titus. Dit zijn back-stagepasjes. Back stage: achter het podium. Onzichtbaar voor de massa aan de andere kant. Zeg: "Dank je, Pieter, je bent een tovenaar."'

'Er zijn ontelbaar veel zangeresjes zoals Beyoncé.'

'Er is maar één Beyoncé, Titus. En één Titus.'

'Beloof me dat je haar handtekening niet vraagt.'

'Waarom niet?'

Hij klakte met zijn tong. 'Al die zangeresjes zijn volstrekt inwisselbaar.'

'Misschien vraag ik haar een druppel bloed. "Mag ik met deze naald in uw gracieuze vinger prikken om een druppel van uw edele bloed op dit kaartje op te vangen? En zou u daar dan uw handtekening onder willen plaatsen? Mijn vriend en ik willen uw bloed bestuderen."' Hij legde zijn hand op Titus' microscoop, waardoor ze druppeltjes van hun bloed hadden geobserveerd, maar ook geplette vliegjes of muggen of spinnen.

'Waarom wil je haar zien?'

'Omdat iedereen haar wil zien. Ze is een godin.'

Beneden aan de trap riep zijn moeder dat het eten bijna klaar was. En of ze de tafel konden komen dekken.

'We komen zo!' riep Pieter. Hij pakte een glazen plaatje, spuwde erop en legde het onder de microscoop.

'Dat is geen speelgoed', zei Titus kregelig.

Al die mensen die straks Beyoncé zouden toejuichen hadden ook speeksel en bloed. En ze hadden vaders en moeders, die op hun beurt vaders en moeders hadden. Achter iedere mens stonden twee ouders, vier grootouders, acht overgroot-ouders, zestien betovergrootouders. Hoe verder je terugging in de tijd, hoe meer mensen er waren. Maar eigenlijk was het precies omgekeerd. Hoe kon dat? Waar zat de fout in zijn redenering?

'Voor wie zou jij warm lopen, Titus? Da Vinci en Mendele-jev tellen niet mee. William Harvey ook niet.'

'Voor Dawkins.' Het antwoord kwam zonder aarzeling.

'Richard?'

Titus knikte. 'Maar die komt niet naar het Sportpaleis.'

Pieter grinnikte. 'Hawking zou het kunnen vullen. Stephen Hawking. En die gelooft ook niet in God.'

'En Beyoncé?'

'Natuurlijk gelooft die in God. Anders was geen enkel concert op Amerikaanse bodem ooit uitverkocht. En verkocht ze niet één cd.'

'Hoe kom je eraan?'

'Aan de pasjes? Contacten, Titus. Het geheim van elk geslaagd leven. Zelfs het grootste genie kan niet eeuwig op zijn kamer blijven zitten. Zet uw kaars niet onder de … nou ja, whatever.'

'Gaan we met de trein?' vroeg Titus, terwijl ze samen de trap afliepen.

'Ik hoop van niet', antwoordde zijn vriend.

Vervoer was het eeuwige probleem. Meer dan een probleem was het een handicap. Pieter had op de dag van zijn zeventiende verjaardag zijn theoretisch rijexamen afgelegd. Sindsdien was hij de trotse bezitter van een voorlopig rijbewijs categorie B. Onder het waakzame oog van een begeleider mocht hij het verkeer in, uitgezonderd op vrijdag-, zaterdag- of zondagnacht. Zijn vader – Pieters officiële begeleider – gebruikte zijn zoon als chauffeur. Geen gelegenheid liet hij onbenut om met hem een ritje te maken. Zo groot was Yvans vertrouwen in zijn zoon dat hij hem met de BMW liet rijden, en niet met de Golf, al hadden ze die niet van de hand gedaan omdat Pieter ermee zou leren rijden. Nu zat meneer als een prins achter het stuur van de BMW Gran Turismo, waarmee Yvan zijn vijftigste verjaardag opgevrolijkt had. De Golf deprimeerde Yvan. Het was een auto voor overvallers uit het Oostblok. En om boodschappen uit de Colruyt aan te slepen of afval naar het containerpark te brengen, taken waarvan zijn gemalin zich gewetensvol kweet. Daar dienden gemalinnen voor. Pieter dacht dat hij later zijn zin zou doen. Om precies te zijn: over zeven maanden wanneer hij zijn achttiende verjaardag vierde en zijn praktisch rijexamen kon afleggen. Of misschien zou hij moeten wachten tot hij het geld voor een eigen auto had gespaard. Dan zouden hij en Titus eindelijk vrij zijn om te komen en te gaan zoals ze wilden.

Yvan verkoos zijn zoon in die waan te laten. Wie weet zou hij een van de gezegende uitzonderingen worden. De jongen leek voor het geluk geboren. Met koppig optimisme weigerde hij in wie dan ook iets slechts te zien. Van de weeromstuit gedroegen mensen zich beter in zijn buurt, alsof het waar was dat geloof volstond om een verzuurd mens tot inkeer te brengen. Van wie had hij die evenwichtige, zonnige natuur geërfd? Niet van hem en al helemaal niet van zijn moeder. Als hij niet beter wist zou hij zijn vrouw van overspel verdenken. Met de melkboer bijvoorbeeld, al hadden ze nooit een melkboer gehad. Horden werkmannen waren bij hen over de vloer gekomen om kamers te slopen of bij te bouwen naar gelang het humeur van zijn vrouw. Hij betwijfelde of een van hen tussen het metselen of timmeren of boren door Nicole had volgespoten. Zijn eega hield niet van seks. Hij kon de keren dat ze zijn geslacht met haar gemanicuurde vingers had aangeraakt op een van zijn eeltige handen tellen. Nooit had zijn penis zich mogen verheugen op een kus van haar opgespoten lippen, hoewel hij die esthetische ingreep volmondig had gesteund, net zoals alle andere plastische chirurgie die de onderdelen van zijn vrouw in de gewenste vorm boetseerde. Bij elke poging haar met zachte dwang tot fellatio over te halen bleven haar lippen stijf op elkaar geklemd. Uit angst dat ze hem zou bijten had hij nooit geweld gebruikt. Goddank waren niet alle vrouwen even preuts als zij. Eén ding wist hij zeker: als Nicole ooit een minnaar nam, zou het er een zonder penis moeten zijn. Ook wist hij vrijwel zeker dat Pieter zijn zoon was. De jongen had precies dezelfde handen en voeten als hij. Als hij een paar schoenen niet vond, dan wist hij: mijn zoon is ermee vandoor.

Dolgraag wilde hij hem naar het Sportpaleis begeleiden, maar uitgerekend die avond kwamen de toekomstige schoonouders van zijn dochter op bezoek. De co-grootouders. Het was een vloek dat een mens voor zijn voortplanting van anderen afhankelijk was. Zijn dochter wist niet wat haar boven het hoofd hing: feesten in een familie die de hare niet was en nooit zou zijn; echtelijke conflicten aangezwengeld door trauma's uit een verleden waarin zij geen rol had gespeeld maar waarvan ze wel de rekening gepresenteerd kreeg; schoonouders die hun levenswijze probeerden op te dringen. Niets zal een vrouw tot rede brengen wanneer ze besloten heeft dat het tijd is voor een kind. Hij moest Pieter waarschuwen. Had de jongen al seks? Hij leek meer geïnteresseerd in Titus dan in meisjes, maar homoseksueel waren die twee niet. Wat waren ze dan wel?

Misschien moest hij de toorn van zijn vrouw trotseren en zijn zoon zijn begeleiderschap aanbieden in ruil voor een backstagepasje. Dat was de enige praktische oplossing. Pieter en Titus moesten dan maar onder elkaar uitvechten wie het andere pasje kreeg. De laatste bus naar Zwelegem vertrok om tien over half elf aan het station, wat betekende dat Pieter en Titus ruim voor tien uur de trein uit Antwerpen naar huis zouden moeten nemen. Beyoncé en compagnie waren dan nog maar net opgewarmd.

Hij schonk zichzelf een glas Chivas Regal in en ging ermee in de fauteuil zitten waarin hij nadacht over het leven. Hij pakte zijn iPhone, tikte 'Beyoncé YouTube' en klikte een filmpje aan. Energiek huppelde de zangeres in een pakje met nauwelijks stof tussen haar benen. En toch kon je haar kut niet zien. Hoe speelden die jonge vrouwen dat klaar? Hadden ze zich laten opereren? Waren ze dichtgelaserd?

De deur ging open. Duizend volt drong zijn kamer binnen. Met een kuch maakte zijn wederhelft hem op haar komst in zijn hol attent. Betreden op eigen risico. Dit was zijn domein, de enige vierkante meters van het huis waarvan hij de inrichting had mogen bepalen. En waar zíjn geur hing en niet de hare. De fauteuil was van skaileer omdat hij wist dat ze daar een hekel aan had. De gordijnen vloekten met het behang en het behang vloekte met het vloerkleed én met elk kledingstuk van hem of van haar. Hem viel dat nauwelijks op. Haar wel. Het hield haar zelfs uit de slaap.

Of ze hem mocht storen?

Hij negeerde haar idiote vraag. Kon ze niet zien dat hij bezig was?

'Pieter is donderdag niet thuis!' gooide ze eruit.

Nou en dan?

'Die mensen komen naar Zwelegem om ons gezin te ontmoeten. Kun je je voorstellen wat een eer dat voor ons is? Ze zijn allebei hoogleraar. De moeder gaat overal ter wereld spreken op congressen. Ze is een autoriteit in haar vakgebied, en ook de vader heeft een lange reeks publicaties op zijn naam. Is het te veel van Pieter gevraagd om voor één keer aan zijn familie de voorrang te geven?'

Hij kon zien dat ze net was gekapt. Dat was niet uitzonderlijk. Voor de kapper zowel als voor Nicole zou het handig zijn als zijn salon in hun huis was ondergebracht.

'Herinner jij je de naam van de vorige kandidaat-schoonzoon? Het was toen best een gezellige avond met zijn ouders.

Zullen we hen er dit keer ook bij vragen? Als ervaringsdeskundigen.'

'O, wat zijn we weer gevat.'

'Zou je liever met een hoogleraar getrouwd zijn dan met een vastgoedmakelaar? Je mag het gerust zeggen. Ik ben onkwetsbaar, dat weet je toch? Geen huid, maar een pantser. Wat zeg ik? Schubben.' Stevig kneep hij in zijn voorarm. 'Ik zou best met een hoogleraar getrouwd willen zijn. Zullen we een beroep voor jou verzinnen? Huisvrouw is zo jaren vijftig.'

Bijna had hij haar waar hij haar wilde hebben. De vuisten balden zich, de neusgaten sperden zich open, de wangen kleurden vuurrood. Maar ze hapte niet toe. Tevergeefs bungelde zijn aas voor haar neus. Had ze zich met pillen volgepropt voor ze hem opzocht?

'Welke indruk zullen die mensen van ons hebben?'

'Ons DNA versus dat van hen.' Hij nam een slok van de Chivas. Ook de whisky zou haar ontstemmen. Ze noemde het een duivelsdrank.

'Waarover heb je het?'

'De strijd is gestreden. Het kind is verwekt.'

Hij keek naar de vrouw van wie chromosomen op dit ogenblik een nieuw wezen aan het kneden waren. En ook chromosomen van hemzelf vermenigvuldigden zich in de baarmoeder van zijn dochter. Dat was het lot van chromosomen: ze vermenigvuldigden zich.

Stel dat door een speling van de natuur een eicel van zijn dochter was bevrucht waarin niet één chromosoom van hem zat omdat bij de vorming van die ene eicel alleen chromosomen van zijn vrouw waren geselecteerd. In dat geval zat in het kind geen spatje DNA van hem. In naam zou het zijn kleinkind zijn, maar niet in aard. Was dat dan een goede of een slechte zaak?

Helaas behoorde ook het tegenovergestelde tot de mogelijkheden.

Hij tikte op replay. Op zijn bevel begon Beyoncé opnieuw te dansen. Hij zette het volume iets hoger.

'Misschien ben ik er die avond ook niet', zei hij tegen zijn gade. Hij moest zijn best doen om zich boven de herrie verstaanbaar te maken. 'Titus en Pieter hebben vervoer nodig.'

Zonder haar aan te kijken wist hij dat haar ogen zich met tranen vulden. Dacht ze echt dat zij de enige was die leed?

'Jouw eerste kleinkind. Hoe kun je?' Ze sprak met gesmoorde stem. In sommige omstandigheden wond hem dat op.

'Is het al geboren? Dat ging snel.'

'Kun je alsjeblieft voor één keer rekening houden met de gevoelens van je dochter? Of die van mij?'

'Mijn hele leven staat in het teken van jouw gevoelens, schat.'

Hij nam zijn ogen niet van de iPhone af, hoewel het filmpje alweer was afgelopen.

'Beseft mijn dochter wat haar te wachten staat? Waarom pleegt ze geen abortus?' Met enkele tikken sloot hij de iPhone af, alsof hij wilde demonstreren hoe snel een foetus uit een baarmoeder kon worden verwijderd. Nu keek hij haar aan. 'Je realiseert je toch dat als in onze tijd …'

'Zwijg. Ik wil het niet horen. Doe waar je zin in hebt. Dat doe je altijd.'

Tevreden hoorde hij haar bittere verwijten. Maar nog was hij niet voldaan. Het monster was niet verzadigd.

'Als jij zou weten waar ik zin in heb …'

Eindelijk droop ze af. Hoe kon iemand als zijn dochter, die het gevecht tussen haar ouders jaar in jaar uit had gadegeslagen, de wens koesteren haar leven met dat van iemand anders te verbinden? Verwachtte ze dat háár huwelijk gelukkig zou zijn? Had ze dan niets geleerd?

Hij staarde naar de dode iPhone en dacht aan de celdelingen in het embryo, die zich razendsnel opvolgden. Zo en niet anders werd aan een nieuwe mens gebouwd. Of die nu uitgroeide tot een Beyoncé of tot een zenuwziek wrak als zijn vrouw. Zijn eerste kleinkind. Hij voelde geen trots. Wat was er om trots op te zijn? Zijn dochter had geneukt. Ze had zich laten bezwangeren. Proficiat. Het was te vroeg om te weten of de toekomstige vader een X of een Y in het zakje had gedaan. Meisje of jongetje. Vrouwen konden veel maar ze konden geen jongetjes maken. Het cruciale Y'tje moest van de papa komen. Sommige mannen hadden hun vrouw verstoten omdat ze hun geen zonen schonken. Die mannen dwaalden. Zij en zij alleen waren verantwoordelijk voor het geslacht van hun kind. De idioten hadden zichzelf moeten verstoten.

Er kon veel over hem worden beweerd, maar niet dat hij een idioot was.

Had iemand eigenlijk ooit gemeten hoe de verhouding lag tussen spermacellen met een X-chromosoom en spermacellen met een Y-chromosoom? Verschilde die van man tot man? Bleef het constant of varieerde het van ejaculatie tot ejaculatie? En zo ja, viel dat bij te sturen? Hem maakte het geen moer uit of hij een kleindochter dan wel een kleinzoon kreeg. De teerlingen waren hoe dan ook geworpen. Hij bracht de iPhone weer tot leven en stuurde Pieter een sms'je. 'Je mag donderdag de auto hebben. Met mij erbij.' Er kwam geen reactie. Zijn zoon had niet altijd zijn telefoon op zak. Wat in zijn voordeel pleitte. En ook zijn vriendschap met Titus pleitte voor hem. Die Titus had hersenen. En een ruggengraat. Als je hem aan de praat wilde krijgen, moest je hem een vraag stellen over chromosomen. Of bloed. Of DNA. Dan werd die stuurse jongen plotseling een spraakwaterval.

Mona had er goed aan gedaan geen stiefvader voor hem in huis te halen. Kinderen moesten met hun echte ouders opgroeien, zelfs als die ouders al eens kibbelden. Zelf had hij zo'n hekel aan zijn stiefmoeder gehad dat hij zich gezworen had nooit te scheiden. Of te sterven voor zijn kinderen volwassen waren. Scheiden zou een financiële aderlating betekenen. De witte villa, die Zwelegems verbeelding prikkelde, stond van de zonnepanelen op het dak tot het zwembad in de kelder op Nicoles naam. De BMW had zij in haar oeverloze gulheid meegesponsord. Met geld van haar papa. Nicole noemde hem een grootvastgoedeigenaar, maar eigenlijk was hij een vulgaire huisjesmelker geweest. Yvan was dikwijls met hem op pad gegaan om achterstallige huur te innen. Wanneer alle losers hadden opgehoest wat opgehoest moest worden, maakten schoonvader en schoonzoon samen een fles whisky soldaat om de stank van die krappe kamertjes uit hun neus en keel te verdrijven. God hebbe zijn ziel, dacht Yvan, terwijl hij zijn glas opnieuw volschonk. Ondanks alles voelde hij zich in een sentimentele bui. De laatste tijd overkwam hem dat wel vaker.

4

Bij de backstagepasjes hoorde een parkeerkaart. VIP, BEYONCÉ, DONDERDAG 10 NOVEMBER stond erop. Dankzij die kaart mochten ze de auto bij de artiesteningang achterlaten. En hoefden ze niet een halve kilometer door de regen te lopen. Tevreden troonde begeleider Yvan in de passagiersstoel van de Gran Turismo. Zijn zoon reed alsof hij met een stuur in de vuistjes geklemd geboren was. Als hij wilde, kon hij rustig een uiltje knappen. Maar dat wilde Yvan niet. Geen minuut van het uitje wilde hij missen.

'Als ik opnieuw aan mijn leven kon beginnen,' peroreerde hij, 'zou ik ervoor zorgen dat ik altijd en overal als een vip werd onthaald.'

'En hoe zou je dat aanpakken?' Schijnbaar moeiteloos slaagde Pieter erin elke zweem van ironie uit zijn stem te weren. Dat bewonderde Titus in hem. Hij bewonderde het echt.

'Van één ding ben ik zeker. Ik zou niet met je moeder trouwen.'

'Zij ook niet met jou', antwoordde Pieter kalm. Gisteren had hij samen met zijn moeder boodschappen gedaan om zijn verstek van deze avond goed te maken. Giftiger dan ooit had ze haar gal op zijn vader gespuwd. 'Mona heeft geluk', had ze hem bitter gezegd. 'Zonder man er alleen voor staan is minder erg dan met een man er alleen voor staan.'

Yvans hawaïhemd stak zonnig af bij het druilerige herfstweer. Hij had zich kwistig met aftershave besprenkeld. Bij wijze van finishing touch had hij de zilveren ketting om zijn hals gehangen die hij onlangs had gegrist uit het appartement van een klant die hem altijd 'meneer Kaalkop' noemde. De klootzak leek het ongelooflijk grappig te vinden.

Over zijn schouder keek Yvan naar Titus. De jongen zat helemaal links tegen het portier gedrukt alsof hij zich klaar hield om uit de auto te springen.

'Zit je daar goed?'

'Ja, hoor.'

'Hoe is het met je moeder?'

'Goed, goed.'

'Nog altijd geen ...'

'Nee, nee.'

En bemoei je met je eigen zaken.

Het begon Titus te dagen dat Pieters vader backstageplannen had. Waarom anders had hij zich zo uitgedost? Als hij het eerder had beseft, was hij niet in de auto gestapt. Nu was het te laat. Als een kind zat hij op de achterbank. Andermaal was hij te sloom geweest.

Yvan stak de sigaar op die een attente vriendin hem cadeau had gedaan.

'Heb jij eigenlijk al ooit de artiesteningang genomen?' vroeg hij.

'Nee', zei Titus. 'Het is de eerste keer.'

'Dat bedoel ik niet, jongen. Dat bedoel ik niet.' Hij pufte wolkjes in Pieters gezicht. 'Weet jij wat ik bedoel?'

'Vertel het maar, papa. Je vertelt het graag.'

Met zijn rechterhand wuifde Pieter de rook weg. Hij droeg een oud colbertjasje van zijn vader dat Yvan bewaarde in de optimistische verwachting dat hij op een dag zijn jeugdige figuur zou herwinnen. Dat was niet uitgesloten, bedacht Titus. De mens blaast op en vervolgens verschrompelt hij.

'De artiesteningang, ook de "entrée des artistes" genaamd, is de ingang die je gebruikt als je geen kind wil verwekken. Of als je seks hebt met een kutloos wezen. Ook man genaamd.' Wellustig trok hij aan zijn sigaar. 'Je moet je penis ergens in steken, dus stop je hem in een aars. Lekker strak en minder vies dan je zou denken. Een mens moet van alles proeven. Dat is mijn parool. Hoe kun je anders weten of je het lust?'

Tot zijn afgrijzen voelde Titus het bloed naar zijn hoofd stijgen. En naar zijn penis zakken. Hadden Pieters ouders anale seks? Hij kon er zich niets bij voorstellen, maar blijkbaar was dat typisch voor jonge mensen. Ook zijn onvrede met zijn uiterlijk behoorde tot de vaste kenmerken van de adolescent. En het dwangmatige geruk aan zijn penis. Het ding met rust laten zou van originaliteit getuigen. Zijn bloed dwarsboomde die ambitie. Monter en kwiek repte het zich op de meest ongelegen momenten naar zijn lul. Het kroop waar het niet gaan kon; het kabbelde, het kolkte, het danste.

'Wat denk jij, Titus? Ik bedoel als bioloog. Of bioloog in wording.'

Titus sloeg zijn benen over elkaar. Het zou niet de eerste erectie zijn waarover Pieters vader zich vrolijk maakte.

'Een aars is er in ieder geval niet voor gemaakt.'

'Dat mag je wel zeggen. Een mond natuurlijk ook niet.'

Titus dacht aan het YouPornfilmpje waarin een man een vrouw bij de haren greep en mondneukte. Telkens opnieuw wond het hem op, hoezeer de brutaliteit van de man hem ook schokte.

'Ik heb me laten vertellen dat in gevangenissen mannen

hun penis in alles proppen waar die maar in kan worden gepropt. Zelfs in sleutelgaten. Zou jij je penis in een sleutelgat steken, Titus?'

'Pap, maak je eens nuttig en leg de parkeerkaart op het dashboard. En draai het raampje open voor we alle drie stikken.'

'De rollen niet omkeren, hè jongen. Ik ben hier de vader.'

'Probeer je dan voor één keer als een vader te gedragen.'

Grinnikend opende Yvan het zijraampje en blies de rook van zijn sigaar naar buiten. Daarna sloot hij het weer.

Pieter zette de richtingaanwijzer aan. Ze naderden de afslag voor het Sportpaleis. Ook op de auto's voor en achter hen knipperden rode lichtjes. Iedereen naar Beyoncé!

'Hoe zou Beyoncé gekomen zijn?' vroeg Pieter.

'Op de fiets', zei Titus.

'Was ze vroeger arm? Komt ze uit een achterbuurt?'

'Vast wel. Net als alle beroemdheden. Dat is jouw tragedie, Pieter. Rijke ouders zijn een vloek.'

'Rijk, rijk, rijk', sputterde Yvan.

'Wie een zwembad heeft is rijk', zei Titus beslist.

Onder paraplu's en capuchons haastten mensen zich naar het Sportpaleis. Allemaal liepen ze met het hoofd gebogen. De meeste auto's sloegen links af naar parkeerterreinen A, B en C, waar het plebs zijn auto kon achterlaten. Als een Olympische kampioen die naar de finish spurt maakte de BMW zich van het peloton los. Bij het derde vipbord werden ze tegengehouden door een man in een fluorescerende jas met een toortsvormige zaklamp. Hij stak zijn hoofd door het open raam, alsof hij verwachtte smokkelwaar op de achterbank aan te treffen. Of een geknevelde deerne. Regendruppels rolden van zijn gele capuchon. Zijn neus zag even rood als zijn toorts. Pieter pakte de parkeerkaart en toonde hem aan de plichtsbewuste man. Ze mochten weer verder.

Het ging stapvoets nu. Meer en meer concertgangers liepen

op de straat. De trottoirs konden de massa niet slikken. Twee meisjes staken vlak voor hen over, alsof ze zich onkwetsbaar waanden. Een jongen legde zijn hand op hun motorkap. De auto was vergrendeld. Niemand kon erin. Maar ze konden de auto wel aan het schommelen brengen en zelfs doen kantelen. Ze konden een ruit stukslaan.

'Zouden ze ons benijden?' vroeg Titus. Zijn stem klonk vreemd hoog.

'Natuurlijk benijden ze ons', zei Pieters vader. 'Vips worden altijd en overal benijd.'

Het knipperlicht tikte terwijl ze wachtten tot de stroom concertgangers even opdroogde en ze naar links konden af-slaan.

Hij voelde zich belaagd, terwijl hij veilig in een kooi zat. Er klopt iets niet, dacht hij. Zij moeten bang zijn van ons, niet wij van hen.

'Een geblindeerde auto', zei hij.

'Waarover heb je het?' vroeg Pieter.

'Over Beyoncé. Ze laat zich rondrijden in een geblindeerde auto. Niemand kan haar zien. Of aanvallen. Laat me eruit, Pieter. We hebben maar twee pasjes. Ik koop wel een ticket.'

Pieter ontgrendelde de deuren. 'Ik zie je straks', zei hij non-chalant. 'Heb je geld?'

'Ja, ja.'

Voor hij het goed en wel besefte, stond hij op straat. Hij re-kende erop, dacht Titus beduusd. Hij zat gewoon te wachten tot ik zou aanbieden me op te offeren. En hij wist dat ik me zou opofferen.

Geërgerd zette hij zijn capuchon op en stak zijn handen diep in zijn zakken. Wat deed hij hier? Pieter wilde naar het concert, hij niet! Maar hij was opgelucht uit de auto te zijn bevrijd. Hij had zich beklemd gevoeld. Besmeurd. Wat kon die vent zeiken.

Als een lam liet hij zich meedrijven. Braaf schoof hij bij de kassa aan achter meisjes met bloedrode lippen die opgewonden beweerden dat er maar tien tickets overbleven. 'Beyoncé is de max', verklaarden ze met een vette Antwerpse a. Zijn moeder kon het accent schitterend imiteren, hoewel ze haar hele leven in Zwelegem had gewoond. Haar Limburgs was ook niet onaardig. Net als haar Engels en Frans.

Zij de talen, hij de wetenschap.

Halvelings verwachtte hij dat de meisjes zich nieuwsgierig zouden afvragen wat iemand als hij op The Night of the Proms kwam doen, maar hij was lucht voor hen. Niemand merkte hem op. Er viel ook niets op te merken. Hij was gewoon de zoveelste gast die op Beyoncé geilde. So fucking what. Zonder hem aan te kijken nam de vrouw aan de kassa zijn vijfentwintig euro in ontvangst. Vijfentwintig euro! In zijn broekzak trilde zijn gsm. Sms'je van Pieter. 'Wij zijn binnen. Lukt het bij jou?' – 'Geen probleem', tikte hij terwijl hij zijn vrije arm uitstak om een stempel op de binnenkant van zijn pols te laten zetten. Hij was gemerkt en mocht de arena in.

'Doorlopen, alsjeblieft', riep een stem. 'U verspert de ingang. Doorlopen, alsjeblieft. U verspert de ingang. Door...'

Hij liep door.

Binnen was de feestvreugde losgebarsten. Roze en blauwe laserstralen zwenkten heen en weer boven het publiek. Op het podium dansten majorettes in vurige pakjes. Er werd gejoeld en op vingers gefloten. Sommige studenten droegen een groene, roze of gele sjerp, en een pet met linten en insignes. Zij brulden het hardst alsof ze dat aan de eer van hun club waren verplicht. Andere studenten zwaaiden met sjaals boven hun hoofd. Drong de herrie backstage door? Links en rechts van het podium hingen donkere fluwelen gordijnen. Daarachter, dacht Titus, ligt het walhalla. Mannen in zwarte T-shirts en broeken kwamen van achter de gordijnen te voorschijn en verdwenen weer. Ze droegen headsets en riemen waaraan allerlei spullen bungelden. De verantwoordelijkheid voor het welslagen van het concert rustte op hun schouders. Gelukkig zagen die er stevig uit. Voor het podium was een zone van een drietal meter breedte met dranghekken afgezet. Telkens wanneer iemand op een hek begon te klimmen, stormde een securityman op de opdringerige fan af. Beyoncé hoefde niet bang te zijn. Ze zou niet worden aangerand.

Misschien moet ik gewoon meedoen, dacht Titus. Roep, joel, fluit! Hij had niets bij zich waarmee hij kon zwaaien, maar hij had vuisten die hij in de lucht kon steken en waarmee hij op zijn borstkas kon roffelen. En hij had een mond die hij kon opensperren. Soms was het goed je te laten gaan. Die raad kreeg hij van elke therapeut. Hij legde de lat te hoog. Hij eiste te veel van zichzelf. Dat was niet nodig. De boog kon niet altijd gespannen zijn.

Als ze dat zeiden zag hij altijd een boogschutter die een pijl in de roos schoot. Hij hoorde zelfs het suizen van de pijl. Zoef! Helaas was er geen boogschuttersvereniging bij hem in de buurt, anders wilde hij het graag eens proberen. Hij zou er vast in uitblinken.

Onder onstuimig applaus namen de majorettes afscheid. Het publiek scandeerde nu de naam van hun idool: 'Be-yon-cé. Be-yon-cé.' Titus begon zijn eigen naam te roepen. 'Ti-tus! Ti-tus!' Niemand stootte hem aan of gaf hem een teken dat hij ermee moest ophouden. Niemand leek te horen wat hij riep. Hij hoorde het nauwelijks zelf. Zeventienduizend mensen. Een Sportpaleis vol. Hij betwijfelde of ze alle zeventienduizend met één bom konden worden vernietigd. Met een atoombom, ja, maar met een gewone bom?

Hij staarde naar de zee gezichten. Witte vlekken waren het, met af en toe een donkerder vlek. Hij dacht aan een schilderij waarover ze het in de les kunstgeschiedenis hadden gehad. Alle gezichten waren als maskers geschilderd. 'De intocht van Christus in Brussel'. Ensor moest hetzelfde hebben gezien als hij: gezichten waartussen geen verschillen te bespeuren waren. Mensen die allemaal uit dezelfde mal leken te komen. Ook hij was in de ogen van anderen een vlek, niet te onderscheiden van de vlekken links en rechts van hem. Hij kon dan wel denken: ik ben Titus, Titus Serfonteyn. Mijn vader is gestorven toen ik twee jaar oud was. Mijn moeder heeft me in haar eentje opgevoed. Ik ken de tabel van Mendelejev uit mijn hoofd. Pieter Kalhorn is mijn beste vriend. Zijn ouders hebben een zwembad en een BMW. Ik heb al vier verschillende therapeuten gehad, van wie niet één me aan de praat heeft gekregen. In de massa werd ook hij inwisselbaar.

Hij legde zijn wijsvinger dwars op zijn pols en voelde de stuwing van zijn bloed. Zijn AB-negatief bloed. Daarin onderscheidde hij zich van de meeste mensen in het Sportpaleis. Misschien was er zelfs niemand anders in het hele gebouw met AB-negatief bloed. En zeker was niemand anders aan de hand van zijn opa het stoffelijk overschot van Da Vinci's nazaat gaan groeten.

Hij stond op en liep de trap naar omhoog. Vlak voor hij de gang in liep draaide hij zich om. Zijn plaats was al ingenomen. En toch ben ik niet vervangbaar, dacht hij koppig.

De laserstralen richtten zich in een bundel op het podium. 'Be-yon-cé! Be-yon-cé!'

Het klonk hitsiger en hitsiger. Zij vonden het heerlijk om zich in de massa te verliezen. Hij niet.

In mistroostig tl-licht dwaalde hij door kale gangen. Het gejoel was uitgestorven. Hij kon nu zelfs het getik horen in de leidingen van de verwarming. Dit waren de catacomben van het Sportpaleis, de onderbuik die voor het gewone publiek verborgen bleef. Hij kruiste mensen in zwarte T-shirts, maar werd niet tegengehouden. Af en toe duwde hij een klink naar beneden, maar nooit ging een deur open. Even kwam hij in de verleiding op zijn passen terug te keren. 'Be-yon-cé! Be-yon-cé!' riep hij in zijn eentje. Zijn moeder had gelijk. Hij was te ernstig. Mensen kwamen naar het Sportpaleis om zich te amuseren. Daar was niets verkeerds aan. Waarom deed hij niet mee? Omdat hij niet wilde meedoen. Hij was geen meeloper.

Wat voor zin had het te doen wat iedereen deed? Dat werd al in duizendvoud gedaan. In miljoenvoud. Zelfs als hij erin slaagde lichtheid te kweken, dan nog zou hij op zíjn manier licht zijn. De Titusmanier.

Wees trouw aan jezelf. Verloochen je bloed niet. Je hebt het van je ouders en grootouders gekregen. Trek een spoor dat nooit eerder werd getrokken. Durf te denken wat nooit eerder is gedacht. En hou je mond in het bijzijn van therapeuten. Laat hen niet peuteren in je ziel. In je hart. Stel dat hij zich op een dag zijn vader zou herinneren, dan zou hij heus niet naar een therapeut hollen om het hem of haar te vertellen.

Hij rook regen. Hij moest in de buurt van een uitgang zijn. Kon het de fameuze artiestenuitgang zijn? Ik ben een vip, dacht Titus. Ik heb geen pasje bij me, maar ik ben toch een vip. Achter een balie zaten twee meisjes in zwarte T-shirts met elkaar te kletsen. Blijven lopen, dacht Titus. Niet aarzelen. Gedraag je als een vip. Hij knikte kort. De meisjes kletsten onbekommerd verder. Hij hoorde muziek. Was dat Beyoncé? Hij kwam in een gang die even grauw was als de gangen daarnet. Een deur stond op een kier. Hij duwde hem verder open. In gedempt licht zaten vier mannen rond een tafeltje te kaarten. Excuses mompelend trok hij zich terug. Nu hoorde hij gerinkel van glazen en een hoge, kirrende stem. Een grote blonde vrouw in een zwarte jurk heupwiegde op hoge hakken de gang in met een glas wijn in de hand. Ze glimlachte naar hem. Vips onder elkaar, dacht hij spottend. Met licht zwetende handen liep hij de bar binnen. Hij had beter iets kunnen opzoeken over die Beyoncé zodat hij op zijn minst een interessant gesprek kon voeren. Of een geïnteresseerd gesprek. Pieter zou weten wat hij moest zeggen. Hij wist het altijd.

Zijn vriend stond te keuvelen met een bloedmooi meisje. Ze hadden zich strategisch opgesteld bij de ijsemmer met champagne. Het was eerder een kuip dan een emmer, het soort object dat hoorde bij een Romeins bacchanaal. Verder had de vipbar veel weg van een refter. De muren en vloer waren wit betegeld, er stonden tafels met een formica blad en er brandde hard tl-licht. Van de kontneuker was geen spoor te bekennen. Die stond waarschijnlijk frontstage het concert te volgen. In dat swingende hemd van hem liep hij geen gevaar te verdwijnen in de massa.

De donkere huid van Pieters nieuwe kennis schitterde bij haar goudkleurig lamé jurkje. Ook de nagels van haar tenen en vingers waren goud gelakt. Allebei hielden ze een glas champagne in de hand. Pieter hief het zijne in de richting van zijn vriend. Als hij al verbaasd was over Titus' verschijning, liet hij daar niets van merken. Misschien was hij al vergeten hoe hij Titus in de massa had gedumpt.

'My friend', zei Pieter ter verduidelijking tegen de schoonheid. 'My very best friend.'

'Nice to meet you.'

'Chloé is a close friend of Beyoncé's', zei Pieter.

'So we're all friends', zei ze.

Ze zag er gefotoshopt uit. Haar benen waren langer dan Titus mogelijk had geacht, haar taille smaller, haar borsten voller, haar huid gaver, haar glimlach stralender.

Hij pakte een glas en schonk het vol.

'To a great concert.'

'To a great concert', echoden Pieter en de godin.

Snel dronk hij zijn glas leeg. Hij nam een nieuwe fles uit de kuip en duwde de kurk met zijn duimen uit de hals. Ze plofte in een schaal met tacochips. Pieter noch Chloé besteedde er enige aandacht aan. Ook hij mocht zich niet langer op hun belangstelling verheugen. Zijn glas vulde zich met schuim. Hij goot het leeg in de decadente kuip. Bij een tweede poging hield hij zijn glas schuin. Dat hielp een beetje. Hij viste een half ingevulde sudoku uit zijn broekzak en ging ermee op de rand van een tafel zitten. Ga nooit zonder een puzzel het huis uit. Gaap niet naar vrouwen. Krijg geen erectie. Hij nam zijn pen, vulde een zeven in en daarna een vijf, een acht, een drie en nog een zeven. Hij dronk zijn glas leeg en checkte of het klopte. En dubbelcheckte. Zonder zijn ogen van de puzzel te nemen grabbelde zijn hand in de schaal met chips. In zijn frontale cortex begon de communicatie tussen de neuronen stroever te verlopen. De alcohol maakte de neurotransmitters loom. Hoeveel mensen zouden weten dat neurotransmitters eiwitten waren? Drie, vier procent van de wereldbevolking?

Nog eentje, dacht hij. Toon die neurotransmitters wie de baas is.

In zijn ooghoek zag hij Pieter en de gouden vrouw naar buiten slenteren. Bij de deur draaide zijn vriend zich om.

'Wij gaan even luisteren. Kom je mee?'

Hij schudde zijn hoofd. 'Ik wacht wel hier.'

Hij had de vipbar van het Sportpaleis voor zich alleen. En de voorraad champagne. Niet slecht voor de zoon van een armlastige weduwe, die nooit eerder een fles champagne had gekraakt. Hij had er zelfs nooit eerder eentje ontkurkt. Pieters vader had het bij het rechte eind. Een mens kon beter als vip door het leven gaan. Nog beter was het om als vip in het gezelschap van een gouden vip te verkeren. Wat niet was kon komen. Hij zou niet eeuwig in Pieters schaduw lopen. Vroeg of laat zou hij de verwachtingen van zijn opa inlossen. Mensen zouden samenstromen om hem aan het woord te horen. In de nevel die over zijn hersenen neerdaalde stak hij zijn hand op en wuifde minzaam. Goddank was er niemand die het zag. Hij was moederziel alleen.

In het weekend na het Beyoncéconcert namen een gescheiden vrouw en haar zoontje hun intrek in het huis naast dat van Mona en Titus. Maandenlang had het leeggestaan. De buren waren tevreden dat het weer zou worden bewoond en wilden de nieuwe bewoners graag welkom heten. Ruim een halve dag blokkeerde een verhuiswagen de smalle straat. Er werd gespeculeerd dat de alleenstaande moeder een hemelbed had meegebracht. Of een piano. Waar in dat kleine huis zou die dan wel staan?

Na vier dagen kon Mona haar nieuwsgierigheid niet langer bedwingen. Ze bakte een cake, zette hem op haar fraaiste bord en belde bij de nieuwe buurvrouw aan.

'Een charmante, sprankelende vrouw. Net spuitwater', zei ze achteraf tegen haar zoon. 'En een lief kindje. Met een brilletje.' Het beeld had haar vertederd.

De enorme verhuiswagen bleek een loze belofte. Het huis maakte een kale, lege indruk. Meer dan een kleine tafel en twee stoelen stonden er beneden niet. Er hing niets aan de muren en nergens had een plant een plaatsje gekregen. Van een piano was er geen spoor. Waarom de jonge vrouw uitgerekend in Zwelegem was aangespoeld bleef Mona een raadsel. Ze had er familie noch kennissen, en ook geen baan. Misschien maakte dat het dorp juist aantrekkelijk voor haar.

Mona had haar nieuwe buurvrouw op het hart gedrukt dat ze altijd een beroep op haar kon doen. 'Ik sta er ook alleen voor', had ze blozend gezegd. 'En ik heb ook een zoon, maar die is al groot.' Ze had omhooggekeken om een idee van zijn lengte te geven. 'Hij babysit graag', voegde ze er in een impuls aan toe, hoewel Titus nog nooit voor iemand had gezorgd.

Nog geen week later kondigde Edith aan graag van Mona's aanbod gebruik te willen maken. In paniek trommelde Titus Pieter op. Zo kon die vast oefenen voor zijn nakende oomschap.

'Twee voor de prijs van één', zei ze blij verrast toen de vrienden bij haar aanbelden. Ze had een lijstje met instructies voor hen klaargelegd. Maar ze mochten ook improviseren, zei ze. 'Grote jongens als jullie kunnen zo'n ukje wel aan.'

Het ukje heette Sven en droeg inderdaad een brilletje, hoewel hij nog geen drie jaar oud was. Zelfs met de bril op zijn neus liep hij overal tegenaan. 'De verkeerde vader gekozen', zei zijn moeder met een lach. 'Mijn ogen zijn perfect.'

Niet alleen jouw ogen, dachten de jongens synchroon. Het ventje was allergisch voor koeienmelk, noten, aardbeien, kiwi's, sinaasappels en tomaten. Maar vooral voor noten. Die konden hem doden. Edith liet hen het lijstje een aantal keren hardop herhalen. 'Ik onthoud het als "knakst": koeienmelk, noten, aardbeien, kiwi's, sinaasappels, tomaten.' Als ze noten hadden gegeten voor ze kwamen babysitten moesten ze eerst hun handen grondig wassen en hun tanden poetsen. Zelfs een schilfertje kon de kleine Sven fataal worden. Ook de allergieën had hij van zijn vader.

'In mijn familie', zei ze, 'is iedereen gezond. Te gezond, zou ik haast zeggen. Van mijn vader moesten we iedere dag onder een koude douche. Winter en zomer. Dat staalt een lichaam. Beweerde hij.'

En kneedt het in een duizelingwekkende vorm, dacht Titus.

Wanneer Edith thuiskwam van een avondje uit, schonk ze voor haar babysitters altijd eerst een biertje in. Daarna haastte ze zich de trap op. Ze liet de deur openstaan zodat de jongens haar heldere stem konden horen wanneer ze riep: 'Niet weglopen. Ik ben zo terug!'

Titus en Pieter liepen niet weg. Ze zaten op de ongemakkelijke stoelen en namen beleefde slokjes van het lauwe bier. Ediths ex met de slechte ogen en de diverse allergieën had ook de koelkast opgeëist.

Hooguit drie minuten later stond Edith in een zijden kimono en slippers in de woonkamer. Haar lange blonde haren hingen nu los over haar lange rug. Soms haalde ze er de laatste speldjes uit, terwijl ze de kamer binnenkwam.

'Hebben jullie het naar je zin gehad? Is hij braaf geweest?'

De jongens knikten schaapachtig. De kimono had de neiging open te vallen.

'Vertel', zei ze terwijl ze soepel haar blote benen in lotushouding kruiste. 'Heeft hij goed gegeten?'

Ze knikten.

'Hij heeft een tekening voor jou gemaakt', zei Titus.

'Ah, wat schattig.'

'Dat ben jij. En dat is zijn papa.' Pieter wees de krabbels aan waarvan ukje Sven verklaard had dat ze zijn ouders voorstelden.

Even viel er een ongemakkelijke stilte. Ediths gezicht betrok.

'Heeft hij verder iets over zijn vader gezegd?'

Ze schudden hun hoofd. 'Papa' was een pijnlijk onderwerp.

Langzaam maar zeker vulde het huis zich met spullen die buren konden missen. Ze waren Edith dankbaar voor deze kans hun edelmoedigheid en ruimdenkendheid te betuigen. En voor de vrijgekomen ruimte in hún huis. Opgetogen nam de jonge vrouw alle giften in ontvangst. Met haar eigen familie had ze sinds de scheiding gebroken. Nu voelde ze zich door een nieuwe familie in de armen gesloten. Het deerde haar niet dat geen twee stoelen in haar huis identiek waren. Of dat er stukjes email van haar gasfornuis waren gesprongen. Zelfs bij de vijfde toaster en derde friteskerel toverde ze een stralende glimlach op haar gezicht. Het meest blij was ze met de damesfiets waarop Pieter op een avond kwam aangereden. Zijn moeder had hem gekocht toen ze naar Zwelegem verhuisden, maar in al die tijd had ze er hooguit één keer op gefietst. Er hingen diepe fietstassen aan waarin verrassend veel kon worden vervoerd. Edith stopte er de kleinere voorwerpen in die ze echt niet kon gebruiken en bracht ze naar het containerpark. Of naar de kringloopwinkel. Voor grotere dingen deed ze een beroep op Mona. Als ze met een matras of televisie in Mona's open kofferbak door Zwelegen reden, bad ze dat ze niet door de voormalige eigenaar zouden worden gespot.

Ze bleef de milde schenkers bedanken, zelfs als ze wist dat hun gift diezelfde dag nog haar huis uit moest. Iedereen die haar iets bracht kreeg een kopje thee met een stukje fruittaart of een plakje cake. Of een glaasje wijn. Of een biertje. Dankzij de nieuwe oude koelkast was het heerlijk fris. De cake die ze aanbood was meestal door Titus' moeder gebakken, hoewel het fornuis met het brokkelig email een goede oven had. Telkens opnieuw vroeg Edith aan Mona haar te leren bakken, telkens opnieuw beloofde Mona het. Maar ze bleef taart en cake naar haar buurvrouw brengen. Sinds Edith naast haar woonde, had zich een nieuwe onrust van haar meester gemaakt. Ze liet haar computer en reisgidsen in de steek om te bakken, te wieden, te snoeien. Ze schafte een stevige spade aan en spitte de diepst gelegen meters van haar tuintje om. Ze sloeg de kluiten plat en harkte de aarde fijn. Met haar wijsvinger groef ze kuiltjes waarin ze zaadjes liet vallen. Spinazie, wortelen, prei. Daarmee begon ze. Terwijl ze over de donkere aarde gebogen stond, keek ze af en toe omhoog om de lucht te peilen. Was er regen op komst? Haar ogen dwaalden af naar de achtergevel van Ediths huis en naar het raam, waarvan ze wist dat het altijd op een kiertje stond. Wanneer de blonde vrouw er in haar rode kimono verscheen om de gordijnen open of dicht te trekken, richtte Mona betrapt haar blik weer op de groentebedjes in wording. Weldra zouden de zaadjes kiemen.

In april leenden de babysitters Mona's spade om Ediths tuin om te spitten. Om beurten sneden ze met het staal in de aarde. Ze tilden de kluiten eruit en draaiden ze om. Als een pannenkoek. Tegen de tijd dat Ediths tuin met vette aardklonten bezaaid lag, hadden ze een bak bier leeggedronken en zaten hun handen onder de blaren. Hun huid droop van het zweet. Maar ze waren nog niet klaar. De klonters moesten worden plat gehakt, gewalst en geharkt. Pieter kreeg pijn in zijn schouders, Titus in zijn rug. Krachtiger vloeken ontsnapten aan hun lippen, luidere scheten aan hun aars. Toen Ediths tuin zo glad was als Yvans kale knikker, zaaiden ze gras dat 'bestand was tegen ravottende kinderen'. Ze braken takjes af van Mona's vlinderstruik en duwden ze in Ediths grasveld. Met garen spanden ze een web waaraan ze zilverpapier strikten. Aan Sven legden ze uit dat de flikkering van het zonlicht de vogels afschrikte. Zo gingen die niet met de zaadjes aan de haal. Het gazon was voor hem. En voor zijn mooie mama. Maar vooral voor hem. Ze zouden hem er leren voetballen.

In Titus' kamer bleven de sudokuboekjes ongeopend liggen. En ook zijn laptop stond niet langer permanent aan. Wanneer Edith met een mand wasgoed in de tuin verscheen, keek ze eerst naar de sprietjes die dapper hun kopje door de aarde staken. Daarna keek ze dankbaar naar het raam van haar ernstige buurjongen. Als hij er stond, stak ze haar hand op. Ze straalde.

Net als vroeger hoorde Mona bijna dagelijks het vertrouwde geluid van Pieters fietsbanden op het grindpad en de smak waarmee zijn fiets tegen de grond werd gegooid. Maar Pieter kwam niet binnen en al helemaal schoof hij niet mee aan tafel.

Hij liet zijn fiets voor hun achterdeur liggen en haastte zich naar Ediths huis.

'Hoe oud is Edith?' vroeg Mona op een avond.

'Achtentwintig.'

'Ik veronderstel dat we hem niet kunnen verbieden zijn fiets ... Wat denk jij? Als hij bij die vrouw langsgaat, vind je dat hij dan zijn fiets ...'

Titus kleurde vuurrood. Hoe had hij zo stom kunnen zijn!

Abrupt duwde hij zijn bord weg en ging naar zijn kamer. Met het zakmes dat hij van zijn opa had gekregen kerfde hij in de top van zijn linkerwijsvinger. Onbewogen keek hij hoe het bloed eruit druppelde. Hij dacht aan het bloed aan Pieters vingers na afloop van het Beyoncéconcert. 'Heb je je gesneden?' had hij zijn vriend bezorgd gevraagd. 'O, fuck', had Pieter gezegd terwijl hij naar zijn rode vingers keek. 'Ik had niet beseft dat ze ...' Zelfs toen was de betekenis van het bloed niet tot hem doorgedrongen. Dat had alles met de fles champagne te maken die hij in zijn eentje in de desolate vipbar had gekraakt.

Concentratie, Titus. Discipline. Zelfbeheersing. En vooral: wakker worden.

Hij dwong zichzelf iedere dag een sudokupuzzel voor gevorderden op te lossen. Alcohol drinken mocht alleen op zaterdagavond. En met mate. Alcoholische helderziendheid mijn reet, dacht hij. Het doodde je hersencellen.

Aan tafel probeerde Mona tevergeefs hem meer te doen eten. Ze vond hem bleek.

'Hij komt wel terug', zei ze sussend. Maar zij miste hem ook. Na enig gepieker had ze besloten dat Pieter zijn fiets beter niet voor Ediths huis kon zetten. Het was haar niet duidelijk wie ze wilde beschermen: Pieter, Edith of de buurt. Telkens wanneer ze Pieters fiets bij de keukendeur zag liggen voelde ze zich medeplichtig. Zij had de kat bij de melk gezet.

Het is verkeerd, dacht ze. Die jongen heeft niets te zoeken bij zo'n … Maar dan schudde ze het woord van zich af. Edith was aardig. Niet alleen voor Titus en Pieter, maar voor iedereen. Er zat geen grammetje kwaad in haar. Een jonge vrouw kon niet leven als een non. Zij deed het al jaren, maar ze zou het niemand aanbevelen. Misplaatste en overdreven trouw aan een overleden geliefde, die daar niets aan had. Waarom koos Edith niet iemand van haar leeftijd? Pieter was geen kind meer, maar …

Rusteloos holden haar gedachten nu eens de ene richting uit, dan weer de andere. De fiets, die Pieter als een zoenoffer voor haar achterdeur neergooide, maakte het onmogelijk om niet te denken aan wat er zich in het huis van haar bekoorlijke buurvrouw afspeelde. Gelukkig plakten hun huizen niet tegen elkaar, anders had ze de verleiding niet kunnen weerstaan haar oor tegen de gemeenschappelijke muur te drukken. Soms dacht ze: aardje naar zijn vaartje. Via via had ze gehoord dat op het huwelijksfeest van Pieters zus geen vrouw voor Yvan veilig was geweest. En hoezeer het haar ook stak geen uitnodiging te hebben gekregen, ze was opgelucht aan zijn graaiende handen en geile lijf te zijn ontsnapt. Ze had niet de indruk dat Pieters ouders iets vermoedden. De baby van hun dochter eiste al hun aandacht op. En leek hen met elkaar te verzoenen. Het kindje was meer dan tien weken te vroeg geboren. En was allergisch voor melk.

Mona benijdde de jonge minnaars. In haar bloed waren verlangens gewekt die ze afgestorven waande. En die ze vervloekte. Geen dag ging voorbij zonder dat ze in haar moestuintje stond te schoffelen. Ze verzorgde de jonge plantjes alsof ze haar baby's waren. Ediths slaapkamergordijnen bleven nu bijna altijd dicht.

Op Titus' school liet de lerares biologie de abituriënten door een microscoop naar beenmerg kijken. Het was niet meer dan een vieze veeg op een glazen plaatje. De microscoop was veel sterker dan die waar Titus thuis op zijn kamertje doorheen tuurde. Hij was ook veel duurder. De lerares wees haar leerlingen het stroma aan. Het fungeerde als een moederkoek voor de ontelbare en onschatbare cellen die gemaakt werden in het merg. Bloedlichaampjes hadden iets weg van wijn. Het belangrijkste onderscheid bestond tussen rood en wit: rode erytrocyten en witte leukocyten. En dan was er ook nog rosé: de bloedplaatjes of trombocyten.

Net als wijn moesten cellen rijpen. Daarmee stond of viel het succes van de bloedproductie. Een stamcel splitste zich in een stamcel en een rijpere cel, die iets beter uitgerust was voor het echte werk, maar die nog altijd als een voorlopercel moest worden beschouwd. Vervolgens splitste de rijpere cel zich in een even rijpe cel en een iets rijpere. Die rijpte en splitste en rijpte. Niet alle cellen rijpten en splitsten op dezelfde manier. Zo ontstond de broodnodige diversiteit. Pas na meerdere rijpingssprongen waren de cellen klaar om het stroma te verlaten en in het bloed te worden gelost.

Het hematopoëtische proces voltrok zich in haar lichaam terwijl ze het uitlegde. En ook in het lichaam van haar leerlingen voltrok het zich. De menselijke geest was niet in staat dat te bevatten. Zei de lerares.

Ze leerde hen door de microscoop de gezwollen megakaryocyten te herkennen, waarbinnen chromosomen zich vermenigvuldigden zonder dat het tot een celdeling kwam. Wanneer er niets meer bij kon, baarden de megakaryocyten een lading trombocyten.

De lerares had het over 'korrelige' granulocyten, 'dichte' lymfocyten, 'logge' monocyten en 'gulzige' macrofagen. Over B-lymfocyten, die instonden voor de aanmaak van antistof-

fen, over T-lymfocyten, die indringers zonder pardon uitscha-
kelden, en over Natural Killers. Ondanks het bestaan van al
die verschillende cellen zag wie gezond bloed onder een microscoop legde, vooral rode cellen. Die domineerden.

'Weet iemand waarom ze rood zijn?'

'Heeft het te maken met ijzer?' vroeg Titus. Hij kende het
antwoord maar wilde er niet mee uitpakken.

'Heel goed! Rode bloedcellen zitten vol hemoglobine, een
eiwit met ijzeratomen waaraan zuurstofmoleculen zich binden. IJzer absorbeert blauw en groen licht, wat de rode kleur
van gezond bloed verklaart.' Alles helder en volgens bevat-
telijke principes. 'Ook de vorm van de hemoglobinemolecule
is van cruciaal belang. Net als bij alle eiwitten. Ze zien eruit
als een kluwen spiralen en plaatjes dat veel weg heeft van een
in elkaar gedraaid telefoonsnoer, maar de vorm is allesbehalve
arbitrair. Zonder die specifieke vorm verliest het eiwit zijn
functie. Het houdt op dat eiwit te zijn. Als het te veel op-
warmt, valt het uiteen. Daarom is hoge koorts levensbedrei-
gend. Je rode bloedcellen houden op rode bloedcellen te zijn.'
Tevreden las ze de angst in de ogen van haar leerlingen. Laten
ze maar een beetje onder de indruk zijn! 'Als alles normaal
verloopt, opereren rode bloedcellen als een uiterst efficiënte
koeriersdienst. Ze proppen zich vol met hemoglobine om zo
veel mogelijk zuurstof te kunnen transporteren. Vlak voor ze
helemaal uitgerijpt zijn, gooien ze hun DNA als ballast over-
boord samen met alle enzymen die hun taak hebben vervuld.
Zo komt er plaats vrij voor extra hemoglobine. En dus ook
voor extra zuurstof. Een tekort aan rode bloedcellen resulteert
in een tekort aan zuurstof. Wie te weinig zuurstof heeft, is
kortademig.'

'Kortademig betekent dus niet dat je te weinig lucht in-
ademt?'

'Nee,' zei ze beslist, 'het betekent dat je te weinig zuurstof opneemt. Bijvoorbeeld door een gebrek aan rode bloedcellen. Kortademigheid kan vele oorzaken hebben.'

Rustig en regelmatig klopte haar hart in haar borst.

Titus besefte dat hij helemaal niets over haar wist. Voor hij Edith had ontmoet, had hij al zijn leerkrachten oud gevonden, zelfs zij die zoals de lerares biologie nog geen dertig waren.

Na de les kwam ze een praatje met hem maken.

'Je leek erg geboeid, Titus.'

Zou hij haar vertellen over de dode man die hij langgeleden met zijn opa was gaan groeten? Over de bloedlijn die tot bij Leonardo da Vinci voerde? En over de poster van het bloedvatenstelsel in de keuken aan de muur?

'Bloed fascineert mij ook', zei ze vriendelijk.

Was dat dubbelzinnig?

'En wat een prachtig woord: hematopoëse.'

'Bloed is een gedicht', zei Titus, zijn vriend citerend.

'De zesde dag schiep God het bloed', sprak de lerares cryptisch.

Hij durfde haar niet in de ogen te kijken. En helemaal durfde hij zijn hand niet op de hare te leggen, al lag die uitnodigend dicht bij die van hem. Vond hij.

Later, dacht hij. Wanneer hij de belofte van zijn bloed had waargemaakt.

Opnieuw bleven de boekjes met sudokupuzzels dicht. Dit keer gluurde hij niet naar de tuin van zijn buurvrouw. Hij bereidde zich voor op het toelatingsexamen geneeskunde. Telkens wanneer Pieter zijn fiets tegen de grond gooide, spitste hij zijn oren in de ijdele hoop hem de trap naar zijn kamer te horen opstormen. Daarna studeerde hij verder.

Op de dag voor zijn achttiende verjaardag vond Pieter eindelijk de weg naar Titus terug.

'Ze heeft me gedumpt', zei hij ontdaan.

'Je wordt te oud', zei Titus nuchter.

Ondanks zijn gebroken hart en gekwetste ego haalde Pieter moeiteloos zijn rijbewijs. Titus slaagde voor zijn toelatingsproef. Aan iedereen die het wilde horen vertelde Mona trots dat haar zoon geneeskunde ging studeren. Pieter schreef zich in aan de faculteit psychologie. De vrienden huurden kamers in hetzelfde huis. De drie studenten die er al woonden voelden hen aan de tand over hun bereidheid te koken, op te ruimen, schoon te maken en boodschappen te doen. Pieter loog zo overtuigend dat zelfs Titus, die beter wist, hem geloofde. 'Iedereen liegt,' zou Roos hem later toevertrouwen, 'maar hij was de charmantste leugenaar. En de gezelligste.' Ze was een meisje met een smalle taille en zware borsten die met haar tengere figuur leken te vloeken. Net als Edith had ze een opvallend bleke huid en blonde haren. Tijdens het interview had ze zowel aan Titus als aan Pieter eventjes gesnuffeld, want het was ondoenbaar het huis te delen met iemand van wie je de geur niet verdroeg. 'Roosje heeft een bijzonder sterk ontwikkeld reukorgaan', had Frans gezegd, waarop ze alle drie in lachen waren uitgebarsten. Pieter en Titus hadden meegelachen, al hadden ze niet het flauwste benul wat er nou zo grappig was. Ze voelden zich op hun gemak in het gezelschap van de drie. Roos kon een zusje zijn van Edith, Frans deed hen denken aan Pieters vader wanneer die een goede luim had, en Patricia had iets van hun lerares biologie. Het huis was centraal gelegen en had een ruime woonkamer, waarvan alle bewoners gebruik mochten maken. Pieters kamer lag aan de straatkant en was iets groter dan die van Titus. Titus' kamer had dan weer het voordeel dat die uitkeek op het stadspark.

Er waren goedkopere kamers op de markt, maar Pieter hoefde niet op honderd euro te kijken en ook Titus had voor het eerst in zijn leven geld. Nu hij volwassen was, kon hij vrij beschikken over de schadevergoeding die de vrachtwagenchauffeur had moeten betalen voor het verlies van zijn vader. Al die jaren had het bedrag in de bank interesten vergaard. Geld in ruil voor een vader. Tevergeefs probeerde Titus een wetmatigheid te ontdekken in de getallen op de bankafschriften die zijn moeder hem op zijn achttiende verjaardag plechtig overhandigde. Soms hadden de cijfertjes zich snel vermenigvuldigd, soms was er nauwelijks beweging te bespeuren geweest. Het geld was een eerste stap. De onderste sport van een ladder waarvan hij hoopte dat die heel hoog zou reiken. Hij nam zich heilig voor het goed te besteden. Zelfs aan Pieter verklapte hij niet hoeveel hij bezat.

Mona haatte het geld waaraan Sams bloed kleefde, al had ze zonder de som die zíj had gekregen het huis niet kunnen kopen. Nooit kon ze genoeg reisgidsen vertalen om alle rekeningen te betalen. Van haar eigen zuurverdiende en onbezoedelde centen kocht ze voor haar zoon een nieuwe broek, twee overhemden, een trui, drie paar sokken, ondergoed, een pyjama, handdoeken en een dekbedovertrek. Nieuwsgierig stelde ze hem vragen over het huis in de Parkstraat en over de bewoners in de hoop dat hij haar zou zeggen: 'Je moet maar eens langskomen.' Maar dat zei hij niet.

Kort voor zijn vertrek kocht Titus een nieuwe laptop. De oude gaf hij aan zijn moeder. Hij pakte de foto van zijn vader die hij zo dikwijls ziedend op de grond had gekegeld en legde hem bij de spullen die hij meenam naar Leuven. Even voelde hij een steek van pijn. Eindelijk, dacht hij bijna opgelucht. Zijn microscoop bracht hij naar Edith. Sven zou er zich later mee kunnen amuseren. Het was een microscoop voor kinderen, amateurs en beginnelingen. Het flitste door zijn hoofd dat het ventje het net als hij zonder vader moest zien te rooien. Hem wachtte geen spaarpotje.

De laatste avond nodigde Nicole Titus en Mona uit voor een barbecue in de tuin van de witte villa. Ze had haar haar erg kort laten knippen en zag er verrassend jong uit. De vrouwen ontdekten dat ze dezelfde schoenmaat hadden. Terwijl Yvan uitpakte met straffe verhalen uit zíjn studententijd verdwenen ze giechelend naar Nicoles dressing om schoenen te passen. Nicole lakte Mona's teennagels en slaagde erin haar over te halen een paar tressé sandalen te aanvaarden. Zij had ze nauwelijks gedragen. 'Jij hebt zo veel voor mijn zoon gedaan', zei Nicole. Mona bloosde. Ze had ook als dekmantel gediend voor de vrijage van die zoon met een elf jaar oudere vrouw. Nicole greep Mona bij de handen en kuste haar. 'We zouden elkaar vaker moeten zien. Nu de kinderen het huis uit zijn ...' Mona bloosde heviger. Nicole had uitgesproken wat ze zelf nog niet had willen toegeven: haar enige kind ging het huis uit.

Onderweg naar het station vertelde ze honderduit over een nieuwe reeks reisgidsen voor verliefde mensen. Ook terwijl ze op het perron wachtten, bleef ze ratelen over alles wat verliefde stelletjes in een stad verondersteld werden te doen.

'Ik zou daar geen reisgids voor nodig hebben!' zei ze frivool. Twee rode teennagels piepten uit haar 'nieuwe' sandalen van Nicole.

'Ik ook niet', zei Pieter.

'De trein is er', zei Titus bot. Hij ergerde zich aan zijn moeders opgefokte gebabbel.

'Nu al?' riep Mona schril.

Alle drie keken ze in de richting van het denderende gevaarte.

Pieter gaf Mona een knuffel en bedankte haar voor de lift. Titus kuste haar ergens in de buurt van haar oor. De portieren sloegen open. De jongens tilden hun rugzak op en stapten in. Met een brede glimlach stak Pieter zijn hand naar Mona op. Toen verdween ook hij in de wagon. De deuren sloegen dicht en de trein trok zich kreunend weer op gang. Wuivend liep Mona mee tot het einde van het perron. Als een zottin, dacht ze. De hakjes van de sandalen kletterden op de stenen. In de reisgidsen voor verliefde mensen stond de gondel op de eerste plaats in het lijstje romantische transportmiddelen. Op twee stond de paardenkoets en op drie de trein. Vliegtuigen bungelden helemaal onderaan, meteen voorafgegaan door de bus. Hoewel ze van alle gidsen die ze vertaalde een bewijsexemplaar ontving, had ze er nooit één gebruikt. Zij en Titus waren iedere zomer welkom geweest in het huis dat Sams ouders voor hun kinderen en kleinkinderen huurden aan zee. Speciaal voor Titus werd er een dartbord opgehangen. Zonder de tabel van Mendelejev weliswaar.

Zodra Mona de bebouwde kom van Zwelegem binnenreed, droeg ze er grote zorg voor niet harder dan vijftig te rijden. Ze parkeerde haar auto voor de deur en liep over het grindpad naar achteren. De gordijnen van Ediths slaapkamer waren dicht. Mona trok de sandalen uit en liep op blote voeten naar haar moestuintje. Niets was heerlijker dan bedauwd gras tegen voetzolen. Ik had hem verse groentjes moeten meegeven, dacht ze. Ze bukte zich, trok een wortel uit de grond en ging haar huis via de achterdeur binnen. Ze hield de wortel onder de kraan en beet ervan. Zou Edith haar buurjongen missen? Zou ze Pieter missen? Ze knabbelde op het laatste stukje wortel en gooide het groen in het vuilnisemmertje. Toen wrikte ze de verroeste punaises uit de muur, pakte de poster met het bloedvatenstelsel en verscheurde hem. In de gang ging ze naar de stilte staan luisteren. Hij was weg. Helemaal weg. En ook Sam was nu eindelijk helemaal dood.

5

In de eerste weken aan de universiteit hoorde Titus uit de mond van zijn docenten vier ontluisterende definities van de mens. De ene noemde hem een bak cellen, de tweede had het over een zak eiwitten, de derde over een zak moleculen en de vierde over een zak DNA. Het aplomb waarmee ze het zeiden liet vermoeden dat ze zich niet bewust waren van hun pijnlijke gebrek aan originaliteit. Ze leken zelfs een beetje trots op de krachtige beeldspraak. Zij deinsden niet voor de waarheid terug. Ze hadden haar van doekjes en zwachtels ontdaan en keken haar recht in de ogen. Van hun studenten verwachtten ze niet minder.

Titus wierp snel een blik op de meer dan achthonderd studenten die samen met hem aan het eerste jaar geneeskunde waren begonnen. Hij zat op de twaalfde rij in wat hij als de neutrale zone van de immense aula beschouwde – niet echt vooraan, maar voldoende dichtbij om geen woord te missen. Bijna alle studenten hadden een opengeklapte laptop voor hun neus staan. En waren blank. Vrijwel allemaal droegen ze grijs, blauw of wit. Zonder dat het hun door wie dan ook was opgelegd kleedden ze zich uniform, alsof ze hun docenten ter wille wilden zijn. Ja, wij zijn zakken, stippen, nummers, vlekken. Even waande hij zich opnieuw in de hel van het Sportpaleis. Be-yon-cé! Be-yon-cé!

Zijn maag rommelde. Hij had niet ontbeten. In zijn Zwelegemse bestaan hadden er iedere ochtend koffie met schuimende warme melk, muesli en versgeperst vruchtensap voor hem klaargestaan. Een onzichtbare hand had elke dag voor schone handdoeken in de badkamer gezorgd. Altijd lag er een reep van zijn lievelingschocolade in de koelkast. Melk met hazelnoten en blauwe rozijntjes. Wanneer hij 's avonds in zijn bed kroop, waren zijn donsdeken en hoofdkussen opgeschud. Het leek unfair dat hij die dingen nu zelf moest doen, terwijl hij veel meer in zijn hoofd te proppen had. En hij moest ze niet alleen voor zichzelf, maar ook voor zijn huisgenoten doen. Het huis in de Parkstraat was onderworpen aan ingewikkelde beurtsystemen waarover Patricia als een bloedhond waakte. Ze stelde schema's en roosters op die ze met magneetjes op de koelkast hing, want 'goede afspraken maken goede vrienden'. Had hij maar het flair van Pieter, die Patricia met een diepe buiging had gezegd: 'Geef me uw bevelen, o meesteres, en ik voer ze uit!' En intussen deed hij gewoon zijn zin.

Gisteren had hij voor twintig euro eten gekocht, maar vanmorgen was alles op. Of het was weggestopt. Was het niet toegestaan om alleen voor jezelf iets te kopen? Hem maakte het allemaal niets uit, maar hij moest dringend ontdekken hoe hij 's morgens aan eten kwam. Zijn cellen hadden voedsel nodig. Uitgehongerd lagen ze slap in hun bak.

Hij onderdrukte een geeuw. Vanavond was het zijn beurt om te koken. 'En geen spaghetti bolognese', had Patricia gezegd. 'Een beetje creativiteit alsjeblieft.' Culinaire creativiteit eisen van iemand die nog nooit had gekookt getuigde van weinig realiteitszin. Die kon je dan misschien weer niet verwachten van een filosofe in spe. Patricia had een poster van Hannah Arendt boven haar bed gehangen. 'De enige vrouwelijke filosoof die ertoe doet.' Hij dacht niet dat zij de tweede zou worden.

'En bloed?' tikte hij. 'Waarom niet een tonnetje met bloed?'

Zijn docenten begonnen bij de oorsprong. Bloed interesseerde hen voorlopig niet. Eerst waren de bouwstenen aan de beurt. Het stof, dat de mens ten slotte was.

Ook Pieters docenten leken het als hun plicht te beschouwen hun studenten zo snel mogelijk een aantal illusies over henzelf te ontnemen. Anders dan Titus voelde Pieter zich niet beledigd door de nuchtere visie die hem ingelepeld werd. En al helemaal voelde hij zich niet bedreigd. Hij was zelfs opgelucht. Zijn docenten bevestigden wat hij in zijn hart altijd had geweten: het had geen zin zwaar te tillen aan het leven. Alles wat je meemaakte was miljoenen keren eerder meegemaakt. Het begon bij je geboorte: je zette een keel op, je zocht een tepel, je zoog. De ene had het meteen beet, de ander deed er langer over, maar het uiteindelijke resultaat was hetzelfde. Je at. En als je niet at, ging je dood. Je verdwaasde ouders gedroegen zich alsof ze de geprivilegieerde getuigen waren van een wereldwonder. Het wereldwonder was een wereldbanaliteit. Zijn docenten hadden geen glazen bol nodig om te voorspellen wat de toekomst zou brengen: een uitputtingsslag om aandacht en erkenning; een bitterzoete cocktail van haat en liefde, verrukking en verbittering; een rusteloze zoektocht naar 'de eigen identiteit'. Waar maakten mensen zich druk over? De scenario's lagen al eeuwen vast. Het was drama, theater, opera.

'Niets is zo banaal als een gevoel', oreerde Pieter tegen zijn huisgenoten.

Nog banaler waren ogen die van uien gingen tranen, maar

intussen ontdekte Titus dat dit geen fabeltje was. De ui, die hij zorgvuldig van zijn bruine jasjes had ontdaan, lag naakt op de houten plank. Hij nam het hakmes dat hij de andere koks had zien gebruiken en viel aan. Uiring na uiring zeeg op de plank neer. En dat was nog maar een begin. Zo meteen moesten ze tot reepjes worden versneden. Vervolgens zou hij ze versnipperen. Tranen biggelden over zijn wangen. Zijn neus vulde zich met snot. Voor zijn eerste kookbeurt had hij op assistentie van Pieter gehoopt, maar Pieter was te vol van zijn nieuwe geloof. Er was voor niets anders plaats.

Hij begon te vrezen dat waterzooi voor een beginneling misschien wat hoog gegrepen was. Het hielp ook niet dat Patricia's ogen in zijn rug priemden. Waarom kon ze niet net als Roos idolaat naar Pieter kijken? Dat was de rol van de jonge vrouw: ze adoreerde zijn charismatische vriend. Het was haar taak.

'Als je origineel wilt zijn, heb je geen gevoelens', zei Pieter.

Indringend keek hij van Frans naar Patricia naar Roos om zich van hun aandacht te vergewissen. Ten slotte keek hij naar Titus, maar die weigerde koppig zijn ogen van de uiringen te nemen. Ze waren trouwens door traanvocht verblind.

Roos, die haar slanke ranke benen over de leuning van de oude leren zetel liet bungelen, sloeg haar al even slanke ranke armen eromheen. De mouwen van haar groene trui waren zo lang dat het leek alsof ze geen handen had.

'Of je hebt gevoelens,' zei Pieter, 'maar je voelt ze niet. Waardoor ze ophouden gevoelens te zijn. Je stopt ze ergens weg in een binnenzak. Of in een lade. In een vriesvak. Zoals je wandelende takken in een leeg jampotje stopt. Dat dan ophoudt leeg te zijn.'

Hij vatte post voor de televisie. Sinds ze in het huis hun intrek hadden genomen, had die nog geen minuut aangestaan. Er werd gekeken en geluisterd naar Pieter.

'Voor jullie staat een man met een gebroken hart.' Hij pauzeerde om de mededeling tot zijn publiek te laten doordringen. 'Niet alleen met een gebroken hart, maar ook met een geheim dagboek waarin hij zijn diepste zielenroerselen neerpent en verslag uitbrengt van zijn unieke ervaring. Uniek, mijn reet!'

'Houd jij een dagboek bij?' vroeg Titus met oprechte verbazing. Hij pakte de keukenhanddoek en veegde zijn tranen weg. Het was hem niet duidelijk of Pieters glimlach wrang, gelaten dan wel triomfantelijk was, hoe goed hij zijn vriend ook kende. Of meende te kennen.

'Sinds ik ben gedumpt. Ik durf er veel om te verwedden dat je in alle dagboeken van gedumpte achttienjarige mannen op dezelfde gevoelens stuit. En op dezelfde belegen omschrijvingen. Dezelfde clichés.'

'Je kunt niet alle mensen over één kam scheren', zei Titus fel.

'Ze scheren zichzelf over één kam. Of met één kam.'

'Wat een onzin!' zei Frans. 'Ik heb nog nooit een dagboek bijgehouden, en toch heb ik al liefdesverdriet gekend.' Nooit eerder had hij het woord 'liefdesverdriet' uitgesproken. Hij schrok er zelf van. Frans was de kleinzoon van de eigenaars van het huis. Die bloedband gaf hem onvervreemdbare rechten. En misschien ook plichten. Hij had de warmste en ruimste kamer, en hoefde geen huur te betalen. In de woonkamer lag het versleten oosters tapijt dat zijn grootouders bijna zestig jaar geleden op hun trouwdag cadeau hadden gekregen. Ook de tafel waaraan de studenten aten en de zetel waarin Roos zich had gedrapeerd, hadden ooit in hun huis gestaan. Zelfs de houten plank waarop Titus de ui fileerde was eigendom van Frans' familie. Voor een groentje had Pieter veel noten op zijn zang. Vond Frans.

'Dagboek, notitieboekje, vodjes papier met neergekrabbelde gedachten, een bestandje in je computer genoemd naar de verloren geliefde, dat maakt niets uit. Het is me te doen om die idiote overtuiging dat jou iets bijzonders overkomt. Iets wat niemand ooit eerder meegemaakt heeft en dat daarom moet worden geboekstaafd. Alsof jij de eerste mens bent.'

'Dat is juist het punt', zei Roos. 'Iedere mens moet het opnieuw ontdekken.' Ze schudde haar lange haren uit haar gezicht. Ze waren blond, maar Roos verfde ze sinds kort roze alsof ze bang was haar naam te vergeten. Roos studeerde communicatiewetenschappen, een studie die Frans waardeloos vond. Misschien was ze dat ook.

'Wat we moeten ontdekken, Roos, is dat er niets te ontdekken valt. Alles is geweten. Elk menselijk gevoel is beschreven. Lees Shakespeare en bij wijze van voetnoot Freud, en je weet alles wat er te weten valt. Waarover maken we ons druk? Ik, lieve Roos, heb afgelopen week vijf verschillende sekspartners gehad. Absoluut voorspelbaar gedrag.'

Roos' benen sloegen tegen het leer van de zetel. Haar verliefde blik maakte plaats voor een frons.

'Heb je het over gevoel of over gedrag?' vroeg Patricia. 'Die dingen moet je toch wel van elkaar onderscheiden.'

In de wetenschap dat Patricia hem niet langer in de gaten hield, maakte Titus resoluut de ui verder af. Hij gooide de snippers in een pan en pakte een tweede ui. Pieter bleef zijn visie ontvouwen, als een architect die zijn plannen voor de stad van de toekomst onthult. Roos' frons werd dieper en dieper.

'Het begint met een gevoel en daaruit vloeit gedrag voort. Het ene kan niet losgekoppeld worden van het andere. Mijn gekwetste ego had behoefte aan een schouderklopje. Ik moest koste wat het koste bewijzen dat ik die ene afwijzing ten spijt best wel aantrekkelijk ben voor het andere geslacht.'

'Met andere woorden: je hebt vijf mensen gebruikt om je

ego te troosten', zei Roos kil. 'En je hebt een excuus klaar: dit is wat mensen doen. Ik ben een mens, dus ik doe het.' Ze stond op en ging met gekruiste armen voor Pieter staan. Ze gooide haar roze hoofd in haar nek, alsof ze het even kwijt wilde zijn. Titus, die zag hoe mooi ze was, had zin de uien door de kamer te kegelen. Hij was naar Leuven gekomen om geneeskunde te studeren, niet om te koken. En ook niet om jonge god Pieter te horen uitpakken met zijn veroveringen. Vijf in een week leek hem trouwens overdreven. Zelfs Pieter Kalhorn speelde dat niet klaar.

'Vanmorgen beweerde je nog dat je Edith niet uit je hoofd kon krijgen', zei hij kregelig.

'Twee keer de nagel op de kop. Ik heb hen niet bewust gebruikt, Roos, maar als ik er even bij had stilgestaan, of er een handboek psychologie voor beginnelingen op had nageslagen, had ik het beseft. En had ik mezelf de moeite kunnen besparen.'

'En je sekspartners de vernedering.'

'Die vonden het wel leuk. Denk ik.'

Roos' hand schoot uit. Geschrokken greep Pieter naar zijn wang. Roos had hard geslagen.

'Ik veronderstel dat deze mep even voorspelbaar is. En onvermijdelijk.' Ze klonk ijzig. 'Ik kon het niet helpen, Pieter. Ik ben een gekrenkte mens en dit is wat gekrenkte mensen doen.'

Ze gooide de deur achter zich dicht. Meteen daarna opende ze hem op een kiertje. 'Een voorspelbare uiting van woede', zei ze met een gemaakte glimlach. 'Jammer voor de deur, maar helaas.'

'Een beetje stijlloos, vind je niet?' zei Frans. 'Opscheppen over je veroveringen. Uit bed kletsen.'

'Ik heb niet uit bed gekletst. Ze heeft zichzelf verraden. Niemand hoefde ooit te weten dat zij …'

'Jij bent begonnen', zei Frans. 'Gevoelens zijn misschien niet origineel, maar ze bestaan. En ze kunnen worden gekwetst.'

'Ik vind het een verfrissende kijk', zei Pieter koppig. 'En bevrijdend.'

'Het is laf', zei Frans. 'Je ontwijkt de verantwoordelijkheid voor je daden. Roos is geen matras.'

'Heb ik dat beweerd?'

'Indirect heb je dat beweerd, ja.'

'Dan zal ik haar zeggen dat het absoluut niet in mijn bedoeling lag.'

'Je kunt beter even uit haar buurt blijven. Ik ga haar maar eens troosten.'

'Ik ook', zei Patricia.

'Heeft iemand nog honger?' vroeg Titus.

'Natuurlijk hebben we honger. Zorg maar dat het lekker is. En geen room alsjeblieft. Room is voor mensen die niet kunnen koken.'

Waardig schreed ze de kamer uit.

'Maar ik kan niet koken', zei Titus tegen Pieter. 'Kunnen we niet beter ergens anders gaan wonen? Dit wordt niets.'

Zijn vingers stonken naar ui.

'Je hoeft niet bang te zijn voor een conflictje af en toe. Ook dat hoort er allemaal bij. Maak jij nu maar verrukkelijke waterzooi, dan is alles jou vergeven.'

'Mij?'

'Jou, mij, ons.' Hij geeuwde. 'Ik ga een beetje maffen. Als je culinair advies nodig hebt, je weet me te vinden.' Hij pakte de selder en rook eraan. 'Naar het schijnt wordt tegenwoordig ook het bladgroen van de selder geconsumeerd.' Hij gooide zijn vriend de groente toe. 'En het is een krachtig afrodisiacum. Have fun, Titus.'

Titus staarde naar de deur die Pieter achter zich had laten

dichtvallen. Hij gooide de selder op de plank en hakte erop los. De stukjes ketsten van de plank. Zijn vingers lagen tussen het groen. Ik hak ze eraf, dacht hij, dan is het afgelopen met al die onzin. Ik word een invalide en leef van een uitkering.

Hij dacht aan al die keren dat hij met het mes van zijn opa in zijn vingers had gekerfd. Waarom? Om het bloed te zien? Om er troost uit te putten? Om zich te straffen? Maar waarvoor?

Zoon van een verongelukte vader, zoon van een reisgidsen-vertalende-maar-zelf-nooit-op-reis-gaande moeder. Dat was hij. Zijn vader was zelfs niet in een BMW aan zijn eind gekomen maar op een fiets!

Hij greep een aardappelmesje, sneed in de top van zijn lin-kerwijsvinger en zoog bloed uit de wond. De paniek die zich van hem dreigde meester te maken, ebde weg. Anders dan Pieter zou hij zijn tijd aan de universiteit niet verslapen of verneuken of verkoken. Hij was Titus. Hij was Titus. Hij was Titus. Hij had goed bloed. Ook hij kon zich op zijn kamer terugtrekken en wachten tot iemand riep dat het eten voor hem klaarstond. Hij was niet het slaafje van Patricia's schema's. Wie waterzooi wilde eten, moest die maar zelf klaarmaken. De ingrediënten lagen op het aanrecht, met het recept erbij. Hij had ervoor betaald met het bloedgeld van zijn vader. Meer kon er van hem niet worden verwacht. Hij was in Leuven om geneeskunde te studeren. Niet om kok te worden.

Keurig legde hij het mes op de verkapte selder. Hij waste zijn handen met veel zeep en ging de trap op. Tegen de tijd dat hij de bovenste trede had bereikt, waren de uien, de sel-der, de kip en de prei vergeten. Hij wilde nadenken over wat zijn docenten hadden gezegd. En begrijpen wat ze bedoelden. Waarom noemden ze de mens een zak of een bak? Klopte dat stoere beeld? En waarom focuste elke docent op iets anders?

De DNA-docent versus de eiwittendocent. De moleculendocent versus de cellendocent. DNA was een molecule. Een polymeer, om precies te zijn. En ook eiwitten waren moleculen. Cellen bestonden uit moleculen en produceerden moleculen. DNA zat altijd binnen in een cel. Eiwitten konden cellen verlaten en binnendringen. Schoot hij met dat onderscheid iets op?

De cellendocent liet zich niet afschrikken door een bouwwerk dat tegelijkertijd zo complex en ingenieus was dat de mens het misschien nooit helemaal zou begrijpen. Het mysterie van de cel was het mysterie van het leven zelf. Wie het doorgrondde, hield de sleutel van het leven in handen.

De eiwittendocente koos voor variatie. Er gebeurde niets in een lichaam of er kwamen eiwitten aan te pas. Hemoglobine was een eiwit, enzymen waren eiwitten, neurotransmitters en hormonen ook. Dus ja, je kon een mens met recht en reden een zak eiwitten noemen. Maar het woord 'zak' deugde niet. Een zak was iets waar je spullen in wegborg. Het beeld suggereerde dat die spullen geen actieve rol speelden, en ook het geheel was inert. Dat klopte niet. Eiwitten waren energiek, vindingrijk, divers. Als poortwachters konden ze de in- en uitgang van cellen bewaken. Ze bepaalden wat naar binnen mocht, en wat niet. En wat eruit mocht, en wat niet. Ze vormden de rails waarover berichten werden getransporteerd, ze waren de bode die de boodschap afleverden én de butler die hem in ontvangst nam. Ze zorgden voor stevigheid en zetten grondstoffen om in bruikbaar materiaal. Eiwitten waren zowel arbeider als product, en dus was het even misleidend de mens een eiwittenfabriek te noemen als een zak eiwitten. De mens was niet de fabriek. De eiwitten waren dat zelf. Misschien bestond er geen bruikbaar beeld. Eiwitten hadden hun gelijke niet. Hooguit kon je een opsomming van beelden geven die dan telkens één aspectje recht deden.

Hij ijsbeerde door zijn kamer, die dringend opnieuw behangen moest worden maar dat merkte hij niet op. Hij voelde het drukke verkeer van de eiwitten in zijn lichaam. Een mierenkolonie. Dat was het. Of een termietenheuvel. Een bijenraat. Was hij, Titus, niet meer dan een woning voor zijn eiwitten? Dacht de mens dat eiwitten er voor hem waren, terwijl eigenlijk het omgekeerde het geval was? Hij staarde naar zijn vingers. Het bloeden was gestelpt. Daar hadden zijn bloedplaatjes voor gezorgd. Waren zijn handen niet meer dan een omhulsel? De stolp waaronder de gedisciplineerde bedrijvigheid van de eiwitten plaatsvond?

Hij trok een roestige spijker uit de muur. Als hij hem in de snee in zijn vinger stak, kreeg hij misschien tetanus. Tetanus was een van die ziektes waarvoor een lichaam niet in staat was zelf immuniteit te ontwikkelen. Je kon van een lichaam niet alles verwachten. Hij gooide de spijker in de papiermand. Waarom uitgerekend eiwitten en niet bijvoorbeeld aminozuren? De mens is een zak aminozuren. Het echte wonder was dat slechts twintig verschillende aminozuren instonden voor de productie van die talloze eiwitten. Twintig! Met saaie namen als glycine, proline, lysine … En daarmee was de kous niet af, want voor de samenstelling van die twintig aminozuren waren slechts een handvol verschillende atomen nodig, zwavel, koolstof, waterstof, zuurstof en stikstof: S, C, H, O, N. De mens was een buidel atomen. Hij voelde zich vederlicht. Hij was Titus, maar hij was ook SCHON. SCHON was tot Titus gekneed.

Als zijn docenten hun studenten naar de oorsprong wilden meenemen, naar de kern, het oerbegin, dan konden ze het beter hebben over de gaswolk met atomen waaruit …

Er werd op zijn deur geroffeld. Hij greep naar de klink, maar de deur ging al open.

'Roos', zei hij blij. Het drama in de keuken was vergeten. Hij dacht allang niet meer aan wie met wie had geneukt, of wilde neuken, of zou gaan neuken. Of wie door wie was gekrenkt. Pieter had gelijk. Het was te banaal voor woorden. Als ze zich daarmee wilden bezighouden, hadden ze net zo goed bij de roddelaars in Zwelegem kunnen blijven.

'Je hoeft niet te kloppen', zei hij. 'Je bent altijd welkom!'

Hij spreidde zijn armen. Ook Roos was van atomen, aminozuren en eiwitten gemaakt.

Ze was op blote voeten en droeg een rode badjas. Die vloekte een beetje bij haar roze haar. Ze bleef in de deur staan en glimlachte niet. Was ze nou ook boos op hém?

'Kom je van onder de douche?'

Ze schudde haar hoofd.

'Goh ja, de waterzooi. Je hebt honger. Het spijt me. Ik wilde wel, maar het lukte niet. Ik kan helemaal niet koken, ik heb nooit gekookt. Ik ben een rotverwend enig kind, van een weduwe dan nog wel. Ik beloof mijn leven te beteren. Misschien kun jij me helpen? Met de waterzooi, bedoel ik?'

Ze zette een stap voorwaarts. Nu stond ze in zijn kamer.

'Ik wil met jou naar bed', zei ze.

'Met mij?'

Ze knoopte de ceintuur van de badjas los. Het liefst had hij zich op zijn knieën laten vallen en jankend zijn armen om haar benen geslagen. Het bloed steeg naar zijn hoofd. Niet nu, dacht hij, niet nu. Maar hoe kon hij het tegenhouden? Hij hield niets tegen! Hij stamelde zelfs lichtjes toen hij haar vroeg of hij de deur mocht sluiten.

'Je bent mooi', zei hij. Zijn schouders begonnen te schokken. Beschaamd sloeg hij zijn handen voor zijn gezicht.

'Jij ook.' Zelfs uit de mond van zijn moeder had hij dat nooit gehoord. Het was een leugen, dat wist hij zeker, maar ze was hem niet onaangenaam. Ze pakte zijn handen vast en keek hem recht in de ogen, alsof hij het meest begeerlijke wezen was dat ze ooit had gezien. Onder die blik veranderde de kikker in een prins. Hij vermande zich. Zijn bloed maakte rechtsomkeert en rukte naar zijn penis op.

'Zeg mijn naam', zei hij. 'Zeg: ik wil jou, Titus.'

Ze zei het.

Achteraf huilde ze een beetje.

Met een punt van zijn donsdekenovertrek veegde hij haar tranen weg. Daarna kuste hij de glinsterende sporen van het traanvocht.

'Niet huilen', zei hij. 'Daarvoor ben je veel te mooi.'

Hij kuste het topje van haar neus.

'Ik snap niet hoe jullie vrienden kunnen zijn', zei ze. 'Ik snap het echt niet. Jullie zijn zo anders.'

Bedoelde ze in bed of uit bed? Hij achtte het wijzer het haar niet te vragen. Toen ze daarnet schokkend was klaargekomen, had hij het gevoel gehad dat ze hem baarde. Met deze vrouw, had hij gedacht, zou hij eindelijk helemaal zichzelf kunnen zijn. En worden. Voor een beginneling had hij het er niet slecht van afgebracht.

'Vind je ons echt anders?' vroeg hij koket.

'Ja.' Ze keek hem aan met een blik die niet minder liefdevol was dan die waarmee ze eerder op de avond naar Pieter had gekeken.

Hoelang was ze al in zijn kamer? Roosje had hem niet in stilte gebaard. Had iedereen in huis haar gehoord? En de waterzooi? Had iemand zich intussen discreet over de waterzooi ontfermd?

'Je bent het dus niet eens met Pieter als hij zegt dat de verschillen tussen mensen zwaar worden overschat?'

Hij kon nog altijd niet geloven dat ze naakt naast hem lag. En dat hij haar tepel kon kussen als hij daar zin in had. Hij besloot het te doen voor ze weer verdween, wat onvermijdelijk zou gebeuren. Zachtjes legde ze haar hand op zijn haar, als een moeder op de schedel van haar kind.

'Pieter heeft een theorietje bedacht en dat gebruikt hij nu als excuus. Een heel goedkoop excuus.'

Zijn lippen lieten haar tepel los. 'Mij ergert het ook. Tegelijkertijd heeft hij een punt. Denk ik. We bestaan allemaal uit dezelfde aminozuren. En uit dezelfde atomen. Ooit is het begonnen met een gaswolk ten gevolge van de ...'

Ze klakte met haar tong.

'Iedereen heeft toch ander DNA.'

'Er bestaan nauwelijks verschillen tussen jouw DNA en dat van mij. Of dat van Pieter. Je kunt de verschillen bijna verwaarloosbaar noemen.' Hij kuste haar ene tepel en dan de andere. 'To be the same or not to be the same, that's the question.'

'Mijn tepels zijn niet helemaal hetzelfde.'

'Dat is waar.' Opnieuw kuste hij ze. Ook haar tepels waren zakjes DNA. 'DNA is gewoon een molecule. Een verzameling moleculen met als bouwstenen vier basen: A, T, G, C. Adenine, thymine, guanine en cytosine.' Bijna liet hij zich ontglippen: Heb je dat niet op school geleerd? 'Die vier basen hebben als bouwstenen vier atomen: C, N, O, H. Koolstof, stikstof, zuurstof en waterstof. Het basisprincipe is niet anders dan bij water.'

'Wil je me nu doen geloven dat er nauwelijks verschillen bestaan tussen een mens en water?'

'We bestaan grotendeels uit water.'

'Maar we zíjn geen water.'

'Nee, maar net als water bestaan we uit moleculen. En die moleculen bestaan uit verbindingen van atomen.' Hij kuste haar navel. 'Jouw gladde, zachte huid bestaat uit moleculen, net als de donshaartjes op je buik en de blonde krulletjes op je venusheuvel.'

'Als jij mij ziet, denk jij dan aan moleculen?'

'Altijd. Het windt me op.' Hij kreeg opnieuw een erectie. 'Het wonderlijke aan DNA-moleculen is dat ze de code bevatten voor de aanmaak van andere moleculen, van eiwitten. Die zijn de eigenlijke bouwstenen van ons lichaam. DNA is een kookboek voor eiwitten. Een receptenboek. Met DNA op zich kun je niets. Het moet omgezet worden in RNA, en vervolgens tot proteïnen. Tot eiwitten dus. Je kunt je niet voorstellen hoeveel eiwitten er te pas zijn gekomen aan wat jij en ik zonet hebben klaargespeeld.'

'Een hele omelet', zei ze schamper. 'Of het verschil nou groot is of klein, er is een verschil. Waarom anders wordt er zo veel belang aan gehecht? Er worden moorden opgelost dankzij DNA.'

'Als je een moord probeert op te lossen, zijn de verschillen belangrijk.'

'En als je wilt achterhalen wie je ouders zijn.'

'Dan ook, ja.'

'We zijn niet allemaal hetzelfde, Titus. Ik zou wel willen zijn zoals Patricia. Zij is zo rustig en beheerst en gedisciplineerd. Bijna aristocratisch.'

'Gedisciplineerd is ze zeker. Deelt ze straffen uit als je je niet aan haar schema's houdt?'

'O, mijn god, jij moest koken!'

Iets te theatraal sloeg ze een hand tegen haar voorname voorhoofd. Wat een lieve, slechte komediante! Dacht ze nou echt dat hij erin trapte? Ze stond op en raapte de rode badjas op, die ze in het midden van zijn kamer van zich had laten glijden.

'En ik zou hebben gekookt, als jij me niet had tegengehouden.'

'Leugenaar!'

Hij probeerde de ceintuur van haar badjas te grijpen. 'Ik ken een verschil', zei hij. 'Als wij daarnet een kind hebben gemaakt, heeft het van jou een X-chromosoom gekregen, en van mij een X of een Y.'

'Wij hebben geen kind gemaakt.'

'Je weet het nooit zeker.'

'Ik weet het zeker.'

'Toen jij een embryootje was dat tweeëndertig cellen telde ... Kun je je dat voorstellen, tweeëndertig cellen, dat is werkelijk niets. Wel, op dat moment is of het X'je dat je van je vader had gekregen of dat van je moeder op non-actief gezet. Ben jij een vrouwtje zoals het fenomeen zich voordoet in de familie van je vader of van je moeder?'

'Fenomeen!'

'Blijf nog een beetje bij me, Roos.'

Ze ging weer naast hem liggen, maar hij voelde het verzet in haar lichaam.

'Titus?'

'Ja.'

'Denk je dat het in zijn genen zit?'

'Dat wat in wiens genen zit?'

'Pieters gedrag.'

'Moeten we echt de hele tijd over Pieter zeuren?'

'Zonder hem lag ik hier niet.'

'Dat is waar. Ik trouwens ook niet. Wij hebben alles aan Pieter Kalhorn te danken.'

'Het spijt me.'

'Dat is niet nodig, Roos.'

'Mijn gedrag is even voorspelbaar als het zijne. En even verwerpelijk.'

'Laten we het over genen hebben. Dat is een veel leuker onderwerp. Jij praat over genen als over een zak stenen die van de ene generatie aan de volgende wordt doorgegeven. Nu eens zijn het kiezeltjes, dan weer edelstenen. Of een mengeling van beide. Zo is het niet. Genen zijn niet meer dan een code, een recept voor het aanmaken van een specifiek eiwit.'

'Daarnet noemde je DNA het receptenboek.'

'Genen zijn DNA.'

'O.' Ze keek beteuterd.

Hij aarzelde of hij haar meer zou vertellen. Toen was het sterker dan hijzelf. 'Een gen is een stukje van een chromosoom. Iedere mens heeft zesenveertig chromosomen. Drieëntwintig van de vader, drieëntwintig van de moeder. Keurig symmetrisch, in paren. Al die chromosomen samen vormen ons belangrijkste pakketje DNA.'

'En waar zit dat dan?'

'In elke cel. Het is de kern van wie of wat we zijn.'

'Maar al die kernen lijken dus op elkaar?'

Hij knikte. 'Je kijkt alsof je me niet echt gelooft.'

'Ik geloof je.' Even bestudeerde ze de nagel van haar rechterduim. 'Het is dus niet meer dan dat: recepten voor eiwitten?'

'Ja.'

'Hoe ontluisterend.'

'Of fascinerend. Eiwitten zijn waardevoller dan de kostbaarste diamant. En slimmer dan de slimste computer.'

Opnieuw maakte ze zich van hem los. 'Nou goed,' zei ze, 'we zijn een bundeltje recepten. Dat neemt de verschillen niet weg. Het ene recept is het andere niet.' Ze knoopte de ceintuur van haar badjas dicht.

'In China wordt er meer rijst gegeten dan bij ons.'

'En daarom hebben Chinezen spleetogen.' Ze glimlachte naar hem. Abrupt veranderde haar uitdrukking. 'Ik hoop dat dit tussen ons blijft.'

'Dat Chinezen spleetogen hebben?'

'Je weet wat ik bedoel.'

'Dan hoop ik dat niemand je in je badjas mijn kamer heeft zien binnenkomen. Of zo meteen ziet vertrekken.'

'Ik kan toch in mijn badjas komen kletsen.'

Nukkig trok ze de deur open. Op een blad dat vast ooit aan Frans' grootouders had toebehoord, stonden twee dampende soepborden met geurige waterzooi. Titus bukte zich om het naar binnen te dragen, maar Roos hield hem tegen.

'Heb je geen honger?'

Ze schudde haar hoofd.

'Wil je hier niet samen met me eten?'

Ze bleef haar hoofd schudden.

'Ze mogen het toch weten', zei hij zacht. Wat hem betrof mocht het in de krant staan. Of op Facebook worden gezet.

Roos keek naar de grond. Hij drukte haar tegen zich aan. Haar lichaam verstijfde. Als eiwit dat langdurig was geklopt. Iets zei hem dat er geen volgende keer zou komen. Het zou bij die ene tweede geboorte blijven.

Toen hij op een zaterdag bij zijn moeder in Zwelegem was, zag hij uit het raam van zijn oude slaapkamer Edith met haar zoontje in de tuin. Het ventje rende op het gras dat hij en Pieter hadden gezaaid. Ediths gezicht brak open in een blije lach. Hij stak zijn hand omhoog. Uitgelaten wuifde ze terug. Ze had nog altijd iets van een jong meisje. Een veulen. Later belde hij bij haar aan met een fles wijn onder de arm. Ze had haar blonde haren opgestoken en zich opgemaakt, alsof ze bezoek verwachtte. Nee, nee, zei ze, hij kwam niet ongelegen. Ze trok hem bij de hand naar de woonkamer en keek naar hem alsof hij na een wereldreis weer in het land was. Haar huis was nu zo vol als het ooit leeg was geweest. Er stond een witte schommel met een zitje voor twee personen waarop een kleurrijk kussen lag. Boven de schouw hing een digitale televisie. Edith schopte haar schoenen uit en ging in een rood zeteltje zitten. Ze vond hem veranderd en noemde hem 'mannelijker'. En of hij al een vriendinnetje had? Hij schudde het hoofd, maar hij kon voelen dat hij bloosde. 'Ah,' zei ze triomfantelijk, 'er is iemand. Ik wil alles over haar horen.' Hij bleef ontkennen. Het was geen leugen. Er was werkelijk niemand. Roos was geen tweede keer naar zijn kamer gekomen, en hij begreep dat het niet de bedoeling was dat hij bij haar aanklopte. Het lag op het puntje van zijn tong haar te zeggen dat zij de enige was die hij wilde. Dat zou wel een leugen zijn.

Edith wilde alles weten over zijn huisgenoten en was boos dat hij geen foto's van hen had. Hij vertelde haar over hun grote en kleine hebbelijkheden, waaraan hij langzaam maar zeker gewend geraakte. 'Het is vast makkelijker voor iemand die met broers en zussen is opgegroeid', zei hij. Over Pieter stelde ze geen vragen, wat hem deed vermoeden dat ze elkaar mailden en belden. Toen de fles bijna leeg was, durfde hij haar eindelijk de vraag te stellen die hem al zo lang bezighield: waarom Pieter en niet hij?

Ze verstijfde, zoals Roos had gedaan. Hij las de angst in haar gezicht dat hij haar zou willen aanraken. Maar dan dwong ze zichzelf vriendelijk te glimlachen. Rustig beantwoordde ze de pijnlijke vraag.

'Er is geen waarom. Pieter is Pieter; jij bent jij.'

'Dat is het juist.'

Hij was Titus. De man voor wie vrouwen terugdeinsden. Tenzij ze behoefte hadden aan troost. Roos had gelijk. Ook zij verdiende een mep. Ze was geen haar beter dan Pieter. Moest hij nu op zíjn beurt iemand gaan gebruiken om zíjn ego te paaien? In zijn fantasie had hij de avond met Roos al eindeloos dikwijls beleefd. Telkens opnieuw had hij haar schokkende bekken gezien waaruit hij zichzelf geboren had voelen worden. Hij had haar horen hijgen, dicht bij zijn oor, alsof ze bij hem in de kamer hijgde. En hij had ook zelf gehijgd terwijl hij zichzelf aanraakte met haar gehijg in zijn oren. Als ze na het eten met zijn allen zaten te kletsen slaagde hij er probleemloos in te vergeten wat er die avond was gebeurd. De Roos die naast of tegenover hem zat te babbelen, had niets te maken met het mythische wezen dat in zijn hoofd gloeide. Op een avond was ze in haar rode badjas aan tafel verschenen. Ze had zijn blik ontweken. Daardoor had hij geweten dat zij er ook aan dacht. Op die ene uitzondering na gingen ze ongedwongen met elkaar om alsof er zich nooit iets had voorgedaan dat pijnlijk of gênant kon zijn. Ook tussen haar en Pieter leken alle plooien gladgestreken. Hooguit werd er soms met een lach op de mep gealludeerd.

'En jij?' vroeg Titus. 'Is er een nieuwe man in jouw leven?'

'Ach,' zei ze, 'je kent me.' Ze haalde haar schouders op om de vraag van zich te laten afglijden. 'Wat vind je van je moeder?'

'Mijn moeder?'

'Haar haar', zei Edith. 'Zeg me niet dat je het niet hebt opgemerkt.'

'Wat is er met haar haar?'

Was hij blind? Stekeblind?

'Ze draagt het korter en ze heeft het geverfd. Nicole heeft haar meegenomen naar haar kapper. En heeft de rekening voor haar betaald.' Dat laatste voegde ze er op fluistertoon aan toe.

'Heeft mijn moeder geen geld voor de kapper?'

'Dat is het niet, maar die kapper is zo duur en Mona vindt het zonde om zo veel geld aan haar haar te hangen, maar Nicole wilde absoluut dat ze iets aan haar kapsel deed. Vind je het niet mooi?'

Hij keek haar aan alsof hij niet wist waarover ze het had. En hij wist het ook niet. In de achttien jaar dat hij Mona's zoon was had hij niet één keer op haar haar gelet. Als baby had hij ernaar gegrepen en eraan getrokken zoals elke baby naar alles greep wat in zijn buurt kwam. Dat hij als heteroseksuele jonge man niet op het haar van zijn moeder lette was ook doodgewoon. Het tegenovergestelde zou pas bijzonder zijn geweest.

Edith boog zich naar hem toe en zei: 'Ze gaan samen naar Parijs. Nicole is 18 november jarig en dan gaan ze samen shoppen in Parijs. Met Nicoles creditcard.'

'Mijn moeder heeft haar eigen creditcard', zei hij kort.

Edith besefte haar vergissing. 'Sorry. Natuurlijk heeft je moeder haar eigen geld.' Ze bloosde onder zijn boze, stalen blik. Die wond haar een beetje op.

Onderweg van het station naar de Parkstraat zag Titus dat het Rode Kruis op het Ladeuzeplein hun tenten had opgeslagen. Voorzover hij wist waren ze nooit in Zwelegem neergestreken. Er was ook nooit door wie dan ook een bloedinzameling georganiseerd. Dat was best vreemd, want mensen in Zwelegem hadden niet meer of minder bloed nodig dan mensen in Leuven. Hij dacht aan zijn vader, wiens bloed de straatstenen van Zwelegem rood had gekleurd en voor wie alle hulp te laat was gekomen. Zijn moeder had hem de plek dikwijls aangewezen. En ze had hem er bloemetjes laten neerleggen op de verjaardag van het ongeluk. Dat was zijn papa: een handvol straatstenen die zich allang in niets meer onderscheidde van de omringende straatstenen. Soms had het gevoeld alsof zijn moeder hem de plek aanwees waar ook hij aan zijn einde zou komen. Hier, Titus, hier moet jij straks sterven! Het leek obsceen in leven te blijven terwijl zijn papa dood was. Zijn moeder zou het besterven als hij haar dat vertelde. Ze was zo zo bang haar Titusje te verliezen. Haar hartendiefje! En nu was ze hem een beetje kwijt, maar ze leek er niet echt onder te lijden. Ze ging shoppen in Parijs. Goed, dacht hij. Dat was heel goed.

Hij draaide de sleutel in het slot, duwde de deur open en hoorde dat de televisie aanstond. Zijn huisgenoten zaten naar oude afleveringen van de Simpsons te kijken. Hij nam een biertje en ging bij hen zitten. Hij lachte wanneer zij lachten, maar zijn gedachten waren bij het bloed dat zou worden ingezameld. Nu zat het nog in zijn aders, maar straks zou het een andere bestemming krijgen. Het zou levens redden. Zíjn bloed zou levens redden.

Hij wachtte tot een aflevering was afgelopen en vertelde toen dat hij van plan was bloed te gaan geven.

'O nee, dat vind ik zo griezelig', zei Roos heftig.

'Bloed is niet griezelig', zei hij. 'Wat is er griezelig aan?'

'Ik heb nog nooit bloed laten trekken.'

'Dat kan niet', zei Pieter.

'Ik zweer het je.'

'Heb jij nooit voor het een of ander ...'

'Nee, nooit.'

'Dat geloof ik niet.'

'En toch is het zo. In mijn familie is iedereen doodsbang voor naalden.'

'Jij en ik zijn van hetzelfde bloed', zei Patricia. 'Dat zeiden we vroeger in de jeugdbeweging.'

'Het jungleboek', zei Frans.

'Rudyard Kipling.'

'We zijn allemaal van hetzelfde bloed', zei Pieter. 'Alle mensen zijn bloedbroeders, zelfs al beseffen ze het niet.'

'We zijn helemaal niet allemaal van hetzelfde bloed', zei Titus. 'Ik ben AB-negatief en jij O-positief.'

'Ik denk niet dat Kipling het over bloedgroepen had', zei Pieter droog.

'Kipling was een fascist', zei Patricia. 'Blank bloed vond hij beter dan zwart bloed. En het beste bloed ter wereld stroomde natuurlijk in Britse aderen. Wil je geloven dat ik mijn bloedgroep niet ken. Is dat erg? Waarom zijn er nog altijd bloeddonoren nodig, Titus? Het lijkt zo primitief. Er bestaat toch artificieel bloed?'

'Ja, maar de kans dat je na een transfusie overlijdt is veel groter dan bij natuurlijk bloed.'

'En dus', zei Pieter, 'gaan we deze week met zijn allen om acht uur 's ochtends bloed geven. Jij ook, Roos. Je moet je bloedgroep kennen. En af en toe iets voor een ander doen.'

'Waarom zo vroeg?'

'Omdat er geen alcohol in je bloed mag zitten.'

'Als je tot vier uur hebt zitten zuipen, zit er om acht uur nog alcohol in je bloed.'

'We gaan allemaal op tijd naar bed. En we drinken vooraf veel water. Bloed bestaat voor 90 procent uit water.'

'Jij drinkt meer alcohol dan wij allemaal samen', zei Roos.

'Omdat jij mij zo hardvochtig behandelt.'

'Jij behandelt mij hardvochtig. Je dwingt me bloed te gaan geven.'

'Ik zal je handje vasthouden.' Hij sloeg zijn arm om haar middel en trok haar tegen zich aan. Roos verzette zich niet. Haar haar zag rozer dan anders. Titus veronderstelde dat ze het opnieuw had geverfd. Stap maar weer bij hem in bed, dacht hij, maar reken er niet op dat ik jou dit keer zal troosten.

Niet bloed maar plasma bestond voor 90 procent uit water. Voor 90 procent of misschien zelfs meer. En bloed bestond uit 55 procent plasma. Met andere woorden: bloed bestond ruwweg voor de helft uit water. Pieter had zonder blikken of blozen uit zijn nek gekletst. As usual. Het ergerde Titus meer dan hij kon zeggen. Pieter moest niet denken dat hij onder zijn leiding 'en groupe' bloed zou gaan geven. Hij was geen kuddebeest.

In de tent van het Rode Kruis werd hem een vragenlijst in handen geduwd met de verzekering dat zijn antwoorden discreet zouden worden behandeld. Nooit zou iets tegen hem kunnen worden gebruikt. Met leugens bracht hij levens in gevaar. Begreep hij dat? Hij knikte. Wat een verantwoordelijk-heid! Met een zucht ging hij aan een tafeltje zitten om zijn huiswerk te maken. Zijn bloed zou hun alles over hem ver-tellen wat ze wilden weten. Waarom moesten ze het ook nog eens van hem vernemen? Op de vraag of hij onveilig seksueel verkeer had gehad, antwoordde hij ontkennend. Hij bedacht zich, verscheurde het formulier en haalde een nieuw. Dit keer vinkte hij het andere vakje aan. Het oogde alsof hij een ac-tief seksleven leidde. Ze zouden eens moeten weten, dacht hij schamper.

'AB-negatief', zei de arts verrast, terwijl ze snel zijn ant-woorden overliep. 'Dat is uitzonderlijk. In Afrika geweest? Homoseksuele contacten?'

Hij schudde zijn hoofd.

'Erfelijke aandoeningen?'

'Vast wel, maar ik ken ze niet.'

'Dat betekent dat je er geen last van hebt. Je bloedgroep wordt sowieso gecheckt. En we sturen een officieel kaartje. Dat is handig om in je portefeuille te stoppen.'

Hij zei haar niet dat hij er al jaren eentje had. Meer dan eentje zelfs.

Eindelijk mocht hij gaan liggen. Was hij bang voor bloed?

'Ik studeer geneeskunde', zei hij.

'Je zou niet de eerste arts zijn die flauwvalt wanneer hij zelf wordt geprikt. Kun je je arm even buigen?'

Haar vingers gleden over zijn huid op zoek naar een bruik-bare ader. Binnenkort zou ook hij moeten leren dat te doen. De naald drong in zijn lichaam. Met tape plakte ze hem vast. Langzaam kleurde zijn bloed het plastic lijntje donkerrood. Het zag er dik en troebel uit. Af en toe kwam de arts met een geconcentreerde blik controleren of de naald wel goed zat. Ze maakte de tape los, gaf de naald een tikje, plakte hem weer vast. Toen hij haar vroeg of er een probleem was, antwoordde ze dat zijn bloed traag stroomde. 'Ontspan je maar. We hebben alle tijd.' Even liet ze een koele hand op zijn arm rusten. Hij sloot zijn ogen en voelde zich wegzakken. Tegelijkertijd werd hij licht alsof zijn lichaam zich van de tafel losmaakte en hij door de tent zweefde, zoals het lijk van Leonardo's afstammeling al jaren in zijn hoofd zweefde. Hij wilde roepen dat hij leegliep, maar hij kreeg zijn lippen niet van elkaar. Hij herinnerde zich ooit iets gelezen te hebben over bloeddieven, die hun slachtoffers bewusteloos sloegen en vervolgens al hun bloed aftapten. In welk land speelde het ook weer? Somalië? Oezbekistan? Hier bestond er geen bloedmaffia, en ook geen bloedmarkt. Bloed werd niet verhandeld. Niemand kreeg er een cent voor, wat niet betekende dat het niet kostbaar was, zeker wanneer het zo uitzonderlijk was als het zijne. Hij begon zich een leiding voor te stellen waardoor bloed zou stromen, zodat iedereen altijd en overal bloed kon aftappen. Geen waterleiding maar een bloedleiding. Vaagweg vroeg hij zich af of hij sliep.

6

Twee weken later vielen vijf brieven met het Rode Kruis-logo op de mat bij de voordeur. Titus, die als eerste het huis uit-ging, raapte ze op en stopte ze in de lade van de tafel waaraan ze zoals altijd die avond samen zouden eten. Het was alweer zijn beurt om te koken. Sinds de waterzooi had hij niet één keer Patricia's schema's overhoopgehaald. Hij beperkte zich nu tot minder ambitieuze recepten: macaroni met ham en kaas-saus; hamburgers met gebakken aardappelen en appelmoes; fish sticks met sla. Misschien moest hij vandaag maar eens bloedworst serveren. Zijn huisgenoten zouden hun bloed-groep vernemen onder het nuttigen van plakjes worst van bloed gedraaid. Vooral Patricia zou de geste weten te appreci-eren. Zij hield van orde en symmetrie. En van vlees.

'Bloedworst?!' zei Roos terwijl ze driftig haar lange roze ha-ren over haar schouders zwierde. 'Heb jij echt bloedworst ge-maakt?' Vol afgrijzen staarde ze naar de pan. 'Alleen al de geur doet me kotsen.'
    'We zitten aan tafel, Roos!'

'Ik vind het best lekker', zei Patricia. Sinds ze niet meer bij haar streng vegetarische ouders woonde, gaf ze zich ongeremd over aan vleselijk genot. Aandachtig bestudeerde ze het stukje worst op haar vork. Er zaten witte brokjes in. Dat was vet, veronderstelde ze. 'Vooral in combinatie met de appeltjes en de kruidnagel in de rodekool. Was dat jouw idee?'

'Waar heb je die worst gekocht?' vroeg Pieter.

'Bij een slager in de Pensstraat. Je kunt er ook niertjes krijgen, en lever of darmen of hersenen.'

'In de Pensstraat?'

'Ik verzin het niet. Tot op de straat stonden er mensen aan te schuiven. Allemaal wilden ze bloedworst.'

'Het is de nieuwe chic', zei Pieter. 'Mijn moeder weigert nog een hap van een biefstuk te nemen. Biefstuk is nu voor het proletariaat.'

'Ze hebben het met teenslippers ook gedaan', zei Frans. 'Plotseling waren die cool. En tien keer zo duur. Hoeveel heb je voor die worst betaald?'

'Niet veel. Het bonnetje zit nog in mijn portefeuille. Als jullie je bord helemaal hebben leeggegeten, mag Roos de lade opentrekken en de brieven van het Rode Kruis pakken.'

'Een bloedmaaltijd voor bloednieuws', zei Pieter.

'Bloederig', zei Patricia. 'Een bloederige maaltijd voor bloederig nieuws.'

'Nu krijg ik die worst zéker niet meer door mijn keel.' Roos liet haar bestek op de tafel vallen en duwde haar bord weg. Ze trok de lade open, grabbelde naar de brieven en deelde ze uit. Boven de bloedworst en de aardappelen en de rodekool werden de enveloppen opengescheurd. Een standaardbriefje heette hen welkom in de gemeenschap van bloeddonoren. 'Een gezonde mens mag vier keer per jaar bloed geven. Hopelijk zien we u over drie maanden terug.' In elke envelop stak ook een kaartje met hun bloedgroep.

'O+', zei Pieter.

'Ik ook', zei Frans.

'En ik ook', zei Patricia.

'O+', zei Roos, alsof ze de drie eerdere uitslagen wilde bevestigen.

'AB-', zei spelbreker Titus.

'Wat gebeurt er als jij bloed nodig hebt?' vroeg Patricia.

'Dan krijg ik gewoon bloed. Als er geen AB in voorraad is, krijg ik O.'

'Kan dat?'

'Dat kan, ja. Ik verdraag jullie bloed, maar jullie niet dat van mij.'

'Waarom niet?' vroeg Patricia.

'Op elk van mijn rode bloedcellen staat een handtekening: dit zijn de rode bloedcellen van Titus. Private Property of Titus Serfonteyn. Het staat er niet in woorden maar in eiwitten.'

'Alweer eiwitten', zei Roos. Geeuwend rekte ze zich uit. 'This man's really into eiwitten.'

'Iedereen is into eiwitten', zei Titus. 'Anders bestonden we niet. We zíjn eiwitten. Min of meer. Die bloedworst trouwens ook.'

'Daarom hoeven we het toch niet te wéten. Of erover te praten. We pissen en kakken ook, maar daar hoef je niet voortdurend aan te worden herinnerd.'

'Ik ben aan het eten, Roos!'

'Ik niet!'

'A en B zijn dus eiwitten?' zei Patricia. Ze klonk als een lerares die een getalenteerde leerling wilde aanmoedigen.

'Antigenen. Zo heten die specifieke eiwitten. Ik heb antigenen A en B. Ze zitten in het membraam rond elke cel. In mijn lichaam zijn A- en B-antigenen welkom, of ze nu op een bacterie zitten of op een bloedcel van iemand anders of op eentje van mezelf. Jullie hebben die antigenen niet. O is eigenlijk zero: de afwezigheid van A en B. Met andere woorden gezegd: A en B zijn niet welkom. Tot daar de inleidende les hematologie.'

'En waarom zijn ze niet welkom?' vroeg Roos geïrriteerd.

'Omdat ze het niet zijn. In jouw lichaam zijn ze vreemd materiaal. Ze horen er niet thuis. Punt. En dus maakt jouw bloed antistoffen die ten aanval trekken tegen mijn A- en B-antigenen. Niet alleen tegen mijn A- en B-antigenen, maar tegen álle A- en B-antigenen. Jaren geleden al is er met de aanmaak van die antistoffen begonnen toen je voor het eerst met A- en B-antigenen in aanraking kwam. Ze zitten ook op bacteriën. Heb jij als kind in een zandbak gespeeld?'

'Dat herinner ik me niet.'

'Heb je een ongelukkige jeugd gehad?'

'Nee.'

'Dan heb je in een zandbak gespeeld. Zo'n smerige zandbak waarin honden poepen en katten pissen.'

'Dat zou mijn moeder nooit hebben toegestaan. En mijn vader ook niet. Jij kent mijn ouders niet.'

'Geen zandbak dan, maar iets anders. Een grasveldje. Een zwembad. Een bak met plasticine. Whatever. Of domweg voeding. Ook eten zit tjokvol met bacteriën. En de lucht die we inademen. Hoe dan ook heeft jouw bloed antistoffen moeten aanmaken tegen A- en B-antigenen, anders was je allang dood. En omdat jij die antistoffen hebt, kunnen A- en B-antigenen jou niet deren. Antistoffen en antigenen passen in elkaar zoals een sleutel in een sleutelgat, maar deze sleutels vernietigen het sleutelgat. Of neutraliseren het. Zodra mijn bloed het jouwe infiltreert, produceert jouw bloed antistoffen tegen mijn A'tjes en B'tjes. Die antistoffen kleven aan mijn antigenen vast, en van dat kleven komt klonteren.'

'Wat vies!'

'Niet zo vies als die zandbak waarin je al dan niet hebt

gespeeld. Jullie hebben dan weer het antigeen D en ik niet. Daarom staat er bij mij een minnetje en bij jullie een plusje. Ik heb antistoffen tegen D, en jullie niet. Bij mij blijft ook iets kleven. Maar minder dan bij jullie.' Hij stopte zijn brief terug in de envelop. 'Je kunt het vergelijken met een magneet. Die van jullie is sterker.'

'Ik wil het echt niet weten', zei Roos. 'Wat heb je eraan? Zullen we afspreken dat er nooit meer over bloed of eiwitten wordt gepraat? Ik begrijp er toch niets van.' Ze stond op en begon de tafel af te ruimen. 'Praat erover zo veel als je wilt, maar doe het als ik er niet ben. Het is deprimerend, het is vies, het is …'

'Hé,' zei Frans, 'ik ben nog niet klaar!'

'Jullie zijn vampiers.'

'Ik vind het leerrijk', zei Patricia. 'Eigenlijk is het onzin om aan filosofie te doen zonder dat je iets afweet van biologie. Het begint bij biologie.'

'Als je dat maar beseft', zei Titus.

'Hoe kun je verliefd op iemand zijn als je denkt: eiwitten, antigenen, moleculen? "O, lieveling, wat heb jij lekkere eiwitten! Mag ik aan jouw antigenen knabbelen?" Wat doen we met het overschot van die bloedworst? Gooi ik het weg?'

'Zet het in de koelkast', zei Pieter. 'Ik eet het wel op.' Hij was van dit bloedgesprek in al zijn variaties al zo dikwijls de getuige geweest. De een vond bloed griezelig, de ander vond het fascinerend; de een wilde er alles over weten, de ander niet. So what?

'Zijn antigenen de tegenhangers van genen, Titus?' vroeg Patricia.

'Alle eiwitten zijn tegenhangers van genen. Allemaal worden ze erdoor gecodeerd. Het begint met genen en het resulteert in eiwitten. "Antigeen" is afgeleid van "antibody generating": een eiwit dat antistoffen opwekt.'

'Weet je wat ík niet snap', zei Pieter. 'Als je AB-bloed in O-bloed stopt, dan gaat het klonteren, maar dat gebeurt niet wanneer je O-bloed aan AB-bloed toevoegt. Waarom niet? In beide gevallen meng je O met AB.'

'Fuck', zei Titus. 'Die vraag heb ik me nooit gesteld.' En typisch voor Pieter dat hij zich die wel stelde. 'Vind je het goed als ik naar boven ga?'

'Ja, ja', zei Pieter. 'Ga maar. En dank je voor een lekkere en voedzame maaltijd.' Hij gaf zijn vriend een kus. 'Er schuilt een begenadigde kok in jou. Heel diep. Langzaam kruipt hij naar boven. Kwam die kool uit de diepvriezer of was hij vers?'

'Uit de diepvriezer, maar de appeltjes heb ik eraan toegevoegd. En de kruidnagel. Tip van Edith.'

'Je hebt haar gebeld?'

'Gesms't.'

'Zo doen wij dat thuis ook', zei Roos. 'En soms koopt mijn moeder soep in blik en gooit ze er verse tomaten bij en wat peterselie. De kunst van het koken is de kunst van het bedriegen.'

'Ja, ja', zei Pieter, 'dat zegt Edith ook. Morgen zal ik voor jullie honderd procent eerlijke frietjes bakken.'

'Niet doen', zei Roos. 'Van frites word ik dik.'

'Juist daarom', zei Pieter. 'Je kunt wel wat extra kilo's gebruiken.'

Pieter had gelijk. Of je nu AB-bloed toevoegde aan iemand met O of O-bloed aan iemand met AB kwam op hetzelfde neer. In beide gevallen brouwde je een dodelijk cocktail van A- en B-antigenen én antistoffen tegen A en B. Toch noemde elk medisch handboek O geschikt voor mensen met bloedgroep AB. Waarom dreigde er dan geen klontergevaar? Had het te maken met densiteit? Debiet? Waren in het ene geval de geïmporteerde antistoffen verwaarloosbaar, terwijl in het andere geval de import van antigenen volstond om de boel te verzieken?

Koortsachtig surfte hij van de ene website naar de andere. Hij sloeg zijn handboeken erop na, maar nergens vond hij een bevredigend antwoord. Misschien was geneeskunde een empirische wetenschap eerder dan een analytische. Proefondervindelijk was vastgesteld dat O-bloed compatibel was met AB-bloed, maar AB-bloed was niet compatibel met O-bloed. Je kon eindeloos doorzeuren over de vraag waarom, maar uiteindelijk was die naast de kwestie. De feiten waren de feiten.

Hij herinnerde zich een syllogisme. – Alle mensen zijn sterfelijk. Socrates is een mens. Socrates is sterfelijk. – Maar niet: Alle mensen zijn sterfelijk. Mijn hond is sterfelijk. Mijn hond is een mens. – Dat laatste was een sofisme, een verwerpelijke denkfout. – Alle mensen aanvaarden O. Ik ben een mens. Ik aanvaard O. – Daar schoot hij niets mee op. – Antistoffen vechten tegen antigenen. O bevat antistoffen. O vecht tegen antigenen. – Maar dat deed O dus niet.

Begrijpe wie het begrijpen kan.

Hij liep naar beneden, nam een pak koekjes uit de kast zonder een woord tegen de afwassers te zeggen en begon gulzig te schrokken. Roos en Patricia zagen dat hij diep in gedachten verzonken was en lieten hem met rust. 'Zombiën', noemden zijn huisgenoten het. 'Titus is aan het zombiën.' Met het geopende pak in zijn hand keerde hij naar zijn kamer terug. De overdosis suiker schudde zijn hersenen wakker. Ze geven geen plasma, dacht hij. Bij een transfusie van O-bloed aan iemand met bloedgroep AB geven ze alleen de rode bloedcellen. De antistoffen zwemmen in het plasma en dat geven ze niet.

Waarom had hij zo lang over het antwoord gedaan? Hij werd slomer in plaats van slimmer. En dat kwam omdat hij iedere avond zat te zuipen en te kletsen in plaats van te studeren. Discipline, Titus! Misschien moest hij elders een kamer zoeken. Hier waren er te veel verleidingen. En daarmee bedoelde hij niet alleen Roos, al was zij verleiding nummer één. Numero uno. Als hij hematoloog wilde worden moest hij goede cijfers behalen. Iedereen stond te dringen om zich te specialiseren. Niemand wilde gewoon huisarts worden. En dus moest hij beter zijn dan de anderen. Met kop en schouders moest hij boven hen uitsteken. Er bestond geen tussenweg. Het was wit of zwart, erop of eronder.

Hij scheurde de sudokupuzzel voor gevorderden uit de krant en boog er zich over. Zijn wereld werd herleid tot negen maal negen vakjes. In zeven van de negen ontbraken voorlopig zes van de negen getallen. In de twee overige waren dat er zelfs zeven. Hij moest geloven dat hij het kon. Hij stopte koekjes in zijn mond om het suikergehalte van zijn hersenen op peil te houden. Langzaam maar zeker steeg de temperatuur onder zijn schedeldak. Het was nu een duel tussen hem en de man of vrouw die de puzzel had opgesteld. Listig had die valstrikken gespannen en sporen uitgewist. Hij stond op, ging plassen, gaapte naar de affiche op Frans' deur zonder te begrijpen wat of wie werd aangekondigd, liep naar beneden, zag dat er thee was gezet, nam een beker. Om kwart voor middernacht vulde hij het laatste getal van de puzzel in. Zijn tegenstrever was afgemaakt. Hij had volgehouden. Terwijl hij tevreden achteroverleunde, hoorde hij dat er zachtjes op zijn deur werd geklopt. Het was een getik met nagels eerder dan een geroffel met knokkels. Hij bleef ernaar luisteren alsof het geluid door de wind werd veroorzaakt. Of door een dier. Hij moest zijn eigen weg gaan, de weg van Titus. Jaren geleden was die uitgestippeld, lang voor hij Frans, Patricia, Roos of zelfs Pieter kende. Het was de weg van het bloed. Zijn bloed en Leonardo's bloed. Het getik stierf uit en ging over in gekras. Hoeveel verschillende geluiden bestonden er? Ontelbaar veel. Was er een basispakket met bouwstenen? Met de atomen van het geluid? Was het niet merkwaardig dat er nog altijd nieuwe liedjes konden geschreven worden?

Zonder zijn kleren uit te trekken ging hij op zijn bed liggen. Precies zo zou hij zich ter ruste leggen wanneer hij later wachtdienst had, om bij het eerste belsignaal te kunnen opveren. Hij zou sluimeren, waken. Vlak voor hij in slaap viel pakte hij zijn gsm uit zijn broekzak en zette zijn wekker op zeven uur. Hij trok de donsdeken over zich.

De volgende ochtend lag er opnieuw een brief van het Rode Kruis op de mat. Hij was voor Roos en er stond in rode inkt 'Vertrouwelijk' op gestempeld. Titus raapte hem op en zette hem voor het televisiescherm, waar Roos hem zeker zou zien. Terwijl hij ontbeet staarde hij naar de brief. Het liefst had hij hem zelf opengescheurd. Hij vertrouwde die stempel niet. Wat kon het Rode Kruis Roos vertrouwelijk te melden hebben?

Hij zette zijn bord op het aanrecht, trok de koelkast open, brak een stukje chocolade af, rook aan de restanten van de bloedworst. Roos had overdreven gereageerd. Zo was ze nu eenmaal. Ze liet zich meesleuren door haar impulsen en deelde die aan de wereld mee. Gisteren had ze voor iedereen de maaltijd verpest. Hij had net zo goed droog brood kunnen serveren. Iemand als Patricia zorgde voor rust in huis. En regelmaat. Zij wilde de dingen begrijpen met dat koele intellect van haar. Daarin was ze zoals hij. Jammer dat ze zich onlangs in het hoofd had gehaald dat ze lesbisch was. Waar was dat nu weer voor nodig? Hij wierp een laatste blik op de brief, ritste zijn jas dicht en ging het huis uit. Voor de zoveelste keer nam hij zich voor zijn moeder een sms'je te sturen, voor de zoveelste keer vond hij niet de gepaste woorden. Mam, als je geld nodig hebt, geef me dan een seintje. Ze zou denken dat hij gek was geworden. En het zou haar kwetsen dat Edith over haar geroddeld had. Dan maakte ze eindelijk eens een reisje en had heel Zwelegem er de mond van vol. Maar was het niet zijn taak ervoor te zorgen dat zijn moeder geen geld hoefde te aanvaarden van vreemden? Zou zijn vader dat niet van hem hebben verwacht? Hij had nog negen jaar te gaan, dan was hij ouder dan zijn vader ooit geworden was. Was dat verraad?

Om de haverklap checkte hij zijn gsm, maar de uren verstreken zonder een berichtje van Roos. Waarschijnlijk stond er niets belangrijks in de brief. Maar waarom zetten ze er dan zo prominent die stempel op?

Toen hij rond vijf uur thuiskwam, stond de brief nog altijd ongeopend voor de televisie. Patricia zat te Facebooken. Ook zij had Roos de hele dag niet gezien. En nee, ze dacht niet dat ze thuis was.

'Waar is ze dan wel?' vroeg hij bot.

'Geen idee, Titus. Waarom heb jij eigenlijk geen Facebookaccount?'

Omdat, dacht hij, iedereen er eentje heeft. Hij begon te vrezen dat hij dat simpele gegeven zelfs niet aan Patricia's scherpe verstand kon brengen.

'Wie kookt er vanavond?'

'Frans. Ik vermoed dat hij pizza's zal laten aanrukken. Die jongen heeft te veel geld.'

Wij hebben allemaal te veel geld, dacht hij terwijl hij naar zijn kamer liep. En hij wilde er nog meer. Hij wilde er zo veel als de ouders van Pieter. Zo veel dat zijn moeder nooit meer een reisgids zou hoeven te vertalen. Of geld van iemand anders zou hoeven aan te nemen. Hij pakte de foto van zijn vader, die hij ergens in een lade had gelegd en zette hem op een ereplaats. Voor het eerst in zijn leven sprak hij hem toe. 'Genoeg, papa,' zei hij 'om voor mama een huis met een zwembad en een boomgaard te kopen.' Papa. Het woord kwam zelden over zijn lippen. En ook voor zichzelf zou hij een huis kopen.

Misschien zou hij naar Amerika moeten uitwijken om grof geld te verdienen. Titus goes transatlantic. Of zoiets.

Hij propte watten in zijn oren en sloeg zijn handboek scheikunde open. Dat vak, zo had hij gehoord, vormde voor de meeste studenten het struikelblok. Het examen werd schriftelijk afgenomen met multiplechoicevragen die zo venijnig waren opgesteld dat zelfs de meest begaafde studenten niet alle valkuilen wisten te vermijden. De scheikunde die ze op school hadden gekregen was kinderspel in vergelijking met wat ze nu verondersteld werden te kennen.

Hij zat midden in een ingewikkelde formule toen Roos plotseling in zijn kamer stond.

'Wat betekent dit?' riep ze. Woedend gooide ze de brief van het Rode Kruis op zijn bureau alsof híj voor de inhoud van de brief verantwoordelijk was.

Hij plukte de watten uit zijn oren.

'Wil je dat ik hem lees?' vroeg hij schaapachtig.

Ze knikte.

De eerste alinea was gewijd aan excuses voor de brief van de dag voordien. Die was voorbarig verstuurd. De woorden van dank waren welgemeend. Het Rode Kruis was Roos erkentelijk. Ze had blijk gegeven van altruïsme. Dat werd oprecht gewaardeerd. Helaas was haar bloed niet geschikt. Er waren geen virussen in ontdekt en ook was het niet ziek, maar de kwaliteit was onvoldoende. Met haar bloed kon ze honderd jaar worden. Het was alleen niet geschikt voor transfusies. Het Rode Kruis had een zware verantwoordelijkheid en kon zich geen risico's veroorloven. Ze moesten in de eerste plaats aan het welzijn van de patiënten denken. Hun vertrouwen mochten ze niet beschamen. Daarom hanteerden ze strenge normen. Dat waren ze hun patiënten verschuldigd. Hoogachtend et cetera.

Titus draaide het blad om in de vergeefse hoop meer uitleg

te vinden. Dit was dus het vertrouwelijke nieuws. Het had erger kunnen zijn. Veel erger.

'Wat wil het zeggen, Titus?'

'Geen idee.'

'Heeft het te maken met eiwitten?' Ze sprak het woord aarzelend uit, bijna met ontzag.

'Ik weet het niet, Roos. Echt niet.'

'Jij weet toch alles over eiwitten en genen en antigenen en ...'

'Ik ben eerstejaarsstudent geneeskunde, Roos. Ik kan ook alleen maar lezen wat hier staat.'

Hij las de brief opnieuw. Geen virussen, niet ziek, wel ongeschikt. Waarom hadden ze haar niet uitgenodigd voor een gesprek? Dit was zo bot, zo abrupt.

'Je ziet er niet ziek uit, Roosje. Je ogen zijn gezwollen, maar dat komt van het huilen. Kruip vanavond op tijd in bed en drink geen druppel alcohol en dan ga je morgen naar een dokter en die ...'

'Ik wil het weten, Titus. Ik kan niet leven met die onzekerheid. "Ongeschikt"! Wat betekent dat?'

'Misschien zit er in jouw bloed een virus waarvan jij geen hinder ondervindt, maar die voor andere mensen schadelijk zou kunnen zijn. Of een bacterie.'

'Waarom zeggen ze dat dan niet?'

'Dat weet ik niet. Misschien willen ze je niet ongerust maken.'

'Zo maken ze me ongerust! Heb ik aids?'

'Nee, Roos! En je bent ook geen drager van het virus anders zouden ze je dat zeker zeggen. Jouw bloed wijkt blijkbaar af van de norm, maar dat is niet iets om je zorgen over te maken. Afwijkingen zijn normaal. Ze zijn zelfs noodzakelijk.' Hij viste zijn handboek genetica uit de stapel. 'Dit is het verslag van een chromosomaal onderzoek van een gezonde vrouw. En toch is het een zootje met kreupele chromosomen waarvan stukjes ontbreken. Zie je die "del"? Dat is de afkorting van "deletie" en slaat op stukjes chromosoom die verloren zijn gegaan. Als het bewuste genetische materiaal op een andere plek opgeslagen zit, is dat geen probleem. Je kunt het je voorstellen als een bibliotheek waaruit een boek ontleend is, maar het is niet op de juiste plaats teruggezet.'

'Dus het ligt aan mijn chromosomen?'

'Dat zeg ik niet, Roos. Iemand kan perfect gezond zijn en toch niet beantwoorden aan het standaardmodel. Zonder afwijkingen is er geen evolutie mogelijk, alleen heet het dan geen "afwijking" maar een "mutatie". Zie je die t'tjes? Dat zijn translocaties. Dat betekent dat een stukje van het ene chromosoom naar een ander verhuisd is. Een hoofdstuk uit een boek is in een ander boek terechtgekomen. Onze chromosomen moeten zich voortdurend vermenigvuldigen omdat er almaar nieuwe cellen worden gevormd. Als ze zich vermenigvuldigen glijden ze over elkaar. Ze vormen een X met twee lange en twee korte armen. Terwijl ze over elkaar tuimelen en rollen gaat het soms fout, en dan krijg je zo'n translocatie. Of een deletie. Meestal merkt geen hond er ooit iets van, tenzij er een onderzoek wordt uitgevoerd. Je kunt je beter niet te veel laten onderzoeken. Altijd schort er wel iets.'

'Je maakt me bang. Eerst eiwitten, dan antigenen, nu chromosomen.'

Met afgrijzen keek ze naar haar lichaam. Hij kon haar niet helemaal ongelijk geven. Dikwijls waren mutaties het begin van veel ellende. Waarom kreeg uitgerekend Roos zo'n brief? Pieter of hij zou er de schouders bij hebben opgehaald, en ook Frans en Patricia zouden rationeel hebben gereageerd. Roos was een vulkaan.

'Ik probeer je juist uit te leggen dat er geen enkele reden ...'

'Waarom kan er zo veel fout gaan?'

'Meestal gaat het niet fout, Roos. Het systeem is zo gemaakt dat …'

'Pak me vast, Titus. Alsjeblieft.'

Hij drukte haar tegen zich aan. Diep ademde hij de geur van haar huid in. Hij voelde haar borsten tegen zijn borst. Dit was geen fantasie, dit was echt.

Zijn mond zocht haar hals en drukte er kussen op. 'Ik hou van jou', fluisterde diezelfde mond. 'Ik zal jou niet ziek laten worden. Heb je dat begrepen? Zolang ik er ben, blijf jij gezond.'

'Hou van mij, Titus.'

Ze klampte zich aan hem vast.

'Ik hou van jou, Roos, ik hou heel heel veel van jou.' Het stroomde nu uit hem, hij kon het niet tegenhouden. 'Al van de eerste dag toen ik je zag en jij aan ons snuffelde. Herinner je je dat? Als een hondje duwde je je neus in mijn oksel. Wat een vrouw, dacht ik. Wat een lef. Je was me zo vertrouwd alsof ik je altijd al had gekend.' Zijn lippen kusten elke vierkante centimeter van haar gezicht. Hij tilde haar op en legde haar op zijn bed. Laat ze me nu niet wegduwen, dacht hij, laat ze me alsjeblieft niet wegduwen. Hij vreesde dat hij zich niet zou kunnen beheersen.

Ze duwde hem niet weg.

7

Op goede dagen dacht ze niet aan haar bloed. En ook niet aan het bloed van andere mensen. Of aan dat van huisdieren. Ze dacht niet aan haar hart of aan haar nieren, aan haar lever of aan haar longen. En al helemaal dacht ze niet aan haar milt, een orgaan dat Titus gegarandeerd te berde bracht in uiteenzettingen over eiwitten en antistoffen, en hoe die klittend en klevend aan elkaar in de milt afgebroken werden, alsof de milt een koekjesmonster was. Geen koekjesmonster maar een eiwitten- en antistoffenmonster. Zelfs wanneer ze ongesteld was, dacht ze niet aan bloed. Ze verloor ook nauwelijks bloed dankzij het wonderlijke spiraaltje dat hormonen afscheidde en het hele gedoe bijna ongemerkt voorbij liet gaan. Hoe minder bloed in haar leven, hoe beter. Ze hoefde niet iedere maand te bloeden om zich een vrouw te voelen. Daar had ze haar borsten voor en haar kut. Als er toch wat bloed op een slipje of een laken was terechtgekomen, verschoonde ze het bed en vulde een emmer met koud water. Ze roerde er een lepel zout in en dompelde er het vuile goed in onder. En ook als ze een bloedneus had gehad liet ze de zakdoek in koud zout water weken voor ze hem bij de vuile was gooide. Titus, die de gebaren van zijn moeder herkende, vroeg zich af of vrouwen overal ter wereld met zout het linnen probeerden schoon te houden. Bloed was iets wat vlekken veroorzaakte en die vlekken moesten snel worden bestreden. Daar hield het op. Op zorgeloze dagen kon Roos zelfs met Titus zitten kletsen zonder aan haar mysterieuze kwaal te denken. Aan haar ongeschikte bloed. Ze was weer de oude Roos, die wijn dronk zonder zich om haar lever te bekommeren. Of om haar hart. Ze hield zich bezig met de prangende vraag of ze al dan niet haar haar opnieuw zijn natuurlijke kleur zou geven. En of ze haar nagels zwart dan wel groen zou lakken.

Op zulke dagen bestond haar zielige alter ego niet. Het had nooit bestaan en het zou ook nooit bestaan. De sterke Roos had niets dan misprijzen voor zielepoten. Roos zielig? Nooit! Wat haar ook overkwam, ze zou het hoofd niet laten hangen. Haar vader had haar weerbaar gemaakt en daar was ze hem dankbaar voor, zelfs al had hij soms een tikkeltje overdreven. Nauwelijks een dag later zat ze op de rand van Titus' bed te rillen als een vogeltje met natte veren. En of hij nu al genoeg had gestudeerd om haar uit te leggen waarom het Rode Kruis haar als donor ongeschikt had verklaard. Konden ze haar bloed niet beter nog eens laten onderzoeken? Misschien leverde het dit keer wél iets op.

Hij wist dingen over haar waaraan ze op goede dagen niet wenste te worden herinnerd. En hij herinnerde haar er niet aan. Hij was haar kruk, haar medicijn. Als doodsangst haar doof en blind maakte, streelde hij haar tot de spanning uit haar wegebde. Soms viel ze in zijn armen in slaap, soms zocht ze zijn mond. Hongerig zoog ze zich aan hem vast. Haar handen gleden onder zijn shirt. Ze ritste zijn broek open, greep zijn penis en rukte hem af. Of hij rukte zichzelf af terwijl ze wijdbeens voor hem lag en hem schaamteloos liet zien wat hem dronken maakte. Ze deed het bij zichzelf of hij deed het bij haar en het schokken begon, zijn tocht door haar geboortekanaal. Het was waanzin dat hij dat zo voelde, maar hij voelde het iedere keer. Of toch bijna iedere keer.

Het was seks en het was geen seks, hij wist niet wat het was. Het was een zich aan elkaar vastklampen in een orkaan, een zich tegen elkaar aandrukken als de overlevenden van een tsunami, een elkaar zoenen alsof ze elkaar wilden verzwelgen.

Door die seks, die misschien geen seks was, was hij aan haar gebonden. Geen andere vrouw kon hem dat geven. En ze wist zelfs niet dat ze het hem gaf. Hij was alleen in zijn extase. Vrijde ze met hem of vrijde ze met zichzelf? En hij? Met wie vrijde hij?

Zij was door haar bloed aan hem gebonden. Haar bloed had die keuze gemaakt. Ze zag niet de minnaar en ook niet de man, maar de arts die het mysterie zou ophelderen, de bloeddichter in wording. Hij vergeleek haar bloed met een code die hij kon kraken, en op een dag ook zou kraken wanneer hij lang genoeg had gestudeerd. Ze moest geduld oefenen zoals hij geduld oefende. Vertrouwen en geduld. Als hij haar in zijn armen sloot en ze elkaars hart voelden kloppen, het hare sneller dan het zijne en ook minder regelmatig, twijfelde ze geen seconde aan de waarheid van zijn woorden. Ze geloofde hem. En ze geloofde in hem. Onvoorwaardelijk. Kon hij alstublieft blijven praten? Hij, hij alleen kon haar tot rust brengen. Kon hij blijven herhalen wat hij had gezegd?

Hij hoorde hoe rustig en standvastig hij klonk, maar zelf kende hij geen rust. Hij wilde dat ze besefte wat híj wilde, en wat hij wilde was haar. Haar aan zijn zijde, de zijde van een arts.

Hij kon niets van haar eisen want ze was bang en zwak, een gekwetst dier dat alleen aan overleven dacht. Op goede dagen flirtte ze met Pieter, die aan elke vinger vriendinnetjes had. Het deerde haar niet want zij had iets wat die andere meisjes niet hadden: ze woonde in hetzelfde huis als hij, ze at aan dezelfde tafel, ze waste zich in dezelfde badkamer, ze kon zijn kamer binnenglippen als ze wou. En ze glipte zijn kamer binnen. Wat deed ze daar? Wat deden ze daar? Titus vroeg het haar niet, en ook aan zijn vriend vroeg hij het niet.

Het maakte hem ziedend. De geluiden van het huis waren hem intussen vertrouwd, maar zijn oor reikte niet tot in Pieters kamer, en gelukkig maar, hij wilde het niet weten, hoewel hij het wilde weten. Hij mocht zichzelf niet folteren, hij moest dankbaar zijn voor wat hij had, het was veel, meer dan hij ooit had gehoopt. Het was bijna alsof Edith hém en niet Pieter had gekozen. Maar hij wilde meer, zo veel meer, hij wilde haar helemaal voor zich alleen. Iedere dag, iedere nacht, ieder uur, iedere minuut, iedere seconde. Hij had haar zo veel meer te bieden, maar dat zag ze niet. Ze zag zelfs de foto van zijn vader niet. Hij had zich voorbereid op de vraag die hem onvermijdelijk had toegeschenen: wie is die man? Wat doet hij daar? Hij had gehoopt dat ze het zou raden. Dat ze zijn trekken in de foto zou herkennen. Hoe ouder hij werd, hoe meer hij in de spiegel zijn vader zag opduiken, zijn vader zoals hij voor de camera had geposeerd, met een wijze glimlach op zijn licht asymmetrische gezicht. Het zijne was ook zo, maar hij betwijfelde of Roos dat had opgemerkt. Ze merkte helemaal niets op, ze zat opgesloten in zichzelf, in haar angsten, in haar bloed. Hij kon het haar niet kwalijk nemen, hooguit kon hij het Rode Kruis verwensen. Die hielden vol dat ze niet meer dan hun plicht hadden gedaan. En nee, ze konden niet meer uitleg geven. Alles wat ze te zeggen hadden stond in de brief. Drie maal had hij hen gebeld, drie maal hadden ze dezelfde boodschap herhaald. En dat er geen reden tot ongerustheid was. Echt niet. Dat het hun speet dat de brief zo veel onrust had gezaaid. Het was hun plicht geweest die te sturen. Ze hadden niet meer of minder dan hun plicht gedaan.

En dus verwenste hij zichzelf.

Hij wist wat zij niet wist: ooit zou hij in opstand komen. Ooit zou hij eisen dat ze hem zag. En ze zou hem zien. Hij zou ervoor zorgen dat ze hem zag. En nooit meer vergat.

Hij was bang dat hij wraak zou nemen; dat het mes dat nu in de top van zíjn vinger sneed, haar bleke huid zou splijten; dat de rode bel niet uit zijn lichaam maar uit het hare zou bloeien. Dat hij haar zou dwingen, temmen, onderwerpen. Wie dacht ze wel dat ze was? Dacht ze nou werkelijk dat hij met haar halfslachtigheid genoegen zou nemen? Dat ze zich alles kon permitteren omdat ze mooi en bevallig was? Wist ze wel wie híj was? Hij was Titus, Titus Serfonteyn. Hij had aan de hand van zijn grootvader het stoffelijk overschot van Leonardo da Vinci's nazaat gegroet. Kon ze ten minste een poging ondernemen om zich monogaam te gedragen? Hij had geen behoefte aan aids, daar had hij echt geen behoefte aan. En ook natte handdoeken had hij niet nodig. Kon ze alsjeblieft háár handdoek gebruiken en niet de zijne? Het interesseerde hem niet dat bij haar thuis iedereen elkaars handdoek gebruikte, bij hém thuis had hij altijd zijn eigen handdoek gehad en hij wilde het graag zo houden. Want ja, hij had ook een thuis, zelfs al had hare hoogheid daar nog nooit enige interesse voor betoond. Besefte ze dat hij met de Kerst naar zijn moeder zou moeten gaan, omdat die anders moederziel alleen zat? Er waren twee opties: of ze zou het zonder hem moeten redden, maar hij betwijfelde of ze dat kon, dat betwijfelde hij echt, of ze kwam mee met hem maar dan was het gedaan met de dubbelzinnigheid, dan zou hij haar voorstellen als zijn vriendin. Had ze dat begrepen? Drong dat een beetje tot haar door? Hij was geen televisie die ze aan en uit kon zetten. Intussen zette ze hem met het grootste gemak aan en uit. Soms geeuwde ze erbij.

Niets van het machteloze geraas in zijn hoofd vertrouwde hij haar toe. Hij had geen zin in haar begrip of onbegrip. De kans was groot dat ze verontwaardigd zou zijn. Of gekwetst. Want ze had het al zo zwaar. Zíj had het zwaar. Ook tegenover Pieter hield hij zijn mond. Hij zei hem niet: laat haar met rust. Gun me die ene vrouw. Dat zou al te zielig klinken. Soms stond hij op het punt zijn hart uit te storten bij Patricia, die wijs was en met mededogen zou luisteren. Maar Patricia zat in een driehoeksverhouding met een echtpaar voor wie ze baby-sitte. Geen dag ging voorbij zonder een nieuwe verwikkeling waarvoor ze het advies van haar huisgenoten nodig had. Voor het eerst in haar opleiding haalde ze de deadline voor scrip-ties niet. Ze vergat afspraken met docenten en kreeg slechte cijfers, maar die prijs betaalde ze graag. Zelfs haar beruchte schema's werden te laat of helemaal niet opgesteld. Ze volgde nu college in de leerschool van het leven.

Deden ze dat niet allemaal?

Hoe meer hij te weten kwam over bloed, hoe minder hij er ge-rust op was. Roos had gelijk: het systeem was te vernuftig, te kwetsbaar, te complex. En het was constant in beweging. Een onschuldige afwijking kon escaleren. Er waren te veel scha-kels, te veel tussenstadia waar het fout kon gaan. Chromo-somen moesten zich vermenigvuldigen, DNA moest worden omgezet in RNA, cellen moesten zich delen, en ze moesten uitrijpen, van elke soort moest de juiste hoeveelheid worden aangemaakt.

Hoe meer hij erover wist, hoe meer het hem verbaasde dat er überhaupt gezonde mensen rondliepen. Maar waren ze wel gezond? Soms waren symptomen zo geniepig en discreet dat een doodzieke patiënt er nauwelijks hinder van ondervond. Die zat in de wachtkamer doodgemoedereerd de krant te le-zen of mailtjes te versturen terwijl hij zijn beurt afwachtte. Of hij vroeg zich geërgerd af waarom zijn huisarts hem met spoed naar het ziekenhuis had doorverwezen. Met hem was er niets aan de hand! Intussen woekerden de lymfocyten ongebreideld in zijn bloed. Ze waren zo klein en listig dat ze zich ongemerkt konden vermenigvuldigen. Monocyten waren logger en eerlijker. Wanneer zij zich baldadig gedroegen, hoefde niemand de patiënt uit te leggen hoe ontregeld zijn lichaam was. Die wist waar hij stond. Met één voet in het graf. Of met allebei. En toch was een sterke toename van monocyten niet enger dan van lymfocyten. Ze waren allebei doodeng.

Tijdens een kijkstage op de spoedafdeling van het universitair ziekenhuis kreeg dat macabere besef zijn wrange bevestiging. Het voorval overschaduwde de trots waarmee hij voor het eerst in zijn leven een doktersjas aantrok. Het was hem niet toegestaan medische handelingen te stellen, maar hij had een pasje gekregen waarmee hij toegang had tot alle afdelingen, inclusief het lab, de wasserij, het restaurant voor het personeel en de beveiligde fietsenstalling. Met het pasje mocht hij iedere dag twee jassen uit de kledingautomaat halen. Wanneer hij zich door de ziekenhuisgangen haastte, wapperden de panden van zijn openhangende jas. Uit de ene zak stak een stethoscoop, uit de andere een notitieboekje dat Roos voor hem had gekocht. Het borstzakje propte hij vol met pennen. Op zijn naamspeldje stond KIJKSTAGIAIR, maar toch werd hij aangesproken met 'dokter'. Weerspiegeld in de glazen ruiten die hij passeerde zag ook hij een arts.

Op de laatste dag van zijn stage werd vroeg in de ochtend een tengere jonge vrouw in een kort rood jurkje door een taxichauffeur naar binnen gedragen. Ze verkeerde in ademnood en was nauwelijks in staat vragen te beantwoorden. De taxichauffeur beweerde dat hij haar van de stoep had opgeraapt. Volgens hem was ze beroofd want in haar tas zat alleen een pakje condooms. Ze was een van haar rode pumps kwijt.

'Wie betaalt de rit?' vroeg de man, nadat hij zijn vracht op een bed had gelegd. 'Ik rijd met een taxi, niet met een ambulance!' Het schokte Titus dat de taxichauffeur aan geld dacht. Was die man niet blij dat hij iemand had kunnen helpen? Hij keerde hem zijn rug toe in de hoop niet door hem te worden aangeklampt. Zijn dienst zat erop. De kijkstage was afgelopen, maar hij wilde weten wat er met het meisje zou gebeuren. Ze had de iele armen en benen van iemand die als kind ondervoed was geweest. Die kindertijd was ze nog niet lang ontgroeid.

'Een vogel voor de kat', zei de arts.

De taxichauffeur kwam naast haar bij het bed van het meisje staan. 'En mijn geld?' vroeg hij.

Tot Titus' stomme verbazing stopte de arts hem twintig euro toe. En ze bedankte hem.

'Anders laat hij de volgende liggen', zei ze laconiek. Ze plaatste een zuurstofmasker over de neus en mond van haar patiënt. 'Wedden dat ze uit Bolivia komt en Maria heet? Het hele gezin leeft van wat zij hier verdient. Je mag raden hoe.' Ze dekte de jonge vrouw toe en streek losspringende lokken achter haar oren. 'Breekt het je hart?'

Hij knikte.

'Zo hoort het', zei ze kort. 'Ze zeggen dat het went, maar het went nooit. En wanneer het went, dan is het tijd om ermee op te houden. Of even iets anders te doen. Een arts moet ervaren zijn maar niet gehard. Sorry voor de preek.'

'Gaat ze dood?'

De arts knikte. 'Als je wilt mag jij bloed van haar trekken. Je kunt niets meer verknoeien.'

Het was net zoals zijn eerste keer met Roos: onverwachts en onvoorbereid.

'Weet je hoe het moet?'

Hij knikte.

De arts wierp kort een blik op de arm van het meisje.

'Mooie aders. Ze zal het je niet moeilijk maken. Zin in een pepermuntje?'

'Straks', zei hij.

'Je mag die drukband sterker spannen. Je hoeft haar niet leeg te zuigen, Titus. Zie je de kleur van dat bloed? Het is zo wit dat je geen microscoop nodig hebt om te weten dat het niet deugt. En dat het niet meer op te lappen valt. Maar we geven ons niet gewonnen. Dat doen we hier nooit. We gaan haar aan het leukaferese-apparaat hangen zodat we met opgeheven hoofd kunnen getuigen dat ze de behandeling heeft gekregen waar ze recht op had. En dat we ons niets hoeven te verwijten. We hebben niet machteloos toegekeken. Dat doen we nooit. En wie weet, Titus, heeft ze geluk. Is ze al geregistreerd?'

Hij schudde zijn hoofd.

'Dan regel ik dat eerst, anders kan dit bloed niet naar het lab. Breng jij haar maar naar de derde verdieping. Afdeling hematologie. Ik zal ze een seintje geven.'

Hij greep het bed en trok het van de muur weg.

'De rem losmaken!'

In de lift begon ze te kreunen. Nog altijd opende ze haar ogen niet.

'We zijn er bijna', zei hij. Er wilde hem geen woord Spaans te binnen schieten.

Boven gingen de gordijnen rond haar bed meteen dicht. 'Kijkstagiair', zei de verpleegkundige die het apparaat bediende. 'Wie heeft dat nou bedacht? Jij moet dus de hele dag lopen kijken? Je ogen de kost geven?' Hij deed zelfs geen poging de spot uit zijn stem te weren.

'Eigenlijk ben ik uitgekeken', zei Titus. 'Dit wil ik nog zien.'

'Kijk dan maar goed. Leukaferese kun je vergelijken met een centrifuge die de verschillende soorten bloedcellen van elkaar scheidt. We gaan proberen de slechte eruit te halen.

Of de overtollige. Weet je hoe ze heet?'

'Geen idee.' Hij voelde zich plotseling moe en duizelig. 'Hebben jullie hier koffie?'

'Koffie zat.'

Zak na zak witte pus werd uit het zieke bloed gefilterd. Net klontertjes boter. Als hij het niet met zijn eigen ogen had gezien, had hij het niet mogelijk geacht. Het lab had intussen de boosdoeners geïdentificeerd: blasten, meer bepaald onrijpe monocyten die in veel te grote hoeveelheden werden geproduceerd en de boel verziekten. Ze waren groot en lomp, en verstopten de haarfijne vaatjes in haar ogen en longen. En ze waren te talrijk. Desondanks bleef de dolgedraaide machine ze spuien. Zodra er plaats in haar aders vrijkwam, werd een verse lading blasten in haar bloed gelost. Het was dweilen met een open kraan.

Ze wisten haar net lang genoeg in leven te houden om haar afscheid van haar moeder in Peru te laten nemen. Peru, dus. De arts had er niet ver naast gezeten. Ook de naam had ze bijna goed geraden. Niet Maria, maar Marita. Titus hield de telefoon voor het meisje vast. 'Te quiero, mamma', zei ze met haar laatste krachten. 'Te quiero mucho.' Aan de andere kant barstte een stortvloed los. Even nog hield hij de hoorn tegen haar oor gedrukt. Toen gaf hij hem aan een verpleegster die Spaans sprak. Het afscheid had Marita uitgeput. De gordijnen rond het bed werden nu helemaal dichtgetrokken. Het leukaferese-apparaat werd afgezet. 'Het zal niet lang meer duren', zei iemand.

Hij bleef bij haar zitten tot het achter de rug was.

'Je eerste dode?' vroeg de verpleegkundige. De spot was uit zijn stem verdwenen.

'De tweede', zei hij. Of de derde. Als hij zijn vader meetelde. Wat hij eigenlijk toch wel hoorde te doen.

'De eerste vergeet je nooit.'

'Dat is waar.'

Ook Marita zou hij niet vergeten. Een hoertje uit de Andes. Nou ja, dat van de Andes verzon hij erbij. Misschien woonde haar familie aan de kust. En misschien had ze een eerbaar beroep gehad. Maar dat betwijfelde hij. Medisch gezien had dat beroep geen enkele relevantie. Leukemie was geen besmettelijke ziekte. En al helemaal geen straf voor een zondig leven. Marita had domweg pech gehad.

Onderweg naar huis kwam hij met zijn wiel in de tramrails terecht. Hij viel en werd net niet aangereden. Aan de bezorgde man die hem overeind hielp had hij zin om te vragen hem te laten liggen. Hij had meer dan tweeëndertig uur zijn bed niet gezien. Hij besefte nauwelijks waar of wie hij was. Met zijn kapotte fiets aan de hand strompelde hij naar huis. Daar trof hij alleen Pieter.

'Wat is er gebeurd?'

'Ik ben gevallen', zei Titus. Nu pas zag hij dat er bloed op zijn broek zat ter hoogte van zijn knie.

'Wil je koffie? Thee? Water? Een biertje?'

'Ik heb honger.'

'Er is spaghettisaus van gisteren.'

'Daar heb ik nu geen zin in. Is er chocola?'

Hij liet zich vallen op een stoel en rolde zijn broek op. De schrammen op zijn linkerknie stelden niets voor, maar zijn rechterknie was gezwollen en rood.

'Je ziet eruit als een lijk.'

'Ik heb er daarnet eentje gezien.'

'Hoort dat niet bij de job?'

'Een kind van een jaar of achttien. Misschien zelfs jonger. Zo'n gaaf, jong lichaam.' Tranen snoerden zijn keel dicht.

'Je moet het vertellen', zei Pieter. 'Anders word je ziek.'

'Dat is het medicijn in jouw sector.'

'Wat stel jij voor?'

'Wat valt er te zeggen? Heb jij ooit een stervend meisje tegen haar moeder "te quiero mucho" horen zeggen terwijl die moeder aan de andere kant van de oceaan is?'

'Vast wel in de een of andere slechte film.'

'Haar aders zaten tjokvol witte bloedcellen. Van die grote monocytaire blasten die alle plaats innemen. Er zit daar geen kraantje dat je kunt dichtdraaien. Of een hendeltje om de productie stil te leggen.'

'Je hebt gedaan wat je kon.'

'Ik heb niets gedaan. Te quiero mucho. Het is een banaal zinnetje, maar als je het in die omstandigheden hoort, dan ...'

'Melk of fondant?'

'Zijn er geen nootjes?'

'Er is ook praliné.'

'Geef dan maar praliné.' Hij stopte een stuk chocolade in zijn mond. 'Monocytaire blasten op zich zijn niet het probleem. Jij hebt ze, ik heb ze, iedereen heeft ze. Het waren er te veel. Ze overspoelden de rest.'

'Te veel van hetzelfde is nooit goed. Eén migrant is leuk, twee ook, maar duizend migranten vormen een dreiging.'

'Schrijf er een paper over', zei Titus. 'Draag hem op aan Marita.' Hij wreef met zijn duim over de binnenkant van zijn rechterpols. 'Je kunt er beter niet bij stilstaan wat zich daar allemaal afspeelt. Of kan afspelen.'

'Nee,' zei Pieter, 'daar kun je beter niet bij stilstaan.'

'Jij staat sowieso bij niet veel stil. Zeg me eens, waar sta jij bij stil?' Ondanks zijn vermoeidheid voelde hij een kille woede. Misschien kwam het juist door die vermoeidheid.

Pieter lachte.

'Ik meen het ernstig. Waar sta jij bij stil?' Hij stopte een stuk chocolade in zijn mond. 'Sta jij stil bij de opwarming van de aarde? Of bij de kredietcrisis? De stijgende voedselprijzen?

De moeizame regeringsonderhandelingen? Of bij de mogelijkheid dat een van je bedvriendinnetjes serieus verliefd op je wordt? Of wie weet een kind van je krijgt?'

'Je bent moe, Titus. Je moet slapen.'

'En toch wil ik weten waarbij jij stilstaat.'

'Bij niets, Titus. Bij helemaal niets.'

'Dat dacht ik al. Pieter Kalhorn begint en eindigt de dag zonder ooit bij wat dan ook stil te staan. En daarin verschil jij van mij. Ik sta bij de dingen stil. Maar ik sta niet stil.'

'Ga slapen, Titus.'

'Ik ga slapen wanneer ik dat beslis.'

Hij brak een laatste stukje chocola af en ging naar zijn kamer. Zonder zijn kleren uit te trekken liet hij zich op zijn bed vallen. Stond Pieter ooit stil bij wat Roos voor hém betekende? Kwam het niet bij hem op dat zij de ene vrouw was van wie hij zijn poten moest houden? Met open mond viel hij in slaap. Zijn adem schokte naar buiten. In zijn droom belandde hij in een puzzel waarin hij de woorden Kahler en Kalhorn moest zien te passen. De puzzel werd een labyrint waaruit hij tevergeefs probeerde te ontsnappen. Hij werd ingesloten door zwarte vakjes. Wanhopig probeerde hij de letters gescheiden te houden. Kahler en Kalhorn mochten niet worden vermengd. Toen hij wakker schrok was het donker. Hij stond op en liep de gang in. Uit niet één kamer klonk geluid. Het was drie uur in de ochtend. Terwijl hij in de keuken een eitje bakte, schoot de oplossing van zijn droom hem te binnen: hij was bang dat zijn vriend ziek zou worden. Of ziek was. Kahler was de naam van een gevreesde bloedziekte. Kahler of MM. Multipel Myeloom: de woekering van uitgerijpte B-lymfocyten.

Te veel is te veel.

Misschien betekende de droom dat hij onbewust hoopte dat Pieter ziek werd. Dan was zijn rivaal uitgeschakeld. Die misschien zijn rivaal niet was.

Hij raspte kaas boven zijn eitje en wachtte tot die smolt. Hij toastte een sneetje brood, legde het op een bord en liet het gebakken eitje erop glijden. Hoe jaloers hij ook op Pieter kon zijn, hij wilde hem niet dood. Hij wilde helemaal niemand dood. Iedereen moest leven en blijven leven. Lang en gelukkig. Of ongelukkig.

Morgen zou hij Marita gaan groeten. Eerst zou hij lelies voor haar kopen en die zou hij op haar stoffelijk overschot leggen. Hij zou haar zeggen: 'Te quiero, Marita, te quiero mucho.' Het benieuwde hem of ze haar in dat rode jurkje naar het mortuarium hadden gebracht. En met die ene rode pump.

8

De breuk – de onvermijdelijke breuk – kwam op een moment dat niemand zich nog verbaasde over de merkwaardige vriendschap tussen twee zo verschillende mensen als Titus en Pieter. Les extrêmes se touchent. Als je ver genoeg naar het westen loopt kom je in het oosten uit. Eigenlijk was het niet verwonderlijk dat Roos zowel met de een als met de ander iets had. Wat ze bij Pieter niet vond, kreeg ze van Titus. En omgekeerd.

Frans kon zich in Pieters buurt nog altijd voelen als de haan die op zijn eigen erf met een brutale concurrent af te rekenen krijgt. Hij was blij dat Titus minder luidruchtig was dan zijn vriend. En minder uitbundig. Titus fungeerde als klankbord voor Pieter en Pieter bracht leven in Titus' saaie bestaan. Pieter bracht leven in ieders bestaan. Patricia, die vroeger leefde als een non, zat nu midden in een liefdesdrama met vele bedrijven. Het putte haar uit en het gaf haar energie, maar vooral had ze het gevoel eindelijk te leven. 'Ik kijk naar een hand', zei ze, 'en het is alsof ik voor het eerst een hand zie. Of ik luister naar muziek en ik zit ín de muziek. Ik loop door de stad en het dringt voor het eerst tot me door wat het betekent om hier te zijn. Hier!' Ze strekte haar armen uit en keek hen met glanzende ogen aan. 'Is het niet heerlijk dat we leven?'

'Heerlijk banaal', zei Pieter met een brede glimlach. 'Ja, het is heerlijk dat we leven. Het is heerlijk banaal. De mensheid moet zich leren overgeven aan de banaliteit. Alleen dan zal de mensheid vrede kennen. En geluk.'

'De verrukking van de banaliteit', zei Patricia. Ze dacht aan de vier woorden waaraan haar idool Hannah Arendt haar roem dankte. The banality of evil. De banaliteit van het kwaad. Als ze deze extase kon vasthouden, die overgave, dan zou ze misschien de tekst kunnen schrijven die van haar de waardige opvolgster van Hannah Arendt zou maken. The ecstacy of banality. Het was een fantasie, maar het hoefde geen fantasie te blijven. Ze moest geloven in zichzelf, hoe banaal ook dat zinnetje klonk. En ze moest voelen. Voelen en zijn. Daarna zou het schrijven volgen. Voor Arendt was het toch ook begonnen met een eerste zin die ze op papier had gezet?

Ja, dacht Frans, Patricia heeft een metamorfose ondergaan. Een mutatie. Zelf had hij een punt gezet achter zijn relatie met de dochter van vrienden van zijn ouders, hoe vreselijk beide ouderparen dat ook vonden, en ook zijn ex voelde zich alles wat gedumpte mensen zich kunnen voelen. Ze had scènes gemaakt die hij zich liever niet herinnerde. Hij moest zich schamen, vond ze, en hij schaamde zich ook, niet over de breuk, wel over de relatie, die door de ouders was georkestreerd en waartegen hij zich nooit had verzet. Hij moest zíjn weg gaan, niet die van zijn ouders of grootouders, hoe prettig het ook was om gratis in hun huis te mogen wonen. Of om te weten dat hij straks in het bedrijf van zijn tante aan de slag kon gaan. Frans liet zich nu coachen door Pieter in zijn pogingen de knapste studente van zijn jaar te veroveren. Hij was bang geweest dat het ermee zou eindigen dat ze voor

Pieter viel, maar Pieter was niet in haar geïnteresseerd. Hij hoefde haar zelfs niet te zien. Zijn strategie was eenvoudig: Frans moest geloven dat hij haar kon krijgen en dan zou hij haar ook krijgen. Hij moest zich bewegen als een man die wist dat een deur zou opengaan wanneer hij dat wenste, dat een taxi voor hem zou stoppen als hij er eentje nodig had, dat hij de bankdirecteur aan de lijn zou krijgen als er een probleem was met zijn rekening. Of dat een vrouw met hem zou uitgaan wanneer hij zijn oog op haar had laten vallen. Als hij die overtuiging uitstraalde, zou Marion naar hem worden gezogen. Dat was Pieters theorie en Frans was bereid die uit te testen. Hij had strikte instructies gekregen. Hij mocht Marion niet lastigvallen met uitnodigingen of idiote opmerkingen. Hij moest een boeiende, vriendelijke maar enigszins enigmatische verschijning zijn, die haar zou prikkelen. En vooral moest hij blijven geloven dat ze hem zou opmerken. Marion. Vorig jaar nog gekroond tot Aardbeienkoningin. Gisteren had hij haar blik op zich gevoeld, terwijl hij de *Herald Tribune* zat te lezen, volgens Pieter de meest prestigieuze krant ter wereld. Hij had zijn oksels voelen vochtig worden. Gelukkig droeg hij een jasje, anders hadden de zweetvlekken hem verraden. Langzaam had hij tot zestig geteld. Toen had hij opgekeken. Ze had snel weggekeken. Te snel, vond hij.

En Roos? Zij benijdde de meisjes niet die voor Pieter vielen. Soms had ze zin hen te waarschuwen: word niet verliefd op hem, want hij is het niet op jou. Verkijk je niet op de schittering in zijn ogen, want ze schitteren voor iedereen. En ook niet op de gulzigheid waarmee hij je kust en streelt. Het waren haar zaken niet. Ze kreeg zijn vriendinnen zelden of nooit te zien. Volgens Titus had hij nog altijd iets met die vrouw uit hun dorp, die Edith, die in het huis naast dat van zijn moeder woonde en veel ouder was dan hij. Ze had zelfs al een kind. In de kerstvakantie had hij vaker bij haar gezeten dan bij zijn ouders. 'Als je naar bij mij thuis was gekomen, had je haar gezien. Maar dat wilde je niet. Je wilde liever gaan skiën.' Ze haatte die zielige blik. Ze haatte hem echt.

In de laatste week van januari huurden ze met zijn allen een huisje in de buurt van Bouillon. De examens van het eerste semester waren achter de rug en ze hadden een week vrij voor het tweede semester begon. Roos deelde een kamer met Patricia en de drie mannen sliepen in de andere kamer. Niemand bood Roos en Titus de tweepersoonskamer aan. Officieel waren ze geen stel. Titus was met zijn ambitie getrouwd, en Roos hoopte stiekem dat het toch iets zou worden tussen haar en Pieter. Dacht Patricia. En ook Frans dacht het. Misschien wilde Pieter het ook. Waarom anders liet hij nooit een vriendinnetje bij zich in zíjn bed slapen? Pieter vrijde buitenshuis.

Frans, die voor de week met zijn vrienden een door zijn ouders gesponsorde zeilvakantie in de Caraïben liet staan, leende de Mercedes van zijn vader, een stevige diesel met winterbanden. Onderweg begon het te sneeuwen. Eerst dwarrelden vlokjes schijnbaar doelloos, maar algauw werd het wegdek wit. Voor de laatste helling moesten ze uitstappen om de auto tot bij het huisje te duwen. De sneeuw reikte tot hun enkels. 'Ik had warmere kleren moeten pakken', zei Roos. Ze stak haar tong uit om de sneeuw op te vangen.

Pieter had stafkaarten meegebracht waarop hij wandelingen uitstippelde. Na het ontbijt maakten ze lunchpakketten en gingen op pad. Titus, die onmogelijk een week lang zijn studieboeken kon dicht laten, maakte na een uurtje rechtsomkeert. In hun voetsporen liep hij naar het huisje terug. Daar zorgde hij dat het vuur in de kachel bleef branden. Hij wisselde een biografie over Leonardo da Vinci af met een uiteenzetting over een methode om bloedcellen in de verschillende stadia van het rijpingsproces te identificeren aan de hand van de eiwitten op hun celwand. De methode maakte het mogelijk om zieke cellen efficiënter op het spoor te komen. Hoe preciezer cellen konden worden geïdentificeerd, hoe groter de kans dat bij een behandeling met chemo alleen de zieke cellen uitgeschakeld werden en de gezonde ongemoeid bleven. Eiwitten op celmembranen werden aangeduid met CD – cluster of differentiation of cluster designation – met daarachter een nummer. De hematopoëtische stamcel werd gekenmerkt door CD34. Op alle witte bloedcellen zat CD45, maar T-cellen hadden dan ook nog eens CD8 en/of CD4. Bij rijpe B-cellen was dat CD20. Hij had weer een nieuwe lijst om zich in het hoofd te prenten.

Als hij in Leonardo noch in eiwitten zin had, ging hij op zoek naar een sudokupuzzel in de stapel oude kranten naast het brandhout in de schuur. Zijn laptop lag ongebruikt in zijn tas. Het huisje had geen internetverbinding. Patricia noemde dat uiterst heilzaam. 'Af en toe moet je afkicken, Titus.'

De derde dag trok het wolkendek open. De sneeuw glinsterde en hun ogen fonkelden. Het bloed trok uit de toppen van hun tenen en vingers weg. Op hun kaken zat een rode blos. Onder leiding van Patricia stootten ze kreten uit. Verder en verder probeerden ze hun stem het bos in te slingeren. Als een speer of een discus. Soms botste hij tegen een boom. Die echode hem terug. 's Avonds zaten ze met een glas wijn of whisky dicht bij de gloeiende kachel. Smeltwater drupte van de sokken en de handschoenen die ze op de vensterbanken te drogen hadden gelegd. Het aanrecht stond vol met vuile borden, glazen en bestek. Niemand had zin om de afwas te doen.

De laatste avond hief Roos het glas op hun vriendschap. 'Jullie betekenen zo veel voor mij', zei ze. 'Ik zie jullie alle vier verschrikkelijk graag.' Ze barstte in tranen uit. 'Wat wij hebben is heel kostbaar. We moeten het koesteren want het is ook breekbaar als …'

'Kristal', vulde Patricia aan.

'Porselein', zei Pieter.

Allemaal gingen ze staan en hieven het glas op hun vriendschap. Ze omhelsden elkaar en zeiden dat Roos gelijk had. Roos kuste Pieter op de mond, maar dat deed ze ook bij Patricia en bij Frans en bij Titus. Toen ze eindelijk gingen slapen schoven Patricia en Roos hun bedden tegen elkaar. Allebei droegen ze een warme trui over hun nachthemd. Het was bitter koud in hun kamer. Een tijdlang hielden ze elkaars hand vast. 'Ik vind jou lief', zei Roos. 'Ik jou ook', fluisterde Patricia. Roos trok haar sokken uit en bewoog haar tenen heen en weer om haar bloedsomloop te stimuleren. Vlak voor ze in slaap viel, boog ze haar knieën en trok haar hemd over haar blote voeten. Ze balde haar handen tot vuisten en stopte ze onder haar oksels.

Toen zij en Patricia opstonden had Pieter de afwas al gedaan. Met de laatste uien, eieren en tomaten was hij een omelet aan het bakken.

'Lekker geslapen?'

Hij gaf hun een kus. Zijn lippen smaakten bitter. Dat kwam door de whisky, wisten ze intussen. Na het ontbijt pakten ze hun spullen bij elkaar en stopten ze in de kofferbak. Dit keer moesten ze de auto niet duwen maar tegenhouden. Titus zat achterin tussen de meisjes. Er werd niet veel gezegd. Iedereen hield zijn blik op het wegdek gericht. De sneeuw was aangevroren.

Thuis verdwenen ze een voor een naar hun kamer. Die avond werd er niet samen gegeten. Met uitzondering van Titus had iedereen afspraken buitenshuis. Ze hadden behoefte aan vers bloed.

Het duurde vijf volle dagen voor Pieter weer kwam opdagen. Hij had een lichte stoppelbaard en wallen onder zijn ogen. En hij was uitgehongerd.

'Ik zat bij een vrouw die alleen maar rauwe dingen eet. Eieren, vlees, prei, uien, ze eet het allemaal rauw. Blijkbaar word je honderd jaar met dat dieet. Die vrouw moet tienduizend vrijwilligers vinden om voor Spencer Tunick te poseren. Tienduizend! In juni is hij hier.'

Glunderend wees hij naar beneden alsof Tunick in hun huis werd verwacht.

'Is dat die man die grote groepen mensen naakt laat poseren op straten en pleinen?'

'That's him. Hij doet fantastische dingen. Ik heb Virginie gezegd dat we allemaal meedoen. Elke vrijwilliger krijgt een gesigneerde foto.'

'Jij hebt onze naam opgegeven?'

Hij knikte. 'Die man reist de wereld rond. Overal gaan mensen uit de kleren voor hem. In Sydney, in Chili, in Parijs, in Mexico, in Wenen.'

'En wat moeten we doen?'

'Onze kleren uittrekken. Gaan liggen. Of staan. Zijn instructies opvolgen. Hij gaat het Ladeuzeplein vol naakte mensen leggen. In de schaduw van de bibliotheek, zeg maar. Het is hem te doen om de confrontatie van vlees en papier.'

'Wat als het koud is?' vroeg Roos.

'Het zal niet koud zijn. Hij komt in juni. Maar zelfs als het koud is, dan zul je het niet voelen. Staat hier een computer open?' Hij tikte wat woorden in en klikte een YouTube-filmpje aan. 'Dit heeft hij op een gletsjer in Zwitserland gemaakt. In de winter. Zie je het ijs? De sneeuw? Al die mensen zijn naakt. Ze dragen alleen van die witte badstoffen slippers, maar zo meteen doen ze die ook uit.'

'Huil jij?' vroeg Patricia.

Verbaasd veegde hij met zijn vinger over zijn wang. 'Blijkbaar wel. Dit snoert me de keel dicht. Telkens opnieuw.'

'Het komt door de muziek', zei Frans.

'Je zou ze willen beschermen. Aaien.' Patricia nam een tissue en snoot haar neus.

'Allemaal mensen', zei Pieter. 'Kwetsbare mensjes. Op een niet minder kwetsbare gletsjer.'

Hij klikte een ander filmpje aan. Dit keer bedekte een tapijt naakte lichamen het gazon van een voetbalstadion. Soms richtte een hoofd zich op, keek even rond om zich vervolgens tussen de lichamen te nestelen. Nu staken alle lichamen de linkerarm omhoog. Wat later lagen ze op hun linkerzij met identieke ballen onder de rechterarm geklemd.

Op weer een ander filmpje stonden naakte mensen in een klassieke theaterzaal met hun kont naar de camera. Allemaal tegelijkertijd maakten ze een diepe buiging. En lieten hun gat aan de wereld zien.

'Met welk recht heb jij ons ingeschreven?' vroeg Titus.

'Met welk recht?'

'Jij kunt niet voor mij beslissen of ik in mijn blootje tussen al die mensen ga staan. Of liggen.'

'Daar wil je toch bij zijn, Titus.'

'Jíj wilt erbij zijn. Die foto's en filmpjes bewijzen dat er twee soorten mensen bestaan: de idioten die zich als slachtvee laten leiden, en mensen zoals Tunick die de touwtjes in handen houden. Tunick kleedt zich niet uit. Hij staat achter de camera. Hij houdt de megafoon vast. Hij is beroemd. En waarschijnlijk ook rijk.'

'Waarom ben jij zo boos? We zijn toch vrienden', zei Patricia.

'Zo behandel je je vrienden niet. Als je met iemand bevriend bent, dan vraag je of die het goed vindt dat je hem inschrijft. Toen we bloed gingen geven, heb ik jullie dat niet opgedrongen. Ik heb gezegd dat het kon. En dat ik zou gaan. Punt. Maar ik heb jullie vrij gelaten om zelf te beslissen. Pieter heeft er toen een groepsgebeuren van gemaakt. Ik niet.

Ben jij bang om alleen te zijn? Is dat het?'

'Gaan jullie ruziemaken?' vroeg Roos.

'Bemoei je er niet mee.'

'Titus wil niet zijn zoals iedereen', zei Pieter.

'Ik ben niet zoals iedereen.'

'Hij wordt hematoloog', zei Roos.

'Want hij is samen met zijn opa het lijk gaan groeten van de man in wiens aders …'

'Hou je bek!' zei Titus.

'Zo spreek je niet in dit huis', zei Frans.

'Ik zeg wat ik wil', zei Titus. 'En ik zeg het overal. Ook in dit huis. Het huis van jouw grootouders.' Hij schopte tegen een poot van de tafel, die ooit in het huis van die grootouders had gestaan.

'Wat is er mooier dan je verbonden te voelen met andere mensen? Jij bent degene die bang is.'

'Waarom wil jij altijd dat iedereen doet wat jij doet? Of leuk vindt wat jij leuk vindt? Of geniet waarvan jij geniet? Jij wilt je kleren uittrekken en samen met negenduizend negenhonderdnegenennegentig andere mensen op een plein gaan liggen voor die Tunick. Doe het. Niemand houdt je tegen. Waarom sleep je ons allemaal mee?'

'Omdat we vrienden zijn', zei Pieter. 'Omdat een vriendschap wordt versterkt als je samen dingen doet. Daarom zijn we ook samen bloed gaan geven.'

'Jullie zijn samen bloed gaan geven. Ik niet. Als wij vrienden waren, zou je weten dat ik een hekel heb aan de massa. Je zou het niet alleen weten, maar je zou het respecteren. Je zou me niet hebben meegesleurd naar dat Beyoncéconcert. Of je zou ervoor hebben gezorgd dat ook ik een backstagepasje had.'

'Heb je dat nog altijd niet verteerd?'

'In al die tijd is er niets veranderd. Integendeel. Jij houdt minder en minder rekening met mij. Of met Roos. Jij bent hier binnengewandeld als een veroveraar. Jij bent geen vriend, jij bent een … Ik weet niet wat jij bent. Jij bent een volksmenner. Iedereen moet naar jouw pijpen dansen. Natuurlijk schrikt de massa jou niet af. Zelfs in de grootste massa val jij op. De charismatische Pieter Kalhorn met de onweerstaanbare ogen en de aanstekelijke lach.'

'Jezus, man,' zei Frans, 'jij bent jaloers.'

'En jij misschien niet? Denk je dat het niet opvalt hoe jij de Aardbeienkoningin angstvallig uit Pieters buurt houdt? Maar wel tips vragen aan Pieter. Ga je als je ooit bij haar in bed belandt de hele tijd liggen sms'en met Pieter?'

'En jij en Roos?'

'Wat is er van mij en Roos?'

'Denk je dat iedereen niet weet dat jij tweede keus bent?'

'Waarmee bemoeien jullie je?' riep Roos. 'Ik zal wel bepalen wie mijn eerste keus is. Of tweede.'

'Oké', zei Pieter. 'Ik ben voortvarend geweest. Ik dacht dat jullie het ook niet zouden willen missen. Verkeerd gedacht. Ik zal je uitschrijven. Eén sms'je naar Virginie en het is geregeld. Frans, Patricia, willen jullie dat ik jullie ook uitschrijf?'

'O, Pieter,' zei Patricia, 'als ik "ja" zeg, dan kies ik partij voor Titus, en zeg ik "nee", dan kies ik partij voor jou.'

'En jij wilt niet kiezen, hè Patricia? Avond na avond leg je ons uit hoe jij niet wilt kiezen. Ik hou van haar en van haar, ik hou van jam en van kaas. Alsof jouw liefdesleven ons interesseert.'

Trillend van woede ging hij de kamer uit. Hij schaamde zich, hij schaamde zich diep. Nooit eerder had hij zich zo laten gaan. En dan nog wel tegenover Patricia, die hij mateloos bewonderde. Sneller en sneller werd zijn bloed door zijn lijf gepompt. Het gierde door zijn aders.

Als iedereen hetzelfde was, als de verschillen niets betekenden, dan was iedereen niemand. Dan bestonden er geen mensen. De wereld zou bevolkt zijn met schimmen, schaduwen, poppen. Waarom kon Pieter dat niet inzien? Of toegeven?

De natuur had de meest vernuftige trucjes bedacht om met een eindig aantal bouwstenen oneindig veel verschillende 'producten' af te leveren. Dezelfde man en dezelfde vrouw konden zich twintig keer voortplanten en telkens werd een ander kind geboren. Het waren geen klonen van elkaar. De natuur had ervoor gezorgd dat spermacellen onderling van elkaar verschillen, en ook bij eicellen was dat zo. Normaal vermenigvuldigden cellen zich volgens een proces van mitose. De zesenveertig chromosomen binnen één cel verdubbelden zich tot tweeënnegentig en die verspreidden zich vervolgens over twee nieuwe cellen met elk zesenveertig chromosomen. Van elk chromosoom waren er twee aanwezig: eentje afkomstig van de vader en eentje van de moeder. Zesenveertig was twee maal drieëntwintig. Bij ei- en spermacellen ging het anders. Zij waren het resultaat van meiose. De chromosomen vermenigvuldigden zich, maar vervolgens werden ze lukraak verspreid over vier cellen met telkens drieëntwintig chromosomen. Bij mitose waren de dochtercellen identiek aan de moedercel. Meiose resulteerde in onderling verschillende cellen met van elk chromosomenpaar slechts één. Het was een geniale oplossing voor een cruciaal probleem. Niet Leonardo da Vinci maar de natuur was het genie. Da Vinci had dat begrepen en daarom bestudeerde hij de natuur. En imiteerde die.

Hij hoorde stappen op de trap, maar niemand klopte aan. Roos niet en ook Pieter niet. Dat ze maar wegbleven, hij had hen niet nodig. Al die jaren was Pieter zijn vriend én zijn vijand geweest. Pieter was alles wat hij niet was en ook niet kon zijn. Pieter had hem gedwongen zichzelf te zijn. Bij gebrek aan alternatief. Een mens had zijn vijanden even hard nodig als zijn vrienden. Misschien zelfs harder.

Hij moest Pieter dankbaar zijn. Een goede vriend was evenzeer een vijand als een vriend. Van die taak had Pieter zich schitterend gekweten. Een wijze man koesterde zijn vijanden niet minder dan zijn vrienden. Pieters halsstarrigheid ergerde hem er niet minder om. Pieter kende de theorie, maar hij weigerde koppig de juiste conclusies te trekken. Tegen beter weten in. Het immuunsysteem leverde het onweerlegbare bewijs dat niet iedereen hetzelfde was, precies zoals het bestaan van verschillende bloedgroepen dat deed. Pieter negeerde de bewijzen. Met stompzinnige koppigheid bleef hij zijn gelijk volhouden. Wie dacht hij wel dat hij was?

Een gezond lichaam maakte het onderscheid tussen vriend en vijand, tussen eigen en vreemd. Deed het dat niet, dan was het ziek. Misschien ging het zelfs dood. Samen met meiose was het een van de meest ingenieuze systemen die de natuur had ontworpen, en Pieter legde het naast zich neer alsof het niet bestond. Of overbodig was. Nee, nee, er bestaat geen eigen en vreemd, we zijn allen gelijk. Bloedbroeders. Mijn reet, Pieter!

Het kostte bloed, zweet en tranen om een lichaam het onderscheid tussen eigen en vreemd bij te brengen. Dat ging niet vanzelf. B- en T-cellen moesten worden opgeleid. Voor de T-cellen gebeurde dat in de thymus, voor de B-cellen in kiemcentra. Alle T- en B-cellen die aan lichaamseigen eiwitten bleven kleven werden vernietigd, de andere werden in het bloed gelost. Ontzettend veel cellen werden gediskwalificeerd en naar de milt afgevoerd. Een mens zou twee ton wegen als dat niet gebeurde. In een gezond lichaam met goed opgeleide T- en B-cellen bestond er geen twijfel over vriend en vijand, lichaamseigen en lichaamsvreemd. Er heerste duidelijkheid: dit is welkom, dit is niet welkom; dit moet worden aangevallen en uitgeschakeld, dit niet. Als T- en B-cellen hun pijlen op het eigen lichaam richtten, was dat lichaam grondig verstoord.

In een vlaag van zelfhaat vernietigde het zichzelf. Dat was een nachtmerrie. In extreme gevallen kon je zakken bloedplaatjes aan de infuuspaal van de patiënt blijven hangen. Ze kleefden aan de eigen T-cellen en verdwenen meteen in de milt.

Kleven. Het woord dook in elke uiteenzetting over afweer op. Eiwitten die kleefden of niet kleefden. Het vervulde hem met afkeer. Hij wilde niet aan mensen kleven. Aan Pieter niet, en ook aan Patricia niet, of aan Frans. En ook aan Roos zou hij niet kleven. Hij zou zich niet opnieuw in de rol van bedelaar laten duwen, want in die rol had ze hem geduwd. Ze had hem laten aandringen en aandringen of ze alsjeblieft Kerstavond bij hem en zijn moeder zou vieren. Maar nee, mevrouw wilde niet. Het was te vroeg. Haar ouders hadden ook het recht haar te zien. Hij zag haar zo veel als hij wilde in Leuven. Blijkbaar was er een zus die met de familie had gebroken en dus kon Roos het niet maken om met Kerstmis weg te blijven, want Kerstmis was sowieso pijnlijk vanwege die zus. Nou goed, niet Kerstavond, maar misschien Kerstdag of tweede Kerstdag. Maar nee, dat kon allemaal niet, want er waren oma's en opa's, die ook allemaal rechten hadden, en ook Oud en Nieuw was geen optie want dan ging ze skiën met een nicht. Ze skiede graag, ze skiede goed, ze had er deugd van, het zou haar gedachten verzetten. Skiede hij niet? Nee, hij skiede niet en was ook niet van plan het te leren. Wist ze voor hoeveel mensen een skivakantie eindigde in een ziekenhuis? Er zou geen nieuwe uitnodiging volgen. Hij had haar niet nodig. Hij wilde geen vriendin die hem in het bijzijn van iedereen te kakken zette. Ze hoefde niet meer bij hem te komen als ze liever bij Pieter was. Hij wilde haar geluk niet in de weg staan. Hij was geen tweede keus. Was dat duidelijk? Had ze het begrepen?

Hij draaide de sleutel van zijn deur in het slot. Hij wilde slapen, rustig slapen. Hij had geen behoefte aan hysterische vrouwen in zijn bed. Hij kon zo dikwijls seks met haar hebben als hij wilde. Ze zat in zijn hoofd. Daaruit ontsnapte ze nooit meer. De fantasie was trouwens beter dan de werkelijkheid.

Als een idioot had hij de hele kerstvakantie zijn gsm niet uit het oog verloren. Want stel dat Roosje hem een sms'je stuurde, dan moest hij haar toch meteen kunnen antwoorden. Als ze bang was, moest hij haar kunnen geruststellen. Bizar genoeg had ook zijn moeder haar gsm om de haverklap gecheckt. Daar zaten ze tegenover elkaar aan tafel met hun gsm's bij de hand. 'Yvan is zo jaloers', zei ze. Het duurde altijd even voor het tot hem doordrong dat ze Pieters vader bedoelde. 'Nicole komt me straks ophalen. Heb je zin om mee te gaan?' Nee, daar had hij geen zin in. Wat had zijn moeder plotseling in die Nicole gezien? En Nicole in zijn moeder?

Zelfs nu kon hij Roos' sms'jes niet deleten. Hij kon het echt niet. 'Ik mis je en ik hou van jou.' Stuurde ze dat ook naar de ander? Was het een sms'je voor dubbelgebruik?

Ook Pieter schaamde zich. Hij schaamde zich diep. Hoelang al voedde hij Titus' rancune? Had hij dan geen greintje mensenkennis? Hij wenste niet onder één dak te leven met iemand die jaloers op hem was. Mensen moesten van elkaar houden. Waarvoor anders waren ze op aarde? En ze moesten elkaar veel gunnen. Heel heel veel. Ze moesten blij zijn als het een ander voor de wind ging. Of als die liefde kreeg. Na de ruzie was hij met Frans de stad ingegaan. Ze hadden flauwe stand-upcomedy gezien, slechte wijn gedronken en een degoutante hotdog gegeten. Frans had hem verzekerd dat hij op hem mocht rekenen. Hij zou met plezier voor die Tunick in zijn flikker poseren. Titus noemde hij een stuk chagrijn.

'Die gast is natuurlijk niet achterlijk. Hij ziet ook wel dat Roos dol is op jou. Van meet af aan. Zij heeft hard voor jullie gepleit. Ik had zware twijfels, moet ik bekennen. Zeker over jou. Nu is het precies omgekeerd. Mijn oma heeft mij altijd geleerd: blijf bij je soort. Ga niet om met mensen die veel rijker zijn dan jij en ook niet met mensen die veel armer zijn. Dat gaat altijd fout, zelfs als het even goed gaat. Vermijd mensen die veel meer of veel minder culturele bagage hebben dan jij. Of intellectuele bagage. Vroeg of laat wreekt dat zich. Wat deed zijn vader eigenlijk?'

'Geen idee. Ik heb het hem nooit gevraagd.'

'Dat is zo typisch voor jou', zei Frans. 'Jij denkt dat iedereen gelijk is, maar iedereen is niet gelijk. All men are born equal, dat is een ideaal, een utopie. Egalité, fraternité, dat is nooit letterlijk bedoeld. Kijk naar geslaagde huwelijken. Die zijn altijd gesloten tussen mensen uit dezelfde cultuur, hetzelfde milieu én met dezelfde achtergrond. De rest is romantiek, leuk voor een film maar waardeloos in de werkelijkheid. Hooguit gaat het zes maanden goed. Roos is niet het probleem. Ze lijkt het misschien, maar ze is het niet. Het gaat om iets veel fundamentelers. Titus mag nog honderd keer hematoloog worden, nooit zal hij aan jou kunnen tippen. Jij hebt van thuis iets meegekregen waarvan je je leven lang de vruchten zult plukken. Die achterstand kan niet worden ingehaald. Het zit in je genen. In de zijne helaas niet. En het zal er nooit in zitten.'

'Van mijn ouders heb ik vooral meegekregen dat ik geen ruzie wil maken. Dat deden zij iedere dag. En nu doe ik het blijkbaar ook.'

'Hij is begonnen. Door die brulaap heb ik geen zin om naar huis te gaan, terwijl het potverdomme mijn huis is. Denk je dat de Terminus nog open is?'

'Vast wel', zei Pieter.

Hij dacht aan alle keren dat Roos diep in de nacht op zijn kamerdeur had geklopt. Titus was dan allang in dromenland. Ze luisterden naar muziek, ze bekeken foto's op Facebook, ze rookten een jointje, ze zoenden, ze lagen in elkaars armen op bed. Soms trok ze haar bh uit en fluisterde dat 'ze' wilden worden gestreeld. Hij knoopte haar bloesje of truitje open en keek naar de dwingelanden. Melkwit waren ze en getatoeëerd met een ragfijn net van blauwe adertjes. Elke borst droeg een amberkleurig kroontje. Hij ging op zijn zij achter haar liggen en deed wat ze vroeg. 'Lekt er al honing uit?' fluisterde hij. Waarop ze vroeg of hij wilde proeven. Dat wilde hij graag. Langzaam maar zeker zakte hij weg. Hij dreef, hij dommelde. Meestal schrok hij wakker omdat Roosjes hoofd de bloedtoevoer naar zijn arm afsneed. Zo voorzichtig mogelijk probeerde hij zich te bevrijden, maar altijd verstoorde hij haar slaap. 'O,' zei ze dan, 'jij bent het.' Verdwaasd gaf ze hem een kus en glipte zijn kamer uit. Dikwijls vergat ze haar bh. Die stopte hij onder zijn matras. Soms kwam ze hem de volgende dag halen, soms ook niet. Ze was een slordig meisje dat slecht voor haar spullen zorgde. In de badkamer vergat ze de shampoofles na gebruik weer te sluiten. Als ze zich na een douche had afgedroogd, liet ze haar handdoek op de grond vallen. En liggen. Of ze droogde zich af met de handdoek van iemand anders. Haar kleren lagen in een hoek van haar kamer op een stapel die hoger en lager werd al naargelang het seizoen.

Ook voor Edith was het zonneklaar: Titus werd verteerd door jaloezie.

'Al jaren is hij jouw schaduwloper, terwijl hij zich zo doodgraag wil laten gelden. Zou jij met hem willen ruilen?'

'Was hij verliefd op jou?' vroeg Pieter.

'Ach.'

'Ja, dus. Vind jíj mij ook een klootzak?'

'Hij vindt jou geen klootzak, Pieter.'

'Ik wil jou, Edith. Al die andere meisjes en vrouwen betekenen niets.'

'We zullen wel zien.'

'Ik hou van jou. Geloof je dat?'

Ze knikte. Vandaag geloofde ze het, al stonk hij uren in de wind naar alcohol, zweet en sigaretten. Of misschien juist daarom. Terwijl ze hem tegen zich aan drukte, dacht ze aan die ander wiens ogen haar huid zo dikwijls hadden geschroeid. Uit medelijden was ze aardig tegen hem geweest. Telkens opnieuw had ze naar zijn uiteenzetting over bloedgroepen en antigenen geluisterd. Hij had haar zo dikwijls over het lijk van Leonardo's verre nazaat verteld dat het was alsof ze het met haar eigen ogen had gezien. Ze had zelfs geprobeerd enthousiasme op te brengen voor de tabel van Mendelejev.

'Je moet hem vergeven', zei ze in een impuls. 'Hij heeft jou nodig.'

Maar Pieter had geen zin om nog langer aan Titus te denken. Over een uurtje al moest Edith Sven van school halen. Hij mocht meegaan op voorwaarde dat hij zich netjes gedroeg. Dat betekende: haar niet aanraken, haar niet zoenen, en ook niet stralen.

Hij tilde haar in zijn armen en droeg haar de trap op. Toen hij de gordijnen van haar kamer dichttrok zag hij Titus' moeder in haar tuin. Ze stond met haar rug naar het raam bladeren bij elkaar te harken.

'Heeft Mona een vriend?'

'Ik denk het niet. Ze schiet goed op jouw moeder. Wist je dat? Nicole komt haar dikwijls ophalen. Soms zelfs met de BMW. Ik weet niet wat ze dan doen.'

Lui knoopte ze haar bloesje los.

'En dat houd jij allemaal in de gaten? Foei, Edith!'

Ze haalde haar schouders op. 'Mona bespiedt mij ook.'

Door de spleet tussen de gordijnen keek hij opnieuw naar de tuin van de buren.

'Zwelegem!' zei hij met een zucht.

'Denk niet dat het in Leuven anders gaat. Of in Londen.'

'Ben jij ook helemaal anders dan ik denk?'

'Misschien. Jij ziet alleen het goede. Maar niet iedereen is goed. Of helemaal goed.'

'Ik heb thuis genoeg lelijke dingen gezien voor de rest van mijn leven. Ze zijn oninteressant. Ik wens me er niet mee bezig te houden. Daarom was ik zo vaak bij hem.' Hij wees in de richting van Titus' huis.

'Jij bent een goed mens', zei ze.

'Ik ben een naïeve kloot.'

Nooit had hij zich vragen bij zijn vriendschap met Titus gesteld. Dat was voor hem de essentie van vriendschap. Zodra je die ging analyseren was het ermee afgelopen. Wat bleef er van vriendschap over als je je bij alles wat je zei of deed moest afvragen of het bij je 'vriend' in goede aarde viel? Ook bij Roos' bezoekjes had hij zich geen vragen gesteld. Ze kwam of ze kwam niet. Als ze kwam was het lekker. Loom. Niets hoefde. Alles kon.

Zonder zijn kleren uit te trekken ging hij naast haar liggen. Hij schopte zijn schoenen uit en draaide zich naar Edith. Met zijn wijsvinger volgde hij de contouren van haar prachtige borsten. Haar tepels waren hard geworden. Het was een beetje kil in de kamer. Hij wist dat Edith soms het bed deelde met andere mannen. Dit bed. Voor het eerst voelde hij een steek van jaloezie. Het was niet meer dan een steekje, maar toch verontrustte het hem. Hij wilde een licht en ongecompliceerd bestaan, maar alles en iedereen spande samen om dat eenvoudige verlangen te dwarsbomen. Terwijl Edith met behendige vingers zijn broekriem losmaakte flitste het door zijn hoofd dat zijn ouders misschien ook ooit blije mensen waren geweest.

9

De vrienden bleven onder hetzelfde dak wonen, zelfs al waren ze geen vrienden meer. Er waren nu kampen, het Tituskamp en het Pieterkamp. Patricia weigerde koppig partij te kiezen. Zij bleef voorstellen om samen te eten, maar Frans en Pieter werden altijd elders verwacht, en Roos en Titus kookten voor hun tweetjes. Ze dekten de tafel met twee borden, twee glazen, twee messen, twee vorken, twee lepeltjes en twee servetten een beetje alsof Sneeuwwitje één kabouter had uitgekozen met wie ze voortaan mannetje en vrouwtje wilde spelen. Kabouter Titus en Sneeuwwitje Roos. Daarna gingen ze met hun tweetjes naast of tegenover elkaar zitten eten. Ze spraken op gedempte toon en knikten als de ander iets vertelde wat instemming verdiende. Alles wat ze elkaar te vertellen hadden, verdiende instemming. Ze bestonden om het met elkaar eens te zijn. Wanneer ze klaar waren met eten, wasten ze alleen de spullen af die zij hadden gebruikt. Ze zetten alles keurig op zijn plaats en veegden het aanrecht schoon. Ze hingen de theedoek over het rek en spoelden de schotelvod uit. Als de vuilniszak vol was, pakten ze een schone uit de kast en hingen die in de bak. Ze gedroegen zich als hoffelijke maar eenzelvige gasten in een jeugdherberg. Na de afwas zaten ze naast elkaar op de bank. Titus' ogen waren op het scherm van zijn laptop gericht, Roos luisterde naar muziek op haar iPhone. Als een liedje in de smaak viel verscheen er een glimlach op haar lippen. Of haar hoofd bewoog heen en weer. Ze schopte haar schoenen uit en krulde haar tenen. Af en toe nam ze een oortje uit haar oor en stopte het even in een oor van Titus. Ze was een wagonnetje dat zich stevig aan locomotief Titus had vastgehaakt. De ruzie had haar doen beseffen hoe belangrijk hij voor haar was. Zei ze. Nooit zou iemand nog kunnen zeggen dat Titus haar tweede keus was. Ze wilde hem. Hem alleen. Dit keer was haar keuze echt gemaakt.

Patricia deed haar best Roos en Titus te imiteren. Ze kookte voor zichzelf, ze dekte de tafel met een eenzaam bord, ze at in haar eentje, ze ruimde af, ze deed de afwas. Soms ging ze tegenover hen zitten met haar bord op haar schoot. Of met haar laptop. Gespannen wachtte ze op het moment waarop Roos in lachen zou uitbarsten. Of zou opveren en naast haar komen zitten. Of haar een nummertje op haar iPhone zou laten beluisteren. Titus speelde geen komedie. Die was echt in beslag genomen door wat het ook was dat hij op zijn laptop zat te lezen. Roos hield zich krampachtig aan een voornemen dat ze zichzelf had opgelegd. Zij was de oppersquaw in kamp Titus. In gedachten noemde Patricia haar soms Grote Berin. En Titus was Stamhoofd Antigeen.

Ze wilde het ogenblik niet missen waarop Roos weer de Roos zou worden die ze altijd had gekend. De Roos die net als zij niet kon beslissen van wie ze hield. Niet uit wispelturigheid en ook niet uit egoïsme, maar omdat één persoon niet volstond voor de vele personen die ze zelf was. Het was iets van hun generatie, de Facebookgeneratie. Ze hadden geen zin zich vast te pinnen op één leven. Ze konden zo veel verschil lende profielen aanmaken als ze wilden. Ze lieten zich niet begraven in één hokje. Roos zou uitbreken. Dat wist ze zeker. Titus daarentegen zou nooit uit zijn vakje ontsnappen. Hij zat erin vastgeroest. Zoals de cijfers in zijn sudokupuzzels.

Op een avond ging ze naast Roos zitten. Ze nam een oortje van Roos en stopte het in haar eigen rechteroor. Eventjes luisterden ze samen naar Mercy. Toen keken ze naar elkaar en glimlachten. Het kon niet anders of ook Roos herinnerde zich hoe ze op het nummer in Roos' kamer hadden staan dansen. En daarna waren ze lachend op haar bed gevallen.

Patricia greep Roos' hand en kneep erin.

'Heb je zin om straks samen naar een dvd'tje te kijken?'

De glimlach verdween van Roos' gezicht. Haast bitsig schudde ze haar hoofd. Zonder een woord pakte ze het oortje dat Patricia zich had toegeëigend en stopte het terug in haar eigen oor. Daarna deed ze alsof een pluisje op Titus' trui haar aandacht trok.

Ook Titus kende momenten waarop hij leek te vergeten dat hij en Patricia geen vrienden meer waren. Verstrooid keek hij van zijn laptop op en legde haar een probleem voor. Er was bijvoorbeeld een donororgaan voor drie kandidaten: een bankier van zestig, een vader van vijfendertig met twee kinderen, en een meisje van vier. Alle drie hadden ze een nieuwe lever nodig. Aan wie van de drie zou zij hem geven?

'Aan de vader met de twee kinderen', antwoordde ze zonder aarzelen.

'Dat antwoorden de meeste mensen.'

'En wat antwoord jij?'

'Aan de bankier. Die krijgt van niemand een kans, dus van mij wel.'

Even zaten ze te grinniken. Toen herinnerden ze zich dat ze uitgerekend daarover ruzie hadden gekregen.

'Wil jij zelfs niet één keer een heel klein beetje meeheulen met de massa?'

'Zeggen wat iedereen zegt heeft geen enkele zin.'

'Wat als "iedereen" gelijk heeft?'

'Kun je me daar één voorbeeld van geven? Eén overtuigend voorbeeld? Mensen denken dat iets waar is omdat iedereen het zegt. Of goed omdat iedereen er de loftrompet van steekt. Ze hollen domweg elkaar achterna. Huilen met de wolven in het bos, dát is wat ze doen. Ze zijn te lui om te ontdekken wat ze zelf denken. Ze zijn überhaupt te lui om te denken. Om te denken heb je durf nodig. En lef. Denken is iets anders dan banaliteiten herkauwen.'

Hij klapte zijn laptop dicht en liep naar zijn kamer. Roos veerde op en volgde hem. Hij heeft gelijk, dacht Patricia. Zelfs filosofiestudenten dachten zelden of nooit na. Niet echt. Ze kletsten erop los en herhaalden wat ze ergens gelezen hadden. Alles wat ze zeiden was tweedehands. Of derde- of vierdehands. Toch vond ze niet dat de bankier de lever mocht hebben. Die man had zijn leven gehad. Er zou een andere bankier komen die het geld van zijn klanten misschien veel beter beheerde. Misschien kwam er een bankierster.

Maar hoe zat het dan met de kleuter van vier? Voor haar moest alles nog beginnen. Had zij niet meer recht op een gezonde lever dan die vader van vijfendertig? De vader was vervangbaar. Er kon een stiefvader komen. Maar ook het kindje kon worden vervangen. Misschien zou het broertje of zusje zelfs leuker zijn dan het patiëntje met de zieke lever. Of intelligenter. Creatiever. Charmanter. Nee, dacht ze beslist, mijn eerste reflex was de juiste: de lever gaat naar de jonge vader. Titus wil gewoon tegendraads zijn. Loopt iedereen naar rechts, dan slaat hij links af. Kiest iedereen links, dan marcheert hij resoluut naar rechts. En Roos gaat waar hij gaat. Dat is voortaan haar missie. Haar levensdoel.

Ze zal het niet volhouden, dacht ze.

Roos' gedrag fascineerde haar. Gebiologeerd zat ze vaak naar haar te staren. Elk gebaar en elke uitdrukking zoog ze op om er later verslag van te kunnen uitbrengen bij Pieter of bij Frans. Die verzekerden haar dat het hen niet interesseerde.

'Je doet haar te veel eer aan', zei Frans. 'Jullie waren vriendinnen en nu zijn jullie geen vriendinnen meer. Je hebt in een aandeel geïnvesteerd dat die investering niet waard was. Een pijnlijke vergissing. Meer niet.'

'Roos is geen aandeel.'

'Bij wijze van spreken, Patricia.'

'Als ik niet voor hen kies, kies ik tegen hen. Het is zwart of het is wit.'

'Zeggen ze dat?'

Ze knikte. 'Titus zegt het. En Roos beaamt het zoals ze alles wat hij zegt nu beaamt. Hoe is het met de Aardbeienkoningin?'

'Ik had die foto van me op Facebook gezet die Pieter in de Ardennen heeft gemaakt terwijl ik me stond te scheren. Ze vindt hem leuk.'

'Kortom, ze zijn zo goed als getrouwd', zei Pieter.

Kon het dat ook Patricia op Roos verliefd was? vroeg hij zich af. Of was geweest? Iedereen verliefd op Roos! Op wie was zij zelf verliefd? Niet op Titus, dacht Pieter.

Sinds de ruzie gedroeg ze zich tegenover hem alsof hij aan een besmettelijke ziekte leed. Er moest afstand worden genomen en er werd afstand genomen. Grenzen moesten worden gerespecteerd. Als ze elkaar op de trap kruisten, drukte ze zich tegen de muur alsof ze bang was dat hij zich op haar zou storten. Soms bleef hij staan en keek haar recht in de ogen. Hij legde zijn hand op haar hals en kneedde die zachtjes zoals hij vroeger haar onrustige borsten had gekneed. Op haar expliciete verzoek. Met zijn duim masseerde hij het putje aan de voet van haar hals. Soms rukte ze zich los, soms hield hij abrupt op. Of hij duwde zijn duim nog dieper in haar vlees. Haar adem schokte uit haar half geopende mond. Die kuste hij niet.

Titus stond hem nooit waar dan ook op te wachten. Als hij toevallig de deur uitging op het moment dat Titus binnenkwam, kreeg hij een korte knik. Wanneer ze tegelijkertijd naar de badkamer liepen, draaide hij zich zonder een woord om. Nog een paar maanden waren ze gedoemd elkaar te verdragen. Daarna hoopte hij hen nooit meer te zien. Of te horen. Te ruiken.

Ze droeg een truitje dat hij goed kende. De knoopjes waren venijnig klein. Toen hij haar had verweten dat ze het hem met opzet moeilijk maakte, had ze dat niet ontkend. Had ze het vandaag aangetrokken om hem aan die keer te herinneren? En waarom deed ze dat dan?

Loop haar voorbij! schreeuwde hij zichzelf toe, maar zijn voeten negeerden het bevel. Niet alleen bleven ze koppig staan, maar ze keerden zich ook nog eens naar de muur. Hij kon horen dat ze lichtjes verkouden was. Haar adem sleepte zich moeizaam door haar neusgaten. Zijn hand ging de hoogte in. Een vinger gleed van haar kin over haar hals naar het bovenste knoopje van het groene truitje. Hij greep het vast en trok haar naar zich toe. Angst schoot in haar ogen. Was ze bang dat hij haar zou slaan? Haar adem stokte. Het klonk alsof een deurtje in haar keel werd dichtgegooid. En opnieuw. Grappig was dat. Wilde ze dat hij haar kuste? Hoopte ze dat hij zijn lippen op die van haar zou drukken? Dat zijn tong zich met de hare zou verstrengelen? Had ze aan Titus' mond niet genoeg?

Ze knipperde met haar ogen, maar ze riep niet om hulp. Was de bloeddichter niet in huis?

Zijn lichaam boog zich naar haar zodat zijn mond bij haar oor kon fluisteren. De woorden vormden zich in zijn hoofd.

Elk woord een mes om haar te kwetsen.

'Hoe is het met je bloed?'

Tevreden liet hij haar los. Hij haastte zich de trap af. Beneden keek hij snel over zijn schouder. Ze stond er nog altijd. Verlamd. Verstijfd. Nu liet ze zich op haar hurken zakken. Haar hoofd werd tussen haar armen begraven.

Ik word zoals mijn vader, dacht hij. Zijn mond werd zoals die van zijn vader. Een gat waaruit gemene dingen werden gespuwd.

Met lood in zijn schoenen ging hij de trap weer op. Titus' onverzettelijkheid zette kwaad bloed. Hij mocht zich niet laten aantasten. Hij liet zich vallen op de trede onder die waarop zij hurkte. Hij luisterde hoe langzaam maar zeker haar snikken uitstierf. Ze was een meisje dat gemakkelijk huilde en gemakkelijk lachte. Precies zoals het bij meisjes hoorde. En ze kwam ook nog eens gemakkelijk klaar.

'Ben je nog altijd bang?'

Dat was een idiote vraag. Iedereen wist dat Roos bang was.

'Wanneer heb je je bloed het laatst laten onderzoeken?'

'Vorige week. Altijd hetzelfde. Wat chromosomale afwijkingen, maar niets om me zorgen over te maken.' Ze trok de mouw van haar truitje omhoog. 'Het pleistertje zit er nog. Zolang het blijft kleven, voel ik me gerust. Als het is afgevallen, begint het weer te knagen.'

'Je zou het kunnen vastlijmen. Of niet meer onder de douche gaan.'

'Dat zegt Titus ook. Het zit tussen mijn oren. Ik ben een hypochonder. Ik beeld het me allemaal in. De psychologe schrijft telkens een attest voor me waardoor ik het zoveelste onderzoek krijg.' Ze snufte.

'Je mag geen verdriet hebben, Roos. We zijn hier om gelukkig te zijn. Dat klinkt banaler dan de banaalste uitspraak en toch is het waar. En als het niet waar is, dan kun je nog altijd beter gelukkig zijn dan ongelukkig. Het ene kost niet meer dan het andere. Ik wil dat je meedoet met Tunick.'

'Dat wil Titus niet.'

'En wat wil jij?'

'Ik wil goed bloed.'

'Je hebt goed bloed.'

'Het is ongeschikt.'

'Al die mensen die straks op het Ladeuzeplein hun kleren gaan uittrekken, kunnen voor goed bloed zorgen voor jou. Wist je dat?'

'Hoe kunnen ze dat?' fluisterde ze.

'Met een beetje van hun merg. Ze geven het aan jou en daarna heb jij nieuw bloed.'

'En dat kan iedereen mij geven?'

'Niet iedereen. Je moet op zoek gaan naar merg dat bij jou past. Bevriend merg. Maar er zal op dat plein vast een merg-vriendje of mergvriendinnetje van jou in zijn of haar blootje staan. Of liggen. Meer dan één zelfs. Mensen geven elkaar bloed, maar ze kunnen elkaar ook merg geven. Goed merg. En dat goede merg maakt dan goed bloed. Als een vrouw vroeger haar baby'tje niet kon voeden, zoogde een andere vrouw het. Vandaag kan ze eitjes krijgen van een andere vrouw als dat nodig is. Waarom zou je niet weggeven wat je te veel hebt? Mensen hebben elkaar nodig, Roos. We kunnen niet zonder elkaar.' Hij gaf haar een kus en streelde haar lange blonde haren. 'Bloot zijn we allemaal hetzelfde. Dik of dun, veel of weinig schaamhaar, volle borsten of hangborsten, grote of kleine tepels, gespierd of uitgezakt, wit of bruin, oud of jong, dat maakt allemaal niets uit. Het ene bloot is niet meer of minder bloot dan het andere. Het is bloot.' Opnieuw kuste hij haar. 'Niet het gesprayde pornobloot, maar echt bloot. Iedereen die zijn kleren uittrekt wordt een naakte, kwetsbare, sterke, mooie, lelijke mens. Die soms bang is, zelfs wanneer hij dat niet hoeft te zijn. En zij ook niet.'

'Ik kan ander merg krijgen?'

'Ja, dat kan. Als het nodig is. Heeft Titus je dat niet gezegd?'

'We praten er niet over. Het maakt me bang.'

'Je hoeft niet bang te zijn. Voor alles bestaat een oplossing.'

Alsof iets hen had uitgeput lieten ze zich verder zakken op de trap. Zwijgend zaten ze naast elkaar. Alles was gezegd. Roos hoefde niet bang te zijn. Als haar merg ziek was, dan was er ander merg. Gezond merg. En dat gezonde merg kon ze krijgen.

Ze legde haar hoofd op Pieters schouder. Merg. Haar ouders aten het. Dampend gleed het uit de soepbeenderen. Ze smeerden het op een stukje brood, deden er peper en zout op en smulden ervan. Dat zeiden ze er altijd bij. 'Om van te smullen'. Hoe vaker ze het zeiden, hoe meer zij en haar zus ervan griezelden. Het zag er glibberig uit als snot. Gespikkeld snot. Ook van bloed hadden ze gegriezeld. Nooit likten ze het op wanneer het uit een wondje lekte. Ze krabden ook geen muggenbeten open. Met meisjes die zich met mesjes toetakelden wensten ze niets te maken te hebben. Bloed was iets wat binnen in hun lichaam zat en daar ook moest blijven. En als het er toch uit lekte, veegden ze het zo snel mogelijk weg. Allebei gebruikten ze een spiraaltje dat hormonen afscheidde waardoor ze nog nauwelijks menstrueerden. Een heerlijke uitvinding, vonden ze het, al was hun moeder bang dat ze straks geen kinderen zouden kunnen krijgen. Onzin, zei hun gynaecologe, maar hun moeder geloofde haar niet. Zij en haar zus wel. Het bloed van haar zus vertoonde geen mysterieuze afwijkingen. Háár bloed was door het Rode Kruis niet ongeschikt verklaard. Over Didi's bloed wisten ze niets. Ze konden haar niet vragen zich te laten onderzoeken, maar voorzover mama en papa wisten had hun oudste dochter nooit problemen met haar gezondheid gehad. Haar karakter had haar parten gespeeld, zei mama, meer dan eens, maar niet haar lichaam. Ze had zelfs nauwelijks kinderziektes gehad.

Ook met het bloed van haar ouders was niets aan de hand. Misschien kwam dat omdat ze zo graag merg aten.

'Vind jij het lekker?' vroeg ze dromerig.

'Om met jou hier te zitten? Dat vind ik heel lekker.'

'Ik bedoel merg. Heb je het ooit gegeten?'

'Kun je het eten?'

Ze knikte. 'Het is om van te smullen. Ik zou zo graag weer gelukkig zijn, Pieter. Ben jij gelukkig?'

Hij knikte. 'En jij moet ook gelukkig zijn.'

In Sydney had een groep vrouwen die allemaal over de tachtig waren voor Tunick in hun blootje geposeerd. Achteraf hadden ze tranen met tuiten gehuild. Allemaal hadden ze verklaard in vrede te kunnen sterven. Nooit eerder hadden ze zich zo dicht bij de aarde gevoeld. En bij elkaar.

Ook Roosje moest voelen dat ze niet alleen was.

Ze hield haar handen achter haar rug. Dat gaf haar iets meisjesachtigs, net als het rode lint in haar haar. Vlak bij haar linkeroor had ze er een strik in geknoopt. En ze droeg iets met een decolleté. Het kon niet anders of ze had dat speciaal voor hem gedaan, net zoals ze speciaal voor hem op hun trede was gaan staan. Ze bloosde zelfs een beetje. Dat vond hij fijn.

Ze zag er niet goed uit, vond hij. Bleker en brozer nog dan anders, en met donkere wallen onder haar ogen. Er zaten zwarte puntjes op haar neus. Die had hij daar nooit eerder gezien. Haar hoofd zocht steun bij de muur, alsof het te zwaar was voor haar ranke hals.

'Hoe voel je je?'

'Ongerust.'

'Dat is niet nodig, Roos.'

'Om vier uur heb ik een afspraak met de psycholoog.'

'En daarna laat je opnieuw je bloed onderzoeken?'

Ze knikte.

'Straks heb je geen bloed meer over.'

Hij sprak zachtjes alsof hij bang was haar met zijn stem te breken.

'Ik maak de hele tijd nieuw bloed aan. Jij ook. Wij zijn bloedfabriekjes. Zegt Titus.'

Ze glimlachte een beetje wrang. Hij greep haar hand en kneep erin.

'Je maakt jezelf ziek, als je zo angstig blijft.'

'Vroeger was ik altijd blij, en toch was mijn bloed slecht.'

'Het was niet slecht. En het is nog altijd niet slecht. Jij gaat heel oud worden, en veel kinderen krijgen, en kleinkinderen en achterkleinkinderen. Misschien trouwt mijn kleindochter met jouw kleinzoon en pinken wij op de bruiloft samen een traantje weg.'

'Ik wil geen kinderen. Mensen met slecht bloed mogen geen kinderen krijgen.'

'Wie zegt dat?'

'Ik.'

Ze keek nukkig.

'Stel je je nu niet een beetje aan, Roos? Een heel klein beetje?'

Boven ging een deur open.

'Titus', siste Roos.

Hij legde een hand op haar schouder zodat ze niet kon weglopen. Roosje deed soms domme dingen. Zoals weglopen wanneer daar geen enkele reden toe was. De stappen verstomden. Samen richtten ze hun blik op de jaloerse minnaar. Daar stond hij met tussen de wijsvinger en duim van zijn rechterhand een pijltje dat hij op hen gericht hield.

'Laat haar met rust', beval hij stoer.

'En wat gebeurt er als ik haar niet met rust laat?'

Titus' pols maakte een korte, snelle beweging. Het pijltje scheerde over Pieters schouder en boorde zich een centimeter boven Roos' hoofd in de bepleistering. Niet alleen kon hij feilloos mikken, maar hij was ook bijzonder zeker van zijn zaak.

'De volgende is voor jou.' Zijn hand ging naar zijn broekzak.

'Ga de trap af, Pieter', fluisterde Roos. Uit het gaatje was kalk gewarreld op haar haren en gezicht. Zachtjes blies Pieter de witte sluier weg. Dacht ze dat hij zich door een pijltje zou laten verjagen?

'Je moet echt gaan', zei ze. 'Jij bent zijn vijand. Iedereen heeft een vijand nodig, zegt hij. Jij bent de zijne.'

'Ik tel tot drie', zei Titus. 'Eén ...'

'Ga nu, Pieter, alsjeblieft.'

'Twee ...'

'Hij gooit het echt. En dit keer niet in de muur.'

Zonder zijn ogen van de gek af te nemen, ging hij achterwaarts naar beneden. Titus stak zijn vrije hand uit naar Roos. Met haar rug tegen de muur gedrukt schoof ze in zijn richting. Toen ze dicht genoeg genaderd was, greep Titus haar hand en trok haar achter zich, alsof hij haar uit de klauwen van een roversbende had gered.

'Jij houdt haar bang!' riep Pieter.

Hij gooide de deur van de woonkamer open en vluchtte naar binnen. Achter hem plofte het pijltje in de deur.

'Heb je het nu begrepen?' hoorde hij Titus roepen.

Ja, dacht hij. Ik heb het begrepen. Hij, die de hele wereld in zijn armen wilde sluiten, had een vijand. Iemand die zijn bloed kon drinken. Titus was niet zomaar een vijand, hij was een vijand die hij als zijn beste vriend had beschouwd.

Hoeveel van zijn vrienden waren eigenlijk vijanden?

De erfstukken van Frans' familie stonden waar ze al jaren stonden, onberoerd door het tumult van de tijdelijke bewoners. Ze zouden hier blijven staan lang nadat Titus, Roos en hij elders onderdak hadden gevonden. Zelfs Frans zou hier niet blijven wonen. De Aardbeienkoningin had hem uitgenodigd voor een wok-avond. Er kwamen minstens tien andere mensen, maar het was een begin.

Dit keer droeg ze een pyjama, een lichtblauwe, in badstof. Op blote voeten stond ze op hun trede met haar rug tegen de muur. Was het een hinderlaag?

Zijn ogen waren op haar voeten gericht. Die waren mollig, met korte, bolle tenen en piepkleine, ongelakte nageltjes. Hij kon haar gewoon voorbij lopen. Hij aan de kant van de leuning, zij aan de kant van de muur. Hij hoefde niet in het lokaas te bijten.

Zijn ogen gleden over haar benen, haar romp, haar armen. Zat er een nieuw pleistertje? Haar ogen waren rood. Had ze in haar eentje op haar kamer zitten huilen?

Met één voet stond ook hij op hun trede. Hij aarzelde. Toen hief hij zijn andere voet op.

'Pieter.'

De voet bleef boven de trede zweven. Opnieuw fluisterde ze zijn naam.

'Wat wil je?'

Hij zat in de val. Het huis was een net waarin hij zich had laten vangen, een obsceen grote vliegenvanger waaraan hij kleefde. Waarom was hij hier en niet bij Edith? Of bij Virginie? Hij wilde geen drama's. Mensen moesten gelukkig zijn. Daarom en daarom alleen waren ze op aarde.

Dieper en dieper werd hij erin gezogen. Als in een moeras. Was het zo ook zijn vader vergaan?

Waarom stond hij uitgerekend met deze vrouw op deze trap? Een houten trap waarvan de vernis was weggesleten, met in de naad van elke trede een koperen roede die bij gebrek aan traploper alle nut verloren had. De uiteinden van elke nut-teloze roede waren gegoten in de vorm van een hazelnootje. Fraai was dat.

'Ik moet morgen naar het ziekenhuis', zei ze.

'Waarom?'

'Ze denken dat ze iets gevonden hebben.'

'Je lijkt blij', zei hij verbaasd.

'Ik ben ook blij. Eindelijk zal ik het weten.'

'Misschien is het niets.'

Ze schudde haar hoofd. 'Er is iets. En ze zullen me zeggen wat.'

'Ben je niet bang?'

'Ja. Maar ook opgelucht.'

'Wat zegt Titus?'

Hij keek omhoog alsof hij verwachtte Titus boven aan de trap te zien verschijnen. Met een gifpijltje. Of een dolk.

'Dat we moeten afwachten.'

'Gaat hij morgen met je mee?'

Ze knikte. 'Mijn ouders komen ook. En mijn zus. Ik wilde het jou zeggen.'

'Dank je.' Even raakte hij haar schouder aan. Ze greep zijn hand en drukte er een kus op.

'Eindelijk zal ik het weten', zei ze voor een tweede keer.

'Sta je hier al lang?'

Ze haalde haar schouders op. 'Patricia en Frans weten het ook.' Ze keek naar haar nagels. 'Ik wilde het je zeggen', her-haalde ze.

'Dat is lief.' Opnieuw keek hij naar boven.

'Hij slaapt', zei ze.

Laat in de middag belde Titus hem. Pieter zat in de biblio-theek en probeerde zijn aandacht te houden bij een artikel over de invloed van Lacan op de behandeling van afasie. In werkelijkheid zat hij te wachten op een sms'je van Patricia of Roos. Toen hij zag wie hem belde, wist hij dat het ernstig was.

Met het toestel tegen zijn oor gedrukt liep hij de leeszaal uit.

'Het is leukemie', hoorde hij Titus kort zeggen.

'Leukemie?'

'Ja, leukemie.'

'Waar ben je?'

'In het ziekenhuis. De ouders van Roos zijn hier ook. En haar zus.'

'Wil je dat ik kom?'

'Nee, nee, ik blijf niet veel langer. Herinner je je het philadelphiachromosoom?'

'Nee.'

'Jawel. Ik heb jou erover verteld. Het is een translocatie waardoor een schadelijk eiwit wordt geproduceerd. Er bestaat een doeltreffend medicijn. Imatinib.'

'Chemo?'

'Nee. Geen chemo. Gewoon een pil. Oraal in te nemen. Geen noemenswaardige bijwerkingen.'

'Dus het is geen kanker?'

'Het is kanker. Maar eentje die je goed kunt behandelen.'

Hij klonk heel rustig.

'En Roos?'

'Ze houdt zich sterk. Sterker dan haar zus. Die is een beetje hysterisch.'

'Geef haar een kus van mij', zei hij.

'Dat zal ik doen.'

Met de telefoon in zijn handen liep hij naar zijn plek in de leeszaal terug. Dit keer deed hij zelfs geen poging om te lezen. Roos had leukemie. Kanker. Bloedkanker. Hoe was dat mogelijk? Hoe was het in godsnaam mogelijk?

En hij, die licht wenste te leven, voelde zich loodzwaar.

Die avond zaten ze voor het eerst weer allemaal rond de tafel in de woonkamer. Alleen Roos ontbrak. De artsen hadden haar in het ziekenhuis gehouden voor verdere onderzoeken. Titus had bij haar mogen blijven toen beenmerg van haar werd getrokken. Ze had geen kik gegeven.

'Ze is sterk', zei hij. 'Heel sterk.'

Pieter vond Roos niet sterk, maar het was niet het geschikte ogenblik om dat te zeggen. Wat deed het er ook toe?

'Roos heeft goed bloed', zei Titus. 'Dat zie je nu. Het is ziek, maar het is goed.'

'Ze wist het', zei Patricia. Ze schonk de glazen opnieuw vol. 'Voor haar is het geen nieuws. Daarom is ze nu zo sterk.'

'Ze is opgelucht', zei Pieter.

'Hoe is het mogelijk dat ze het niet eerder hebben gezien?'

'Omdat het eerder niet te zien was', zei Titus. 'Als je geen abnormale waarden voor je hebt liggen, kun je geen ziekte verzinnen.'

'Maar het Rode Kruis had wel iets opgemerkt', zei Patricia.

'Iets, ja. Maar niet dit. Als ze dit hadden opgemerkt, hadden ze meteen aan de alarmbel getrokken. Gelukkig heeft Roos haar bloed zo dikwijls laten onderzoeken. Zo waren ze er meteen bij.'

'Heeft ze pijn?'

'Helemaal niet.'

'Ik denk dat ik mijn bloed ook maar eens laat onderzoeken', zei Patricia.

'Maar nee', zei Pieter.

'Waarom niet?'

'Omdat ik zeg dat jij niet ziek bent.'

'Heb je dat ook tegen Roos gezegd?' Ze klonk boos.

'Komaan,' zei Frans, 'er is genoeg ruzie geweest. We beginnen niet opnieuw. Anders gooi ik jullie er allemaal uit.'

Hij ontkurkte nog een fles wijn.

'En ze zal dus genezen?' vroeg Patricia.

Titus knikte. 'Met een pilletje.' Hij klonk alsof hij mee aan de wieg van het medicijn had gestaan.

Hoe meer wijn ze dronken, hoe minder ze begrepen wat er met Roos aan de hand was. Titus moest het telkens opnieuw uitleggen. Roos had chronische myeloïde leukemie, afgekort CML. Hij sprak het uit als 'luikemie'. Dat moest, zei hij, omdat het woord van het Grieks was afgeleid. Die myeloïde betekende dat het misging in haar beenmerg. Maar eigenlijk zat het probleem in haar chromosomen. Een stukje van het negende chromosoom had zich afgescheurd en was gefuseerd met een stukje van het tweeëntwintigste chromosoom. Dat heette een translocatie. Het gebeurde wel vaker, waarom wist men niet. Die twee stukjes vormden samen een nieuw gen en dat gen maakte tyrosine kinase aan. Tyrosine kinase was een eiwit, een enzym dat de productie van witte bloedcellen aanzwengelde. Die gingen woekeren. Er was met andere woorden een ongewenst recept in haar DNA-receptenboek binnengeslopen. Imatinib maakte het onschadelijk.

'Het is het ei van Columbus', zei hij. 'Je richt je pijlen op het schuldige eiwit. Je remt de productie van tyrosine kinase af en dus ook die van de witte bloedcellen. Geen woekering meer, en dus ook geen kanker meer. In feite ben je de kanker te snel af.'

'Laten we dan drinken op de gelukkige afloop', zei Frans.

'Op de gelukkige afloop', zeiden ze alle vier.

'Lang leve imatinib', zei Patricia.

'Op de bloeddichters!'

Pieter tikte met zijn glas tegen dat van Titus. Ze keken elkaar recht in de ogen zoals het hoorde. Pieter legde zijn hand in de nek van zijn vriend en trok hem dichter naar zich toe tot hun voorhoofden tegen elkaar rustten.

'Ze zijn weer vrienden!' riep Patricia. Ze klapte in haar handen.

'Altijd vrienden geweest', zei Pieter. Hij meende het. De ruzie was te stom voor woorden.

'Je beste vriend is ook je vijand', zei Titus rustig. Hij keek naar de wijn in zijn glas en glimlachte. 'Hij heeft de moed je vijand te zijn. We hebben vijanden nodig om te weten wie we zijn. En wie we niet zijn. Les nummer één van het bloed. Er is eigen en er is vreemd. Er is vriend en er is vijand.'

'Ik wil geen vijanden', zei Pieter.

'Het is geen kwestie van willen. Je hebt ze en je hebt ze nodig.'

'Zachte heelmeesters maken stinkende wonden', zei Patricia. 'Wie zijn kind liefheeft, spaart de roede niet.'

'Precies. Als je iemand wilt beledigen, dan praat je hem of haar naar de mond. Je geeft hem of haar altijd gelijk.'

'Toch vind ik dat we moeten ophouden met ruzie te maken. Ik kan er niet tegen. Echt niet. En Roos ook niet. Kan het dat die ruzie haar ziek heeft gemaakt? Ik heb me er ziek van gevoeld.'

'Maar nee', zei Titus. 'Zo werkt dat niet. Roos heeft domweg pech gehad.'

'Pech?'

Hij knikte. Hij hoopte dat Pieter niet dacht dat alles weer bij het oude was. Het was niet bij het oude. Er was iets veranderd. Nooit zou hij zich nog door Pieter laten overtroeven. Hij had de leiding en hij moest die in handen zien te houden. Niet alleen voor zichzelf, maar ook voor Roos. Meer dan ooit had ze iemand nodig die haar gerust kon stellen. Iemand die wist waarover hij het had. En die de puntjes zette op de i.

Voor ze gingen slapen stuurden ze alle vier een sms'je naar Roos om haar te zeggen dat ze veel aan haar dachten en haar het allerbeste toewensten. Op zijn kamer googlede Pieter het philadelphiachromosoom, maar hij was te beneveld om de informatie in zich op te nemen. Vaagweg vroeg hij zich af of

Roos ook ziek was geworden als die brief van het Rode Kruis haar niet zo ongerust had gemaakt. Misschien moest hij Titus geloven. Zijn vriend. Zijn vijand. Hij proefde het woord. Het smaakte wrang.

10

In Roos' kamer op de derde verdieping van het academisch ziekenhuis leerden ze de familie van hun zieke huisgenote kennen. En ook een beetje de familie van de vrouw in het bed
naast dat van Roos, al beperkten die contacten zich tot een
korte knik of een verontschuldiging als ze elkaar in de weg liepen. Roos' moeder, die dezelfde bleke huid had als haar dochter, stond dikwijls hoofdschuddend naar haar te kijken. 'Hoe is
het mogelijk?' zei ze. 'Wij weten niet wat ons overkomt.' Wat
later herhaalde ze het, en soms zei ze het nog een derde keer.
Nooit eerder had iemand in de familie kanker gehad, niet aan
haar kant en ook niet aan de kant van haar man. Dat was altijd
een geruststellende gedachte geweest. Genetisch was bij hen
alles in orde. Ook met hun bloed was er nooit een probleem
geweest. Tijdens haar zwangerschappen had zij zelfs nooit extra ijzer hoeven te nemen. Nooit! Háár bloed maakte alles aan
wat het nodig had én in de juiste hoeveelheden. Zij waren een
familie van gezonde mensen. Nu dus niet meer. Het klonk een
beetje alsof ze Roos dat kwalijk nam. Roos was de spelbreker.

Zij en haar man droegen kleding die nieuw leek of hooguit

een enkele keer gewassen was, alsof ze wilden bewijzen hoe smetvrij ze waren. Hun schoenen waren nooit vuil en hun haar was altijd keurig gekapt. De moeder bracht eten mee voor Roos want Roos moest goed eten, zei ze. Als ze goed had gegeten, was ze niet ziek geworden. Ook het eten in het ziekenhuis was niet gezond. Dat wist iedereen, maar niemand deed er iets aan. Een schande was het, een ware schande. Gelukkig stond er in de keuken op de afdeling een microgolfoven. Daarin warmde ze het eten voor Roos op. Veel groentjes, een stukje vis, wat rijst. Lichte kost, maar voedzaam en vitaminerijk. Er was ook een zithoek met plantenbakken, tijdschriften en gezelschapsspelletjes, en een fitnesshoekje met een hometrainer en gewichtjes. Roos' vader stond er dikwijls mee te oefenen, hoewel ze eigenlijk voor de patiënten waren bedoeld. Die hadden er meestal de energie niet voor. Dat was jammer want hun spieren smolten weg. Niet zo bij Lukas, de vader van Roos. Hij was een knappe, rijzige man die er geen geheim van maakte dat wat hem betrof mensen hun ziekte dikwijls aan zichzelf te wijten hadden. 'Niet altijd', zei hij. 'Sommige mensen hebben domweg brute pech. Misschien heeft Roos het aan zichzelf te danken, misschien ook niet. Daar doe ik geen uitspraken over. Daar kan ik ook geen uitspraken over doen. Roos vertelt ons niet hoe ze in Leuven haar leven organiseert. Daar bemoeien wij ons niet mee. Wij zijn nooit welkom geweest in de Parkstraat. Wij hebben dat gerespecteerd. Geen pottenkijkers! Maar we weten dat studenten niet altijd leven zoals het zou moeten. Ze nemen risico's. Ze spelen met vuur.' En dan ging hij weer een beetje powertrainen om te bewijzen dat als hij door een ziekte getroffen werd, hij zich niets te verwijten zou hebben.

En dan was er Jasmien, de zus die vijf jaar ouder was dan Roos en die anders dan de tien jaar oudere zus geregeld contact had met haar ouders, en ook met Roos, maar niet met Didi, want die had min of meer met de familie gebroken.

Niet min of meer, maar zelfs helemaal, maar zo zeiden ze het niet, anders leek het of het nooit goed zou komen. Ze bleven hopen. Ze leefden op hoop. De deur stond wagenwijd open. Zij hadden die niet dichtgeslagen. Aan hen lag het niet.

Jasmien had al jaren een vaste vriend met wie ze net naar een ruimer appartement was verhuisd. Zij dook in Roos' kamer onder de verfvlekken op. 'Ik was aan het schilderen', zei ze dan, en ze vertelde erbij wat: het halletje, het badkamerraam, het plafond in de keuken, het raam van de slaapkamer. Intussen krabde ze met bevlekte nagels aan de verfvlekken. Zoals elke bezoeker waste ze haar handen zorgvuldig als ze de afdeling binnenkwam, maar de verf kreeg ze daar niet mee weg. Ook onder haar nagelranden zat verf. En in haar haar, dat even blond was als dat van Roos. Het einde van haar bezoek kondigde ze aan met: 'Ik ga maar een beetje verder schilderen.' Tegen Titus zei ze dingen als: 'Ik had me jou helemaal anders voorgesteld.' Ze gaf hem nooit een kus en ze stond zo veel mogelijk met haar rug naar hem toe. Roos overstelpte ze met kussen. 'Jij moet genezen', zei ze telkens opnieuw. 'En jij zult genezen. Je moet het geloven. Het is heel belangrijk dat je het gelooft.' Vervolgens legde ze uit hoe Roos dit geloof in zich wortel moest laten schieten. Ze moest haar ogen sluiten, en zich haar lichaam proberen voor te stellen vrij van ziekte. Ze noemde het 'visualiseren'. 'Denk aan een mooie bloem of aan pas gevallen sneeuw, en visualiseer jezelf als die bloem. Of die sneeuw.' Op dat punt sloot ze meestal haar ogen. Ze hief haar handen op en liet de toppen van haar wijsvingers rusten tegen de toppen van haar duimen. 'Zie je het?'

Roos zag het niet. In haar hoofd zat een woord. 'Resistent.' Ze was imatinib-resistent. Het betekende dat het slechte eiwit nog altijd werd aangemaakt. Dat was uitzonderlijk. De meeste patiënten waren niet resistent, maar zij dus wel. Normaal hadden patiënten ook nauwelijks last van bijwerkingen.

Zij wel. Haar handen, voeten en benen waren opgezwollen. Dat kwam door waterretentie. Ze hield te veel vocht vast. Ze had resistentie en ze had retentie. En misselijkheid. Dat had ze ook. Omdat de imatinib zijn werk niet deed, kreeg ze nu dasatinib. Als ook dat niet hielp was er nog nilotinib. Daarna was de kast met wondermiddelen leeg.

'Er zit nog veel meer in de kast', zei de arts. 'De kasten in dit ziekenhuis zijn heel groot. Wij geven ons niet zo gauw gewonnen.' Ze legde haar hand even op Roos' arm om haar gerust te stellen. 'Hier mag je ziek zijn', zei ze. 'We maken je weer beter.' De arts had het ook tegen haar ouders gezegd. 'Laat uw dochter nou gewoon even ziek zijn.' Haar moeder had geknikt, maar vijf minuten later vroeg ze zich weer hardop af hoe het mogelijk was dat haar kankervrije familie door dit wrede lot getroffen werd. Ook haar vader liet het zachte verwijt van de arts niet tot zich doordringen.

'Is er een echte kast?' vroeg Roos.

'Natuurlijk', zei de arts. 'Ze is zo groot dat we er een aparte vleugel voor hebben laten bouwen.' Ze keek Roos onderzoekend aan. 'Kun je slapen?'

Roos schudde haar hoofd.

'Ik zal je iets voorschrijven.'

Iedere dag kwam er een pil bij. En iedere dag zeiden ze: 'We houden je nog even hier.' Ze zeiden het met een glimlach, zoals ze alles met een glimlach zeiden, maar Roos wist dat het geen goed teken was. Ook Titus wist het. Hij zat met zijn laptop bij haar en speurde websites af op zoek naar informatie over tyrosinekinaseremmers, alsof hij op die websites iets zou ontdekken wat de artsen in het ziekenhuis over het hoofd hadden gezien. Telkens opnieuw bestudeerde hij het papiertje waarop na elk onderzoek Roos' bloedwaarden stonden genoteerd. Ook zij had het intussen over leuko's in plaats van over witte bloedcellen. Leuko's voor leukocyten. Witte bloedcellen dus. Te veel leuko's in je bloed was niet leuk. Voor je het wist had je leukemie. De meeste artsen zeiden 'luikemie', net als Titus. Het deed haar denken aan euthanasie, een woord dat de lerares moraal op school uitsprak als 'uithanasie'. Bij het verband tussen luikemie en uithanasie weigerde ze stil te staan. En ook over haar bloedwaarden dacht ze zo weinig mogelijk na. Ze waren niet goed, maar ze zouden beter worden. Daarvoor was ze in het ziekenhuis.

Bang was ze niet meer. Daar zorgde de rustige stem van dokter Van Dijck voor. En het pilletje dat ze haar voorschreef. Een gelukspilletje. Dankzij het roze tabletje schrikte zelfs het kale hoofd van de patiënten die chemo hadden gekregen haar niet af. Ze wandelden door de gangen met hun infuuspaal als een staf op wieltjes, of ze zaten in de zithoek met bezoek te kletsen. Sommigen hadden blauwe of rode plekken op hun schedel, of plukjes donzig haar, maar dat leek hun niet te deren. En als het hun deerde, lieten ze er niets van merken. De echte zieken waren te ziek om uit hun bed te komen. Ze zag hen als de deur van hun kamer openstond, of als ze in hun ziekenhuisbed naar een andere afdeling werden gereden voor het een of andere onderzoek. Er hingen piszakken aan hun bed. Altijd moest er wel iets worden onderzocht. Dat kon. Alles kon. Aan apparaten was er in het ziekenhuis geen gebrek.

Soms ving ze in de gesprekken van de verpleging iets over hen op. Over een mevrouw die in de nacht zo veel had gezweet dat ze driemaal schone lakens op haar bed hadden moeten leggen. Over een andere van wie de borst door een ontsteking bleef zwellen en nu ook vuurrood zag. De borst was te groot om te worden onderzocht. Hij paste niet meer in het apparaat. Zoiets hadden ze nog nooit meegemaakt. Roos ook niet, en ze hoopte het nooit mee te maken. Dank u wel. Een meneer had de hele nacht op de postoel gesleten omdat hij geen luier om wilde. Een andere had onophoudelijk liggen hallucineren. Hij dacht dat er in zijn kamer gevoetbald werd en was bang dat de bal hem zou treffen. Het kwam door een medicijn, er waren meer patiënten die er last van hadden, maar hij had het wel heel erg. Grappig was het ook wel een beetje geweest, hoe hij commentaar gaf bij een voetbalmatch die er niet was. En dan de zwarte tenen van nog een andere meneer, ze konden hem zijn tweede chemo niet geven door de schimmel die aan hem vrat. De schimmel ging het halen. En, o ja, ze zouden afvallen die tenen, niets of niemand ging dat tegenhouden, zelfs niet de beste arts. Gelukkig leek de patiënt het niet te beseffen. Beter zo.

Al die mensen lagen op dezelfde afdeling als zij, maar ze leken mijlen van haar verwijderd. Dat kwam door het pilletje, veronderstelde ze, en de veilige handen van de arts waarin ze lag als in een wieg. En ook een beetje door Titus, die alles nauwlettend voor haar in de gaten hield. Ze bezwoer hem voor haar zijn studie niet te verwaarlozen, want de examens stonden voor de deur. Het zou vreselijk zijn als hij niet slaagde. Hoe ontgoocheld zou zijn moeder niet zijn. Maar kon hij alsjeblieft nog een beetje blijven? Ze voelde zich onrustig als hij er niet was.

Als ze genas, wilde ze gaan wonen in een huis zonder trap waarop ze Pieter kon ontmoeten, en ook zonder deur waarlangs ze Pieters kamer kon binnenglippen. Als ze genas, zou ze ondubbelzinnig voor Titus kiezen. Dit keer echt. Ze zou Pieters sms'jes deleten. Soms dacht ze: als ik ze delete, dan genees ik. En ze deletete er eentje. En soms nog eentje. Maar het slechte eiwit verdween niet uit haar bloed. Of ze dacht: als hij straks langskomt, dan laat ik hem vooral met Titus praten. En ze mengde zich niet in hun gesprek. Ze liet hun met elkaar praten over haar bloed. Ze kuste Pieter zelfs niet meer op de mond. Hij leek het niet te merken. Titus merkte het wel. Hem ontging niet één detail. Een arts, zei hij, mocht niets over het hoofd zien. Zelfs het futielste gegeven kon cruciaal zijn voor een diagnose.

Iets is wit of iets is zwart; iets is eigen of iets is vreemd.

Titus zou er altijd voor haar zijn. Wat er ook met haar bloed gebeurde. Hij was in geen enkele andere vrouw geïnteresseerd. Dat vond ze bijna abnormaal. Hij wilde haar zo hard dat ze zich soms gevangen voelde. Pieter had duizend-en-één vrienden en vriendinnen. Hij zou zich nooit binden, tenzij die Edith voor hem koos. En zelfs dan kon ze hem zich niet voorstellen in de rol van trouwe echtgenoot. Toch voelde ze zich bij hem soms gelukkiger dan bij Titus. Ze besefte het meestal pas achteraf, nadat ze bij hem was geweest. Ze hoorde zichzelf lachen en dacht: hé, ik ben gelukkig. Of: hé, ik denk even niet aan mijn bloed. Ze voelde zich een beetje dronken. En ook lui sensueel. Als een kat. Een panter in de zon. En ze wist: dat komt door Pieter. Door wat ze met hem had. Het was heel weinig, bijna niets, en toch betekende het heel veel. Misschien betekende het zo veel omdat het zo weinig was.

Ze verlangde niet naar hem, maar naar het geluksgevoel waarvan hij de toevallige drager was, zoals zij de drager was van ongeschikt bloed.

Bij Titus had ze troost gezocht. En zekerheid.

Die had ze nu.

Zekerheid in de liefde, onzekerheid in de gezondheid.

Een mens kon niet alles hebben.

Hoe zou het later gaan? Zouden zij en Titus bij Pieter op bezoek gaan? Of Pieter bij hen? Wat zou er gebeuren als zij en Pieter even alleen waren? Zou het verlangen zich in haar oprichten als een beer in een circustent? Zou het oplaaien?

Ook dat zat in haar bloed. Er bestond geen pil om het te verdrijven.

Ooit had ze haar moeder in de keuken betrapt. Harry, heette hij. Harry was de beste vriend van haar vader en was getrouwd met Gonda. Net als haar vader was hij lid van het Vlaams Belang. Bij elke verkiezing gingen ze samen op pad om affiches op te hangen en flyers uit te delen. Het huis kleurde geel van de Vlaamse leeuwen, die op stoelen en tafels lagen, klaar om te worden uitgedeeld. Ze zeiden dingen als 'te veel is te veel', waarmee ze de migranten bedoelden, en 'eigen volk eerst', waarmee ze zichzelf bedoelden. Gonda's moeder zat in het parlement voor het Vlaams Belang, maar zelf hield Gonda zich niet bezig met politiek. Zij gaf yoga en zat meestal met een kaarsrechte rug in lotushouding op de bank. Uren kon ze het volhouden. Zo zat ze daar dus ook terwijl haar man in de keuken een andere vrouw hartstochtelijk kuste. Roos' moeder hield de houten lepel vast waarmee ze in de saus had staan roeren. Roos had de koelkast opengetrokken en er de fles witte wijn uitgenomen die haar vader haar gevraagd had te halen. Wat later zat Harry weer keurig naast zijn lotusvrouw te praten. Haar moeder kwam met een bord met hapjes de kamer binnen. Ze zette het neer en vroeg Roos haar in de keuken te komen helpen. 'Ik kon hem niet wegduwen', siste ze tegen Roos. 'Dat zou onbeleefd zijn geweest. Plotseling stond hij in de keuken en voor ik het wist begon hij me te kussen. Als je groot bent, zul je dat begrijpen.' Vooral dat laatste had ze absurd gevonden. Ze was toen twaalfenhalf, en had zelf een vriendje. Als ze die met een ander had zien kussen, zou ze het meteen hebben uitgemaakt. Ook qua lengte moest ze toen al nauwelijks voor haar moeder onderdoen.

Ze had haar moeder moeten beloven er tegen niemand iets over te zeggen. Anders kwam er toch maar ruzie van. 'Zeker niet tegen Didi,' had ze gezegd, 'die zal het aangrijpen als excuus.' Ze had haar ogen gesloten zoals ze altijd deed wanneer dat pijnlijke onderwerp ter sprake kwam. Eens te meer had ze Didi als bliksemafleider gebruikt.

Roos had haar mond gehouden. Didi zag of hoorde ze toen

trouwens al zelden of nooit. En Jasmien zou haar niet hebben geloofd. Die zou hebben gezegd dat ze zich interessant wilde maken. Ze had het aan haar vriendje kunnen vertellen, maar ze wilde niet dat die iets slechts over haar moeder dacht. Misschien zou hij dan ook over haar slechte dingen gaan denken. De appel valt niet ver van de boom.

Ze was haar moeder en Harry blijven observeren. Ze had gezien hoe Harry even haar moeders haar aanraakte terwijl hij langs haar liep. Ze had Harry met een schaal of een kom naar de keuken zien lopen terwijl haar moeder er met het dessert bezig was. Ze had haar moeder afwezig aan tafel zien zitten tot ze plotseling het gesprek onderbrak met de mededeling dat ze naar de keuken ging. Alsof ze het aan die tafel geen seconde langer uithield.

Het had haar opgewonden. Dikwijls had ze op het punt gestaan haar vriendje er iets over te zeggen, maar nee, hij mocht geen slechte dunk krijgen van haar familie. Haar bloed. Als ze na zo'n etentje bij hem kwam, zocht ze een plek waar ze kon gaan liggen en hem als een deken over zich heen trekken. Nog voor haar dertiende verjaardag hadden ze het op een middag voor het eerst gedaan. Vroeg, vond ze, veel te vroeg, maar niet door haar schuld. Wel die van Harry en van haar ma.

Of de anderen iets zagen, wist ze niet. Ze deden in ieder geval alsof ze niets zagen. Ogenschijnlijk was er ook niets aan de hand. Trouw woonden de twee echtparen de IJzerbedevaart bij. En de IJzerwake. En het Vlaams Nationaal Zangfeest. In juli gingen ze samen een week kamperen. Harry en haar vader trainden voor de marathon. Haar moeder volgde yoga bij Gonda. Nog altijd trouwens. 'Ik heb daar zo'n deugd van', zei ze. Ze vond dat ook Roos aan yoga moest gaan doen als ze weer beter was. 'Het maakt je rustig. En sterk. Het geeft je zelfvertrouwen.'

Misschien had iedereen een bijman of een bijvrouw nodig.

Iemand die de scherpe kantjes van de officiële partner draaglijker maakte. Roos' vader was een strenge man, die mensen woog en dikwijls te licht bevond. Jasmien wond hem om haar vinger. Ze veinsde interesse voor de Vlaamse zaak en was zelfs lid geweest van het NSV, de Nationalistische Studentenvereniging. Om hem plezier te doen. Soms deelde ze samen met hem pamfletten uit op de markt als er weer eens verkiezingen waren. 'Hij bedoelt het goed', hield ze vol. Zij en haar vriend waren bedreven tennisspelers, en af en toe speelden papa en haar vriend een match, of Jasmien en papa, al won hij dan altijd. Dat vond Jasmien niet erg. 'Ik laat hem winnen', zei ze. 'Hij wint zo graag.'

De bijman of bijvrouw maakte de scherpe kantjes draaglijk, maar ook zichtbaar. Wie altijd in een koelkast leeft, beseft niet dat het koud is. Pas wanneer je uit de koelkast stapt, denk je: wat is het hier lekker warm. En zelfs als je uit vrije wil naar de koelkast terugkeert, zal het nooit meer dezelfde koude zijn. Het wordt een idiote koude. Stompzinnig want niet noodzakelijk. Voortaan is er altijd het besef: warm kan ook.

Door bij de een te zijn, besefte ze wat ze bij de ander miste. Nooit zou ze Titus zo scherp hebben kunnen zien als Pieter er niet was geweest. En omgekeerd.

Als bomen hun blaren niet verloren, zou er geen zomer bestaan. Dagen zouden eeuwig duren, als het nooit donker werd. Zonder grote mensen in de buurt zou niemand klein worden genoemd. Vrouwen bestonden, omdat ook mannen geboren werden. Als iedereen van iedereen hield zou niemand weten wat liefde was. Wrevel zou betekenisloos zijn als we ons permanent ergerden. Elke eigenschap, hoe futiel ook, ontleende haar naam aan haar tegenpool.

Titus was haar te ernstig. Bloedernstig. En misschien was hij haar ook een beetje te streng. Net als haar vader. Was dat niet bizar?

Pieter was voor niemand streng. Toch was hij geen doetje.

Pieter ziet míj, dacht ze. Titus ziet mijn bloed.

Ze probeerde de gedachte te verdringen, maar die wilde niet weg. Was het waar? En als het waar was, kon ze het hem verwijten? Was ze niet met die vreselijke brief van het Rode Kruis naar hem geheld juist omdat hij zo veel afwist van bloed?

De gedachte liet haar niet los. Ze nestelde zich in haar hersenen en legde een diepe frons in haar voorhoofd. Door iedereen werd hij opgemerkt, eerst door de verpleger die haar temperatuur en polsslag kwam opmeten. Met zijn vinger wreef hij de frons glad, maar nog geen seconde later was hij daar opnieuw. De werkster fronste haar voorhoofd bij het zien van de rimpels in dat van Roos. Ze klakte met haar tong. Als de klokken in Rome luidden, zouden de rimpels nooit meer verdwijnen, waarschuwde ze. Dan was haar voorhoofd voor de rest van haar leven geribbeld als het Noordzeestrand bij eb. Jasmien, die onderweg naar de kapper even bij haar zus binnensprong, ging de frons meteen te lijf. 'Positief denken, lieve zus. Geen sombere gedachten. Je bent meer dan je bloed!'

'Dat is het hem juist. Zolang ik hier lig, ben ik alleen maar mijn bloed.'

'Zo mag je niet denken. Visualiseer die gedachte en ruk hem uit je hoofd. Niet jij bent ziek, maar je lichaam. Beschouw het ziekenhuis als een garage waar je je lichaam hebt geparkeerd om het te laten herstellen. Jij bent elders.'

'Was dat maar waar!'

De frons maakte plaats voor tranen. Ze persten zich langs de barrière die het gelukspilletje had opgericht. Ze rolden over haar bleke wangen.

'Niet huilen', zei Jasmien ontdaan. 'Zeg: ik word beter. Komaan. Doe het.'

'Ik word beter', zei Roos, maar de tranen geloofden haar

niet. Of ze geloofden haar wel, maar ze bleven rollen. Jasmien overlaadde haar zus met kussen en knuffels. 'Zusje, zusje, jij wordt beter. Jij moet beter worden. Ik wil het.' Maar ook bij haar welden de tranen op. Want nu was daar de gedachte aan Didi, hun verloren zusje. Moest zij niet op de hoogte worden gebracht?

Jasmien durfde Didi niet ter sprake te brengen. Blije gedachten! Positieve energie! Papa had gezegd: 'We zullen met Didi contact opnemen, als het nodig is.' Wanneer was dat? Roos had weinig herinneringen aan Didi. Zij was pas zes toen Didi bij haar vriend was gaan wonen. Na nog geen half jaar was het uitgeraakt. Didi was weer in haar oude kamer getrokken, maar lang had ze het daar niet uitgehouden. Ze hadden haar minder en minder gezien. Als ze kwam hield ze haar bezoekjes kort, maar in die beperkte tijd slaagde ze erin papa op stang te jagen. Op een dag had hij haar gezegd dat ze maar beter helemaal kon wegblijven. 'Het is iets met dat huis', had Didi tegen Jasmien gezegd. 'Zodra ik er binnenstap, kan ik niet meer ademen. Die strenge blik van papa. Het kruisverhoor waaraan hij me onderwerpt. Zijn preek over de Vlaamse waarden en Vlaamse identiteit. En dan dat krampachtige van mama, haar dwangmatige opruimen en poetsen omdat papa het wil, terwijl zij waarschijnlijk net zo slordig is als wij.'

Ooit hadden papa en Didi een oorlog ontketend omdat Didi papa's tennisracket in de tuin had laten slingeren. Het lag daar prima, zei ze, klaar voor het volgende spel. Zolang het niet regende, was er geen enkele reden om het naar binnen te halen. Papa had Jasmien en Roos verboden het racket op te rapen. Didi moest dat doen. En uiteindelijk had ze het ook gedaan, op zijn Didi's, fluitend en met een brutale grijns.

Didi was de mooiste van hun drieën. Ze had papa's lengte en regelmatige trekken geërfd, wat best ironisch was, omdat die twee als water en vuur waren. Van hun drieën leek Jasmien het meest op hun moeder. Roos was een perfecte mengeling van de twee. Qua uiterlijk, althans.

Nee, dacht Jasmien terwijl ze de frons in Roos' voorhoofd wegmasseerde, ze zou Roos niet aan Didi herinneren. Didi, die nooit aan hun verjaardagen dacht, die nooit meer op een sms'je reageerde, die niet op Facebook zat, die op haar Hotmailadres niet meer te bereiken viel, die haar zusjes niet leek te missen. Roos moest aan zonnige dingen denken. Ze moest blij zijn en opgewekt.

Jasmien sloeg haar armen om haar zus en knuffelde haar zo hard als ze kon.

'Ik duw al het slechte uit jou weg. Voel je het?'

Roos knikte. Maar de frons bleef koppig zitten waar hij zat.

'Hoe voelen we ons vandaag', vroeg dokter Van Dijck.

'Opgezwollen.' Roos keek naar haar benen.

'Je krijgt nog altijd lasix?'

Roos knikte. 'En ik kan plassen.'

De arts keek haar met een geruststellende glimlach aan. Roos kende haar intussen genoeg om te weten dat ze iets te vertellen had. Iets wat Roos niet graag zou horen.

'Er is slecht nieuws maar er is ook goed nieuws, Roos. Het slechte nieuws is dat de resultaten van dasatinib wat tegenvallen. We hadden er meer van verwacht.' Het klonk alsof het medicament met een beetje goede wil het gemene eiwit had kunnen verslaan. 'We stappen nu over op nilotinib. Dat is het goede nieuws. We hopen daarmee het eiwit uit je bloed te krijgen.'

'En als dat niet lukt?'

'Laten we niet op de zaken vooruitlopen. We gaan ervan uit dat het met nilotinib lukt. Er is geen reden om zo ernstig te kijken.' Op haar beurt probeerde ze met een vinger Roos' voorhoofd glad te strijken.

Roos vond haar een knappe en stijlvolle vrouw. Haar jas hing altijd open zodat iedereen kon zien hoe smaakvol ze gekleed ging. Meestal droeg ze een rok of een jurk en schoenen met vrij hoge hakken. Aan de manier waarop ze de kamer binnenkwam, wist je zo dat ze geen verpleegkundige was. Ze zou best wel veel verdienen, vermoedde Roos.

Nog voor het duidelijk werd dat ook nilotinib er niet in zou slagen de productie van tyrosine kinase stil te leggen, stelde Pieter aan tafel in het huis in de Parkstraat voor om met zijn allen beenmerg te gaan geven. Frans had net met een krachtige boer zijn waardering voor het eten laten blijken. Patricia had iets Thais gewokt met koriander en kokos. Of Titus had gemerkt wat hij gegeten had was niet duidelijk. Hij zat alweer achter zijn laptop.

'En waarom zou je dat doen?' vroeg hij zonder van zijn scherm weg te kijken.

'Om dezelfde reden waarom we bloed zijn gaan geven. Levens redden. Solidariteit betuigen. Bloedbanken hebben beenmerg nodig.'

'Je kunt je als donor opgeven, maar de kans dat je effectief opgeroepen wordt is heel klein. Als je me even de tijd geeft, zal ik je precies laten weten hoe klein.' Geconcentreerd staarde hij naar het scherm. 'Oké, ik zit nu bij Europdonor en ik klik op donors. Hier komt het. De kans dat je opgeroepen wordt voor bijkomende tests bedraagt 2 procent. In één op de tien gevallen zal dan blijken dat ze je daadwerkelijk kunnen gebruiken. Dat betekent 0,2 procent. Als er zich vijfhonderd donoren aanmelden wordt er uiteindelijk eentje gebruikt. En dan zal die hoogstwaarschijnlijk geen beenmerg geven, maar stamcellen.' Titus keek van zijn laptop op. 'Daartussen zitten er misschien hooguit tien hematopoëtische. Maar die volstaan.'

'Hoe groot is de kans bij spermacellen?' vroeg Frans. 'Als

iemand sperma geeft, wordt dat dan altijd gebruikt?'

'Als het goed sperma is, zou ik denken dat de kans heel groot is. De spermabanken smeken om sperma. Ga sperma geven, Pieter, als je je medemens per se wilt helpen.'

'Geef jij sperma?' vroeg Patricia.

Titus schudde zijn hoofd.

'En jij, Frans?'

'Ik deel het gratis uit op de markt. Niemand wil het hebben.'

'En de Aardbeienkoningin?'

Frans zuchtte diep. 'Ik denk dat ik mijn aandacht zal verleggen naar de Pruimenkoningin.'

Patricia schoot in de lach. Schuldbewust sloeg ze haar hand voor haar mond. 'Hoe kan ik lachen terwijl Roos zo ziek is?'

'Waarom zouden we niet mogen lachen?' vroeg Pieter. 'Ook Roos moet lachen, veel lachen. Dat is goed voor haar. Titus, zeg wat we moeten doen om ons op te geven als donor en dan doen we dat.'

'Jij gaat het doen', zei Titus rustig.

'Zou het niet fantastisch zijn', zei Pieter, 'als een van ons stamcellen had die Roos kunnen redden?'

'Zo werkt het niet', zei Titus.

'Hoe werkt het dan wel?' vroeg Patricia.

Alle vier keken ze naar Titus. Hij klapte zijn laptop dicht.

'Ik moet naar het ziekenhuis.' Het klonk alsof hij een levensreddende operatie ging uitvoeren.

'Geef haar een kus van mij', zei Patricia.

'Van mij ook', zei Pieter.

'En van mij', zei Frans.

Toen hij de deur uit was, zette Patricia haar eigen laptop aan en surfte naar een paar websites. In minder dan geen tijd had ze ontdekt dat een stamceldonor dezelfde HLA-typering moest hebben als de ontvanger. Ook bij witte bloedcellen bestonden er bloedgroepen, die net zoals bij rode bloedcellen op basis van antigenen in het celmembraan werden bepaald. Ze werden HLA genoemd, humane leukocyten antigenen, antigenen die op de leukocyten of witte bloedcellen zaten. Antigenen. Daar had Titus het zo vaak over gehad toen ze bloed waren gaan geven. Het eiwit dat antistoffen genereerde wanneer het in een lichaam terechtkwam dat die antigenen niet had. Die antistoffen schakelden de cel uit waarop de antigenen zaten. Dat kon een bacterie zijn, maar ook een bloedcel, een rode zowel als een witte.

Hoe meer ze erover las, hoe minder absurd Pieters opmerking leek. Het was niet uitgesloten dat een van hen stamcellen had die Roos konden redden. Die stamcellen zouden in Roos' beenmerg witte bloedcellen aanmaken met antigenen die niet als vreemd zouden worden ervaren. Ze zouden geen antistoffen opwekken en dus ook niet uitgeschakeld worden.

Ook Titus had gelijk. Zo werkte het inderdaad niet. Als Roos een transplantatie nodig had, zouden ze eerst binnen de familie op zoek gaan naar een donor, en pas daarna zouden ze een MUD zoeken, een matching unrelated donor. Die was per definitie anoniem. Geen vriendje dus. En ook geen vriendinnetje.

Ze keek naar Pieter en naar Frans, die samen de afwas stonden te doen. Pieter stond op blote voeten, Frans was op zijn sokken; Frans waste af, Pieter droogde af; Pieter was groter, Frans molliger. Pieter studeerde psychologie, Frans handelswetenschappen. Wat was het belangrijkste: overeenkomsten of verschillen?

'Wat een geluk dat ze twee zussen heeft', zei ze.

'Twee?' vroeg Pieter. 'Ik ken alleen Jasmien.' Hij nam een bord, keek ernaar en legde het opnieuw in de wasbak.

'Hé', zei Frans.

'Het is nog vuil', zei Pieter.

'Er is nog een zus,' zei Patricia, 'maar die ziet ze nauwelijks of niet. Ze is een heel stuk ouder dan Roos. Tien jaar of zo. Helemaal in het begin toen we hier woonden is Jasmien op een avond langs geweest en toen hebben ze erover verteld. Dat was voor jouw tijd, Pieter.'

'Is Jasmien hier geweest?' vroeg Frans.

'Ze kwam een microgolfoven brengen die ze niet meer nodig had. Maar hij werkte niet. Herinner je je dat niet meer?'

'Misschien was ik niet thuis', zei Frans.

'Komaan', zei Pieter. 'Was eens deftig af.' Dit keer liet hij bestek in de afwasbak vallen.

'De kans dat de stamcellen van een broer of een zus geschikt zijn is één op vier. Met twee zussen wordt dat twee op vier, veronderstel ik.'

'En nul op vier als je enig kind bent zoals ik', zei Frans. 'Deze pan ga ik niet schoonmaken. Die staat hier al meer dan een week. Wie heeft dit gedaan?'

'Ik', zei Pieter. 'Ik had zin in pap.'

'Aangebrande pap. Ik gooi die pan weg.'

'Ben je gek?'

'Nee, ik ben niet gek. Die pan is god-weet-wanneer door mijn oma gekocht. Wie weet heeft zij hem van haar oma. Mijn familie houdt alles bij alsof het een klomp goud is. Ik kan niet bij mijn ouders komen, of mijn moeder heeft spullen van een grootoom of een groottante. En dan hoopt ze dat ik haar om de hals val en bedank omdat ik die rommel mag hebben. Want het is een familiestuk. Een erfstuk. Deze pan heeft haar diensten bewezen en mag nu rusten op het stort.' Hij trok de vuilniszak open en liet de vieze pan erin vallen. Terwijl hij de schotelvod greep om het aanrecht schoon te maken, ging een gsm. Het was die van Pieter. Ook Patricia greep naar haar gsm. Alweer geen berichtjes. Haar minnaressen hadden zich met elkaar verzoend. Zij hadden hun keuze gemaakt. En ook voor haar hadden ze de keuze gemaakt. Beter zo, dacht ze met een zucht. Ze miste hen. Ze miste hen allebei.

II

Jasmien zat op het toilet voor bezoekers met de handtas van haar moeder op haar schoot. Roos had een toilet op haar kamer, maar die gebruikte ze liever niet. Het was een toilet voor zieke mensen. En Roos was ziek. Heel erg ziek. Zo ziek dat ze nieuw bloed moest krijgen. Niet een transfusie, maar een hele nieuwe bloedfabriek. De hare deugde niet. Vroeger wel, maar nu niet meer. Waarom kon niemand zeggen. Het gebeurde soms gewoon, zei dokter Van Dijck. Ze hoefden er niets achter te zoeken. Hoe Roos geleefd had maakte totaal niets uit. Ook voeding speelde geen rol. Bij sommige mensen verliep de vermenigvuldiging van chromosomen niet zoals het hoorde. Er ontstond een afwijkend chromosoom. Waarom? Daarom. Dat de medicijnen die Roos had gekregen niet hielpen, ook dat gebeurde soms. En dat er bij de resistente patiënt een blastencrisis uitbrak, hadden ze in het ziekenhuis helaas ook wel vaker meegemaakt.

Shit happens.

Het woord 'blastencrisis' gaf Jasmien zin om vreselijk hard te gillen. Als een loeiende sirene. Een blast was een onrijpe witte bloedcel. Als die ging prolifereren, verziekte de boel. Prolifereren betekende dat er heel veel van werden aangemaakt. Zo veel dat alle andere cellen in de verdrukking kwamen. Die hadden bij wijze van spreken geen ademruimte mee.

Te veel is te veel. De gevleugelde woorden van haar vader. Waarvan de juistheid hierbij bewezen werd.

Titus was lijkbleek geworden toen hij het hoorde. Hij had zich gewoontegetrouw achter zijn laptop verstopt, terwijl Roos op dat moment iemand nodig had die haar vastpakte en steunde. Ook haar ouders stonden aan de grond genageld. Gelukkig was zij er geweest om Roos in haar armen te sluiten en te zeggen dat alles goed zou komen. Ze moest geloven, blijven geloven. En ook zij, Jasmien, geloofde. Geloof was hun enige redding. Roosje zou weer de oude worden. Ze zou genezen.

Als je ergens in een afgelegen dorp in Afrika een blastencrisis kreeg, konden ze meteen je graf delven. Maar zij woonden niet in Afrika. Godzijdank.

Ook Titus moest geloven. Hij moest ophouden met daar zo verkrampt te zitten met zijn laptop op zijn schoot. Hij maakte Roos bang en hij maakte haar bang. En angst was iets wat ze nu konden missen. Als de pest. Hij zou beter een voorbeeld nemen aan dokter Van Dijck. Zij stelde hen telkens opnieuw gerust. Er was geen reden tot paniek, zei ze. Alles was onder controle. Een chemokuur zou de blastencrisis bezweren. En daarna kreeg Roos een SCT, een stamceltransplantatie.

Voor elke kwaal een medicijn.

Jasmien mocht niet denken aan de mogelijkheid dat de chemokuur niet hielp. Die gedachte moest meteen uit haar hoofd.

Dokter Van Dijck had er geen doekjes om gewonden. De helft van de patiënten overleefde het, de andere helft niet. 'Maar we gaan ervan uit dat Roos het haalt.' Ze had Roos' hand vastgenomen en haar met een geruststellende glimlach in de ogen gekeken. Daar waren ze in het ziekenhuis erg goed in: geruststellen. Zo bleven de patiënten kalm. Rustig en kalm. En ook zij moest kalm blijven. Ze mocht niet gillen. Roos had haar meer dan ooit nodig. Met een beetje geluk was zij een geschikte donor. En anders was er Didi. Met twee siblings mocht Roos van geluk spreken. Meer en meer patiënten hadden er maar één. Of helemaal geen.

'We zullen Edith moeten verwittigen', had papa gezegd. Hij gebruikte Didi's officiële naam. Jasmien kon zich niet herinneren dat hij dat ooit eerder had gedaan. Doodsbang maakte het haar.

'Weten jullie waar ze woont?'

Haar moeder had geknikt.

Dat hadden ze haar wel eerder mogen zeggen. Vond Jasmien.

'Joost mag weten waarom ze zich in Zwelegem is gaan begraven. Wij nemen onze verantwoordelijkheid', had ze er cryptisch aan toegevoegd.

Het ziekenhuis bemoeide zich niet met het opsporen van verloren zonen of dochters. Het ziekenhuis was geen detectivebureau. Ook zagen artsen het niet als hun taak om familietwisten op te lossen. Of vetes. Ze hadden wel wat anders aan hun hoofd.

'Wij zetten niemand onder druk om stamcellen af te staan. Als mensen om welke reden dan ook geen donor willen zijn, respecteren wij die keuze. Ook als ze terugkrabbelen, oefenen wij geen druk uit. Als er iets privé is, zijn het je stamcellen wel.'

Jasmien had geknikt, al had ze nooit eerder een seconde aan haar stamcellen gedacht. Ze wist nauwelijks dat ze die had. Hoe konden ze dan privé zijn?

Dokter Van Dijck zei dat ze een roman kon schrijven over

wat ze soms meemaakte. Er was zelfs stof voor een trilogie. Het gebeurde dat patiënten niet de zoon of dochter waren van de man die ze als hun biologische vader beschouwden. 'Wij zien dat aan de waarden die voor ons liggen, maar wij zeggen het niet. Waarom zouden we?' Slapende honden hoefden niet te worden gewekt. Er liepen genoeg wakkere honden rond. Sommige likten je hand, andere gromden boosaardig. Ooit had een man een groter deel van de erfenis opgeëist in ruil voor wat beenmerg. Hij werkte als zelfstandige en was bang dat hij zonder inkomen zou komen te zitten als er iets fout ging. In die tijd waren er risico's aan verbonden. Nu was dat gelukkig niet meer het geval. Er kwam geen narcose meer bij kijken. Het kostte alleen wat van je energie en tijd. Meestal waren mensen euforisch als ze hun zieke broer of zus konden helpen. En aangeslagen als bleek dat het niet kon. Dokter Van Dijck had naar Jasmien gekeken. 'Eén kans op vier heb je. Dat is best veel.'

Best veel, best veel, maar wat als ze níét geschikt was? En wat als ze Didi niet konden bereiken? Of als ze weigerde te helpen? Met Didi wist je het nooit. Roos was begonnen aan een inductiekuur van zeven dagen. De chemo zou haar beenmerg helemaal leeg maken. Na drie weken zou de bloedproductie weer op gang komen. Dan konden ze onderzoeken of het slechte eiwit wegbleef. Er mocht geen spoor van overblijven. Daarna zou Roos een allogene stamceltransplantatie krijgen, bij voorkeur van een van haar zussen. Het meest bij voorkeur van Jasmien. Dat bespaarde het gedoe met Didi. Want gedoe zou het zijn. Daar durfde ze vergif op in te nemen.

Morgenvroeg werd bloed van haar getrokken om haar HLA te typeren. Misschien had ze dezelfde HLA als Roos, misschien ook niet. Hun ouders hadden elk HLA van hun vader én van hun moeder gekregen. Als zij de HLA van de opa's had geërfd, en Roos die van de oma's, dan was er geen enkele overeenkomst. Je kon het niet raden. Je kon niet zeggen: die zussen lijken sterk op elkaar, ze zullen wel dezelfde HLA-typering hebben. Alleen bij eeneiige tweelingen wist je het zonder onderzoek.

Het was mogelijk dat zij en Didi volmaakt matchten, maar dat ze geen van beiden Roos konden helpen. Dan had Roos andermaal pech.

Als zij noch Didi Roos kon redden, ging het ziekenhuis op zoek naar iemand met dezelfde HLA-typering. Dat zou geen bloedverwant zijn, maar een anonieme donor, die in Groot-Brittannië kon wonen, of in Duitsland, of in Nederland. Maar eigenlijk, dacht Jasmien, was die man of vrouw dan meer een bloedverwant van Roos dan haar eigen bloedverwanten. Als je ver genoeg terugging waren alle mensen bloedverwanten, veronderstelde ze. Of DNA-verwanten. Zo eigenaardig was het dus niet. Tegelijkertijd verwarde het haar. Wat betekende bloedverwant als je bloed niet verwant was? Of onvoldoende verwant om elkaars leven te redden?

Van de zenuwen had ze diarree gekregen. Zouden ze dat aan haar bloed kunnen zien?

In de handtas op haar schoot stak de gsm van haar moeder. In die gsm stak een nummer voor Didi. Ze wilde het hebben.

De laatste keer dat ze Didi had gezien, had ze net een nieuwe vriend. 'Ik ben zo verliefd', had ze gezegd. Nooit eerder had iemand haar zo veel liefde gegeven. Het leek wel een bad waarin ze zwom. Didi was altijd wel op iemand verliefd. Later was ze nostalgisch geworden. En zelfs een beetje sentimenteel.

Haar laatste sms'je dateerde van twee Kerstmissen terug. Het zat nog altijd in haar gsm. Didi had intussen haar gsm-nummer veranderd, maar Jasmien bewaarde het berichtje toch. 'Ja, laten we afspreken. Een witte Kerst!' Sms'jes waren perfect om je achter te verbergen. Ze deed het zelf ook met vrienden of vriendinnen die ze wilde dumpen. Je bleef sms'jes sturen om te zeggen dat je zou afspreken, maar je deed het nooit. Als je gebeld werd, nam je niet op. Je hoopte dat de boodschap werd begrepen.

Ook onrechtstreekse boodschappen konden pijnlijk zijn.

De tas van haar moeder plakte aan haar blote dijen. En de diarree in de pot stonk. Misschien had zij ook kanker. Darmkanker of zo.

Zo meteen merkte haar moeder dat haar handtas niet meer op de vensterbank van Roos' kamer stond. Jasmien ritste de tas open en pakte de gsm. Ze had dokter Van Dijck niet durven zeggen dat ze panisch voor naalden was. En voor bloed. Het was echt niet het moment om flauw te doen.

In het huis aan de Parkstraat boorde Titus een gat in de woonkamermuur. De boor verpulverde de baksteen die daar al jaren zat. Rood stof sijpelde uit het gat en trok een rood spoor op het behangpapier dat er al jaren hing. Titus dacht aan de donzen streep tussen Roos' navel en schaamhaar. Ook dat dons zou ze straks verliezen, veronderstelde hij. Niet aan denken. Niet aan denken. Hij hield op met boren, pakte de schroef. Nog niet diep genoeg. Hij duwde de boor dieper in het gat. Een dartbord moest stevig worden verankerd. Wie had het bord in de kelder bij zijn moeder thuis opgehangen? Hij herinnerde het zich niet. Waarschijnlijk had zijn opa dat gedaan. Mijn opa, mijn opa, in heel de wereld is er niemand zoals hij. Hij begon het liedje opnieuw te zingen, dit keer hardop. De boor overstemde hem. Voorzichtig, Titus, straks zit je door de muur. Dat zullen de grootouders van Frans niet leuk vinden. En ook Frans zou het niet waarderen. Frans had ze allemaal nog: ouders, grootouders aan beide zijden. Er werd maar niet gestorven in zijn familie. In de zijne wel. En nu dreigde ook Roos … Stop, niet aan denken.

De erfgenaam noemde hij Frans in gedachten. Frans torste

de vele bezittingen van zijn familie. De rijke grootouders hadden één dochter, en die ene dochter had één zoon: Frans. Het familiepatrimonium omvatte vier huizen, drie appartementen en ettelijke hectaren landbouwgrond. Wat moest Frans daar straks mee aanvangen?

Titus mocht van geluk spreken. Het enige wat hij van zijn opa had gekregen was zijn bloed. Goed bloed. En een mes om in zijn vingers te kerven. Wat had een mens meer nodig?

Het gat was diep genoeg. Hij duwde de plug erin en draaide de schroef vast. Roos kreeg nu cytarabine gecombineerd met imatinib. De grote afbraak was begonnen om daarna weer op te bouwen. Hij kende het principe. En de neveneffecten: infectiegevaar, bloedingen, kotsen, droge mond, blaren op voetzolen en handpalmen … Stop. Niet aan denken. Geloven wat Jasmien tegen Roos had gezegd: 'Alles komt goed.' Wat wist Jasmien ervan?

Hoe minder een mens wist, hoe makkelijker het was om in de goede afloop te geloven. Van wat dan ook.

Had hij ooit gedacht dat het zover zou komen? Ja. Nee. Hij wist het niet meer. Wel wist hij hoe bang hij was geweest toen het Peruviaanse meisje was gestorven. Marita. Dokter Van Dijck had hem toen bloed laten trekken. Zijn eerste keer. Hij veronderstelde dat ze het zich niet herinnerde. Hij wel. Te quiero mucho. Het klonk zo veel mooier in het Spaans. Zo veel zachter.

Hij schoof de sofa van Frans' grootouders opzij en rolde het kleed op. Hij had in geen maanden gespeeld, tenzij je die keer meerekende dat hij jacht op Pieter had gemaakt. Als twee honden vechten om één been, loopt de dood ermee … Stop.

Hij kon niet liegen tegen Roos. Hij kreeg de woorden niet over zijn lippen die ze nu wilde horen. Pieter was daar beter in. Maar Pieter wist niet wat er allemaal fout kon gaan. En als hij het wist, negeerde hij het. De optimist. De believer.

Misschien was het beter zo. Je moest geloven. Zonder geloof was je verloren. Was hij verloren?

Hij pakte een pijltje en gooide het in de roos. Tien getallen. Daar ging het nu om. Jasmiens HLA-typering zou worden uitgedrukt in tien waarden. Twee kolommetjes van vijf. Links wat van de vader kwam, rechts wat van de moeder kwam. Twee waarden voor de A-locus, twee voor de B-locus, twee voor de C-locus, en dan nog eens twee elk voor de DR-locus en de DQ-locus. Als die alle tien overeenkwamen met die van Roos, dan was Jasmien een perfecte match. Of ook hun bloedgroep overeenkwam was van ondergeschikt belang. De kans was groot dat Jasmien ook O-positief zou zijn, maar zelfs als dat niet zo was, bleef ze een goede match. Het zou helemaal mooi zijn als ze geen van beiden ooit geïnfecteerd waren met CMV. Dat was een gniepig virusje waar een gezonde, sterke mens geen hinder van ondervond, maar dat een leukemiepatiënt fataal kon worden. Helaas was de lijst erg lang van virussen en bacteriën die voor een leukemiepatiënt het einde konden betekenen. Niet vanwege de leukemie, wel door de remedie ertegen. Je haalde alle leukocyten weg. Met andere woorden, je legde iemands immuniteitssysteem plat. De dip, heette het. Je bracht patiënten in de dip. En je hoopte dat je de kwalen waarmee ze af te rekenen kregen onder controle hield. Ook schimmels kregen vrij spel. Die hadden exotische namen als aspergillus en candida. Ze klonken onschuldig, maar ze waren het niet.

Hij mikte een pijltje in het hoogste vakje. Vervolgens eentje in het vakje ernaast. En dan in het vakje weer daarnaast. Hij liep naar het bord en trok er zijn pijltjes uit. En hij mikte opnieuw. Hij volgde de wijzers van de klok. Ook deze drie waren raak. Als hij alle tien de pijltjes in het juiste vakje kon planten, was Jasmien een geschikte donor. Er mocht eindelijk goed nieuws komen. Opnieuw trok hij de pijltjes uit het bord, opnieuw mikte hij. Ook het zevende pijltje miste zijn vakje niet. Zijn hand ging omhoog. Nauwelijks merkbaar kneep hij zijn ogen samen. Nu kwam het achtste vakje. Nummer vijftien op het bord. Er zat een centimeter tussen de twee draden die het vakje afspanden. Meer had hij niet nodig. Zijn pols bewoog achterwaarts, klaar om kracht op het pijltje te zetten. Zijn gsm rinkelde. Het pijltje ketste af op de draad en viel op de grond. Vloekend viste hij zijn gsm uit zijn broekzak. Het was zijn moeder. Hij drukte op het rode hoorntje. Hij was niet in de stemming om met haar te praten. Hij was niet in de stemming om met wie dan ook te praten.

In de fietsenstalling van het ziekenhuis nam Pieter een witte jas uit zijn fietstas. Hij stopte hem onder zijn arm en sloot zijn fiets af. Het bezoekuur was afgelopen, maar met deze jas kon hij op elk uur van de dag en nacht overal in het ziekenhuis vrij rondlopen. Voor drie euro had hij hem op eBay gekocht. Een kleine investering met goed rendement. Sinds Roosje hier lag was hij zich bewust van de honderden mensen die iedere nacht in een ziekenhuisbed de slaap moesten vatten. En dan waren er ook nog eens gevangenisbedden. Hoeveel mensen waren dat in Leuven alleen? Duizend? Tweeduizend? Minder? Meer?

Hij trok de jas aan, streek de panden glad en stopte een pen in het borstzakje. Met een korte knik liep hij voorbij de nachtwaker. Het winkeltje waar je bloemen, kranten en knuffeldiertjes kon kopen was gesloten. Bij Roos mochten hoe dan ook geen bloemen of plantjes op de kamer staan, maar ze hoefde niet in een kiemvrije kamer te liggen. Hematologen hadden beseft dat het grootste infectiegevaar van de patiënt zelf kwam. De dunne darm zat tjokvol bacteriën en dus spoelden ze hem met antibiotica leeg. Slim was dat.

Op de derde verdieping waste hij zijn handen met het zeeppompje dat in het sas tussen de twee sluisdeuren hing. Hij duwde op de knop. De tweede deur zwaaide open. Zoals altijd rond dit uur was het stil op de afdeling. Een verpleegster liep op verende zolen naar een kamer. Ergens drupte een kraan. Iets tikte. In Roosjes kamer was het licht al uit maar aarde-donker was het er niet. Hij hurkte naast haar bed. De zak vloeistof aan het infuus was bijna leeg. Hij liet zijn armen op haar matras rusten en keek naar haar slapende gezicht. Met zijn wijsvinger wreef hij over haar bovenlip. Droog. Alles in haar droogde op. De chemo maakte haar slijmvliezen kapot. Collateral damage. Het gebeurde ook in haar vagina. Mis-schien kwam het daar zelfs nooit meer goed. Was haar dat gezegd? En dat ze waarschijnlijk geen kinderen zou kunnen krijgen, wist ze dat?

'Slaap maar', zei hij in de hoop haar wakker te maken.

'Wie is daar?' vroeg de vrouw in het bed naast dat van Roos.

'Ik ben het', zei Pieter zacht. Hij ging staan zodat de vrouw hem in het halfduister kon zien.

'Is er iets, dokter?'

'Alles is in orde', fluisterde hij. 'Ik ben de zandman.'

'De zandman?'

'Ja. Ook in jouw ogen heb ik een beetje zand gestrooid. Zo meteen val je weer in slaap.'

Hij drukte een kus op Roos' voorhoofd en verliet de kamer. Voor hij zijn fiets losmaakte, zette hij zijn gsm weer aan. Nie-mand had hem gebeld of ge-sms't.

12

Het verbaasde dokter Van Dijck niet dat de verloren zus een perfecte match bleek te zijn. Zo ging het wel vaker, alsof de natuur mensenkinderen voor schut wilde zetten. Maar zelfs dat hoefde je er niet achter te zoeken. De natuur hield geen rekening met mensendromen of mensentwisten. De natuur was de natuur. Die ging haar gang. Het bewees eens te meer dat je aan een match niet te veel belang hoefde te hechten. Voor de transplantatie was het van cruciaal belang, maar het zei niets over de band die mensen al dan niet met elkaar voelden. Of over de verwantschap die ze ervoeren. Siblings met dezelfde HLA-typering waren niet meer elkaars broer of zus dan siblings met verschillende HLA. Het was een kwestie van getalletjes. Als er minimaal acht overeenkwamen kon er worden getransplanteerd. Bij acht was het risico vrij groot. Negen was beter en tien was ideaal. Einde verhaal. Nou ja, ideaal was veel gezegd. Er kon ontzettend veel fout gaan, maar de eerste stap was gezet.

De teruggevonden zus leek op Roos. En op de vader. Met wie ze liever niet te veel te maken wilde hebben. 'Anders gaan we toch maar staan schreeuwen tegen elkaar.'

Ze had haar gezegd dat die dingen geregeld konden worden. Eigenlijk bedoelde ze: het valt te regelen, maar je moet het zelf doen. Ze wilde de zus niet op stang jagen. Roos had haar nodig.

'Het moet verschrikkelijk voor hem zijn', had de zus gezegd. 'Hij wilde perfecte kinderen, een perfect gezin. En nu is een van zijn kinderen ziek. Wij moesten altijd maar sporten, en sterk en weerbaar zijn. Koude douches nemen en zo.'

'Daar is op zich niets verkeerds mee', had ze gezegd.

Het had haar moeite gekost zich aan het protocol te houden: geen vragen over de privésfeer van de donor wanneer die geen relevantie hebben voor de transplantatie, geen verzoeningspogingen wanneer daar niet expliciet om werd gevraagd, geen wijze raad. Ze wist wat ze tegen de jonge vrouw gezegd zou hebben indien het protocol haar niet de mond had gesnoerd: 'Misschien hebt u het zich in het hoofd gehaald dat uw ouders perfecte kinderen willen.' Ze had aan haar eigen kinderen gedacht, met wie ze volgende week een zeiltocht ging maken. Waren die volmaakt? Vast niet. Wie was er volmaakt?

De verloren dochter leefde in onmin met de vader, niet met de zus. Dat maakte het een stuk eenvoudiger, zeker als er een bijkomende transplantatie nodig zou blijken te zijn. Niets was zo pijnlijk als een donor die zich in de loop van het traject bedacht.

Edith was niet van plan zich te bedenken. Ze voelde zich geprivilegieerd, vereerd, opgewonden zelfs. Dankzij haar zou Roosje niet sterven, Roosje die ze papflesjes en schone luiers had gegeven, en voor wie ze liedjes had gezongen en verhaaltjes had geschreven. Roosje die bij haar op de kamer had geslapen en over wie ze op school een spreekbeurt had gegeven:

mijn zusje is de liefste van heel de wereld.

'Ik wist het', glunderde Jasmien. 'Ik wist dat jij de match zou zijn.'

Ze zat tussen Didi en Titus in de zon op een bankje voor het ziekenhuis. Op alle banken naast en tegenover hen zaten patiënten te roken. Bijna allemaal hadden ze hun infuuspaal bij zich. En ze droegen een kamerjas en pantoffels. Het was half twaalf. Over een kwartiertje zouden ze beginnen naar binnen te schuifelen. Voor het middageten.

'Zoiets kun je niet weten', zei Titus. Hij bloosde. Hij bloosde al de hele tijd. Edith hoopte dat het Jasmien niet opviel. En als ze het opmerkte, hoopte ze dat ze het verstand zou hebben er niets tegen Roos over te zeggen. Waarom moest Roos uitgerekend iets hebben met Titus Serfonteyn?

'Heb je er last van?' vroeg Jasmien bezorgd.

Edith schudde haar hoofd. Daarnet had ze een eerste injectie gekregen met groeifactor. Die zorgde ervoor dat stamcellen van haar zich uit haar beenmerg losmaakten en naar haar bloed migreerden. Later op de dag moest ze er nog één krijgen, en ook de drie volgende dagen zou ze telkens twee prikken krijgen. Het was de bedoeling dat ze dat zelf deed, maar dat durfde ze niet. Ze zou het aan Mona vragen, of aan haar huisarts. Als er genoeg stamcellen in haar bloed zaten, konden ze worden geoogst. Vervolgens werden ze in Roos' bloed geïnjecteerd. Meer had een transplantatie niet om het lijf.

'De stamcellen komen in Roos' bloed terecht', zei Titus. 'Vervolgens vinden ze feilloos de weg naar haar beenmerg. Dat heet "homing": ze willen naar huis.'

'Toch wel handig, zo'n expert in de buurt.'

Titus bloosde opnieuw.

'Mama en papa zouden er graag bij zijn', zei Jasmien.

'Bij wat?' vroeg Edith.

'Bij het oogsten. Ze willen jou bedanken voor wat je voor

Roos doet. Ze hebben een cadeau voor je gekocht.'

'Een cadeau?'

Jasmien knikte. 'Een juweel, denk ik. Mama doet er nog-al geheimzinnig over. Misschien is het een familiejuweel. Ze noemen jouw stamcellen de familiejuwelen. Een familie moet verenigd zijn, Didi. We hebben elkaar nodig.' Ze greep Ediths hand en kneep erin. 'Mama en papa willen zo graag hun kleinzoon zien. Ik ook trouwens.'

Edith trok haar hand los. 'Je moeder gaat Sven straks weer ophalen van school, Titus. Ik weet niet wat ik zonder haar zou doen. En zij is geen familie. Als je met je familie breekt, dan maak je nieuwe familie. Mona is als een moeder voor me. Of een oudere zus.'

'Maar als het erop aankomt', zei Jasmien, 'heb je je familie nodig. Roos heeft nu haar echte familie nodig.'

'Ze heeft mijn stamcellen nodig, dat is alles. De familie-juwelen. Wordt dat niet gezegd over kloten? Kun je kloten transplanteren? Wordt dat gedaan, Titus?'

'Voorlopig alleen bij dieren. Ze experimenteren nog.'

'Proefkonijnen', zei Jasmien.

'Ja, maar meestal zijn het katten of honden.'

'Onlangs is een heel gezicht getransplanteerd', zei Edith, die wilde laten zien dat ze ook de krant las zelfs al woonde ze in een gat als Zwelegem.

Een van de rokers tegenover hen drukte zijn sigaret onder zijn pantoffel uit en schraapte de zool schoon. Met welk recht verpestten ze de lucht? Wat rokers ook mochten beweren, hun sigaretten stonken in de buitenlucht. Als zij de baas van het ziekenhuis was, verbood ze patiënten te roken, waar dan ook. Beseften die mensen wel hoeveel ze de belastingbetaler kost-ten?

Ik word zoals mijn vader, dacht ze.

'Is hij veranderd?'

'Wie?'

'Papa.'

'Hij doet zijn best.'

'Heb je hem gezegd dat ik geen werk heb? En gescheiden ben?'

Jammer dat ze geen donker kind had. Dat zou hem helemaal de kast op jagen.

Jasmien knikte.

'En wat zei hij: impulsief zoals altijd? Labiel?'

'Hij wil jou geld geven om te gaan studeren. Heb jij je humaniora eigenlijk ooit afgemaakt?'

'Jasmien!'

'Hij vroeg het zich af, want …'

'Zeg hem dat hij zich vooral nergens mee bemoeit. Dat is het beste wat hij kan doen. Ik leef nu al – hoelang? Acht, negen jaar? – zonder zijn raad, en dat gaat prima.'

'Je bent niet veranderd.'

'Jij ook niet.' Het klonk onvriendelijker dan ze wilde. Jasmien werkte op haar zenuwen. Ze wilde de grote verzoening bewerkstelligen. Hoe dikwijls hadden ze het niet geprobeerd?

Laat mij maar in mijn eentje knoeien, dacht ze. En ze deed het toch niet slecht? De kans was groot dat ze naar Nederland verhuisde. Otto wilde met haar trouwen. Maar eerst moest hij nog scheiden. Ze kon er beter niets over loslaten tegen Jasmien. Die zou vooral bezwaren zien.

Het vervelende aan familie was dat je altijd meer vertelde dan je van plan was geweest. Ze waren je zo verdomd vertrouwd, zelfs als je ze eeuwen niet had gezien.

'Wil je foto's zien?' vroeg ze. Ze pakte haar telefoon en toonde foto's van Sven. Jasmien slaakte verrukte kreetjes en maakte geen opmerking over zijn brilletje. Edith deelde de mensheid in twee categorieën in: zij die er een opmerking over maakten en zij die dat niet deden. Ze was het zat gehoord: zo jong en al een bril! Hoe oud zou Sven moeten worden voor mensen ophielden die stupide opmerking te maken? En dan was er ook nog eens het hoofdstuk allergieën.

Jasmien was echt wel oké en ook Roos was dat. Eigenlijk waren ze alle drie verrassend goed uitgevallen als je bedacht wie hun vader was.

'Stemt papa nog altijd voor het Blok?'

'Dat heet nu het Belang', zei Jasmien. 'Ja, ja, hij stemt nog altijd voor hen. Mama wil niet zeggen voor wie ze stemt.'

'En jij?'

'Wat en ik?'

'Voor wie stem jij?'

'Dat is geheim!'

'Je stemt voor het Blok. Bah, Jasmien.'

'Ik stem niet voor het Blok.'

'Waarom word je dan zo rood?'

'Ik word niet rood.'

'Jawel. Ach, jullie doen maar. Het zijn mijn zaken niet. Voor wie stemt Roos?'

'Dat weet ik niet.'

'Roos stemt Groen', zei Titus.

'Wat schattig. Ben jij erg verliefd op haar?'

Hij knikte. En bloosde.

'Dat is mooi.'

Zeker nu, dacht ze, nu Roos zo ziek was. Jongens zouden niet staan aan te schuiven om iets met haar te beginnen. Misschien was Titus die ene man op aarde die ziek bloed als een pluspunt beschouwde. Had hij haar daarvoor uitgekozen? Het was een beetje creepy.

Ze zou er wel aan wennen dat Titus iets met haar zusje had. En ook Pieter was goed met Roos bevriend. Om haar te plagen noemde hij haar nu ook Didi. Vreselijk vond ze dat. Voor hem was ze Edith, en Edith wilde ze voor hem blijven. Edith

Ravier, de mama van Sven. Na de scheiding was ze de naam van haar man blijven gebruiken. Dat was wettelijk toegestaan. En handig voor iemand die geen zin had oude banden aan te halen, zelfs al waren het familiebanden. Bloedbanden.

Op zijn kamer in de Parkstraat liet Titus zijn vinger glijden over het lemmet van zijn mes. Hij had het gewet met het slijpstaal dat zoals de meeste spullen in het huis tot het patrimonium van Frans' familie behoorde. De bewoners genoten het vruchtgebruik. Frans had geen zure opmerking gemaakt over Titus' recente daad van vandalisme. Hij had zelfs een weinig succesvolle poging ondernomen om pijltjes in de roos te mikken. En hij had een herinnering opgehaald aan een vriend die met darts katten uit de buurt van zijn kippenren probeerde te houden. Zolang Roos' toestand kritiek was, werden er geen zure opmerkingen gemaakt. Roos zou officieel genezen zijn als er weer op elkaar kon worden gevit. En ruziegemaakt.

Misschien was dat gezonder.

Hij duwde het mes in de top van zijn vinger. Als je het langzaam deed spleet de huid niet, hoe scherp het mes ook was gewet.

Hoe had hij zo stom kunnen zijn? Zo blind? Allebei waren ze in de val gelopen, hij zowel als Pieter. Maar Pieter zag het niet als een val. Die ontwaarde energieën die hen naar elkaar hadden gezogen, astrale lichamen die elkaar hadden herkend, synergieën.

Ja, ja.

Natuurlijk had Roos hun aan Edith doen denken. Ze waren zussen, niet zomaar zussen, maar zussen met dezelfde HLA-typering. Zoiets stond niet op een gezicht geschreven, maar er had een lichtje moeten gaan branden. Mensen konden als twee druppels water op elkaar gelijken en niet in de verste verte met elkaar verwant zijn. Obama had nu ook een dubbelganger, een Indonesiër, wiens familie niets maar dan ook niets met de president te maken had. Intussen verdiende die man aan Obama een dikke boterham. Zelf vond hij de gelijkenis niet zo treffend. Obama had een veel breder en imposanter voorhoofd dan de dubbelganger. Ook de uitstraling van de twee was totaal anders. Roos daarentegen had iets wat hij nooit bij een andere vrouw had gezien, tenzij bij Edith. Het waren oestrogeenmeisjes, van wie de huid, de ogen en het haar het verloop van hun cyclus registreerden.

Hij had voor Roos gekozen en hij zou voor haar blijven kiezen, wat er ook gebeurde. Maar misschien had hij dus voor Edith gekozen.

Het was zo incestueus.

Tsjak. Het mes haalde zijn vingertop open. Het bloed sprong eruit als een valscherm dat openging.

Binnenkort zouden Ediths stamcellen zich in Roos' beenmerg nestelen en bloed beginnen aan te maken. Roos zou Roos blijven, maar in haar aders stroomde dan hetzelfde bloed als in Ediths aders. Ze was Roos met een vleugje Edith erbij. Meer dan een vleugje.

Na een allogene stamceltransplantatie had het bloed van de ontvanger hetzelfde DNA als dat van de donor. Thrillerauteurs waren dol op dat gegeven, al was het stilaan versleten.

Didi. Wat een idiote naam. Didi en Titi.

Hoe hadden ze kunnen vermoeden dat Roos Donckers die in de Parkstraat woonde een volbloed zus was van Edith Ravier uit Zwelegem?

Pieter vond het uiteraard fantastisch. Die maakte plannen voor een transplantatiefeestje. Allemaal wilde hij ze uitnodigen: Edith en Sven, Jasmien en haar vriend, Roos' ouders, zijn moeder, Patricia, Frans en niet te vergeten Roos, die als alles naar wens verliep het ziekenhuis een paar uur na de transplantatie zou mogen verlaten. Ze ging bij haar ouders revalideren, maar eerst moest er in de Parkstraat worden feestgevierd. Zelfs zijn eigen moeder moest erbij zijn want die was nu dikke maatjes met de zijne. Meer dan maatjes, had hij de indruk. Waar waren Mona en Nicole onlangs weer geweest? Praag? Of was het Boedapest? Hij hield het niet meer bij.

Als de goden Pieter gunstig gezind waren zou voor de transplantatie de dag worden geprikt waarop de heer Tunick op het Ladeuzeplein zijn blote sessie hield. Of het oogsten van Ediths stamcellen zou samenvallen met de shoot. Dan konden ze eerst allemaal samen poseren en daarna vieren. Twee keer feest!

Was hij dan werkelijk de enige die besefte wat er allemaal fout kon gaan? Er bestond niet zoiets als een perfecte match. De enige perfecte match waren je eigen stamcellen. Punt. Uit. Alleen van je eigen stamcellen wist je zeker dat ze niet afgestoten zouden worden. Bij een autologe stamceltransplantatie werden de eigen stamcellen geoogst en teruggeplaatst. Ze maakten T-cellen aan die het onderscheid kenden tussen eigen en vreemd. Wat vreemd was vielen ze aan, wat eigen was lieten ze ongemoeid. Vriend of vijand, zo eenvoudig was het. Roos kreeg allogene stamcellen. Dat vergrootte de kans dat de kankercellen werden opgeruimd. Helaas kon niemand voorspellen hoe die allogene stamcellen zouden worden ontvangen. Of hoe ze zich bij hun gastvrouw zouden gedragen. Als engelen? Als hooligans? Als therapeuten? Als terroristen? Edith mocht dan tien keer Roos' zus zijn, het bleven allogene stamcellen. Vreemd materiaal. Niet eigen.

Ciclosporine. Dat was het medicijn dat het welslagen kon bevorderen. Eerst moest het de werking van Roos' eigen T-cellen onderdrukken, zodat die niet ten aanval trokken tegen Ediths stamcellen. Daarna moest het de werking afzwakken van de T-cellen die samen met Ediths stamcellen aan Roos werden gegeven. En ten slotte moest het de nieuwe T-cellen die met Ediths stamcellen werden gevormd, onder controle houden. Die mochten zich niet te agressief opstellen. Maar ook niet te passief. Daarin school de kunst. Een bedreven hematoloog kon het huwelijk doen slagen. Hij kon nieuw bloed dichten. Met de hulp van ciclosporine. En van prednison en cellcept. En met een flinke dosis geluk.

Als alles volgens het boekje verliep zou Roos na een maand 80 procent T-cellen van Edith hebben. Na drie maanden moest dat al 95 procent zijn, en uiteindelijk mochten er geen T-cellen van Roos overblijven. Ediths T-cellen werkten als een stofzuigertje voor de kankercellen van Roos. Dat was het geniale van de behandeling. Je dropte in het zieke systeem gezonde cellen die de slechte cellen opruimden. De keerzijde van de medaille was dat de stofzuiger soms doldraaide. De goede cellen werden te ondernemend. Te actief. Ze trokken ook tegen gezonde cellen ten aanval. Dus moest je ze onderdrukken. Daar bestonden medicijnen voor. Maar zo schakelde je ook de stofzuiger uit. De patiënt werd vatbaarder voor akelige infecties. De kanker zag opnieuw zijn kans. En greep die soms ook.

Als hij aan die mogelijke complicaties dacht, kon hij geen feestje bouwen.

Nu nog niet.

Geef het een jaar, Pieter. Als na een jaar blijkt dat donor en ontvanger met succes samenleven, laat dan de champagne stromen.

Pieter wist wat er fout kon lopen. Hij was lang genoeg met een bloedgek bevriend om dat te weten. Hij wist het niet zo precies als Titus, en hij zou het ook niet zo precies hebben kunnen uitleggen, maar hij wist dat Roos Ediths stamcellen kon afstoten. En als dat niet gebeurde konden Ediths T-cellen een aanval op Roos inzetten. En vervolgens konden de nieuwe T-cellen dat doen. Hij wist op welke cellen ze hun pijlen zouden richten: in haar huid, in haar dunne darm, in haar longen en in haar lever. Hij kende zelfs de term voor het fenomeen: graft versus host disease. GVHD. Of in dit geval: Edith versus Roos. Als Roos Edith afstootte heette het host versus graft, Roos versus Edith.

Het hoefde niet tot een duel te komen. Een bokswedstrijd tussen vijandige cellen. Hij ging ervan uit dat tussen graft en host een hartje zou worden geplaatst. Didi loves Roos; Roos loves Didi.

Het was jammer dat een transplantatie algauw een kwart miljoen euro kostte. En dat succes niet kon worden gegarandeerd. Stel dat het een routineklus werd zoals een bloedtransfusie, dan zou je internationale stamceluitwisselingen kunnen organiseren. Tussen soennieten en sjiieten bijvoorbeeld. Of tussen moslims en christenen. Palestijnen en Israëliërs. Hutu's en Tutsi's. Tussen Walen en Vlamingen, of homo's en hetero's. Tussen fundamentalisten en pacifisten. Tussen blank en zwart. Om te bewijzen dat die verschillen niets betekenden. Jullie denken dat jullie verschillend zijn, maar het verschil bestaat alleen in je hoofd. Als je werkelijk verschillend was, zou je geen stamcellen kunnen uitwisselen. Dus hou op met elkaar te bekampen, te bestrijden, te bevechten. Te bebekvechten. Leef in vrede samen.

Als hij dát eens kon bewijzen! Tevreden begon hij de Negende van Beethoven te zingen. 'Alle Menschen werden Brüder'. En zusters, niet te vergeten.

Didi en Roos, Roos en Didi.

Edith zag er verdomd goed uit. 'Dat had je niet verwacht, hè?' had ze hem triomfantelijk gezegd. Ze had het niet over Roos, maar over een Nederlander, die van zijn vrouw ging scheiden om vervolgens met haar te trouwen. Het zou wel weer zo'n Edith-bevlieging zijn. Hem maakte het niets uit dat ze andere minnaars nam, zolang hij maar haar Pieter bleef.

Die Nederlander wilde haar met niemand delen, wat een bijzonder vreemde eis was voor een man met vrouw en kinderen. Maar nu ging hij dus scheiden. Eerst zien, dan geloven. Nooit geloven zonder zien.

Lieve Edith, dacht Pieter terwijl hij zijn fiets aan een paal vastmaakte, ik heb jou in de loop van onze idylle nooit bedrogen. Ik was de gelukkigste en de monogaamste man ter wereld. En de trotste. Welke snotneus van zeventien kon uitpakken met een elf jaar oudere vriendin? Van uitpakken was er zelden sprake geweest. Zwelegem mocht niet weten dat hij haar minnaar was. Iedereen zou commentaar hebben. Dat was waar. Maar ze kende Zwelegem niet goed als ze dacht dat Zwelegem zo gemakkelijk was verschalkt.

Hij liep de nachtwinkel binnen, koos een bus bodylotion en liep ermee naar de kassa.

Of hij nu nog tot monogamie in staat was betwijfelde hij. Er waren te veel vrouwen van wie hij hield. En die hij zo intiem mogelijk wilde leren kennen.

Hoe meer mensen je intiem kende, hoe meer levens je had.

Hij wilde heel veel levens.

Niet worden zoals zijn vader, die geketend was aan één leven, aan één vrouw, aan één gezin. En die te laf was om uit te breken. Zijn moeder was uitgebroken. Die ging nu vaak met Mona op stap terwijl zijn vader thuis zat te somberen. Edith zei dat ze altijd één hotelkamer namen. 'Met een tweepersoonsbed', voegde ze er fluisterend aan toe. Altijd een beetje een roddeltante, die Edith. Laten die vrouwen maar van elkaar genieten. Zijn moeder had veel schade in te halen. En Mona ook.

Hij stalde zijn fiets, trok zijn doktersjas aan, zag dat die dringend gewassen moest worden, hoopte dat niemand het zou merken. Hij stopte de bodylotion in zijn zak en liep het verlaten ziekenhuis binnen. Dokter Pieter Kalhorn deed zijn ronde.

Roosje lag te sluimeren.

'Hoe voel je je?'

Ze toonde hem haar handpalmen, waarvan hij al wist dat ze er verbrand uitzagen. Ook haar oren zagen vuurrood. En haar schedel. 'En ik moet voortdurend kotsen', zei ze. 'Het loopt er langs twee kanten uit. Stink ik?'

'Je stinkt niet.' Hij gaf haar een kus. 'Ik heb bodylotion meegebracht om je in te smeren. Mijn zus heeft ooit een tijdje in een ziekenhuis gelegen en toen vond ze het heerlijk.'

'Wat was er mis met haar?'

'Aambeien.'

'Echt waar? Dat lijkt me afschuwelijk.'

'Het is ook afschuwelijk. Jij mag van geluk spreken. Je hebt gewoon een beetje leukemie. Draai je op je zij, dan smeer ik je rug in.'

'Ga je dat echt doen?'

'Tuurlijk.'

'Je mag die jas niet dragen.'

'Ik draag wat ik wil.'

Ze draaide zich op haar zij. 'Ik heb bijna geen leuko's meer. Ik zit op de bodem van mijn dip. Dus ik hoop dat je je handen gewassen hebt.'

'Natuurlijk heb ik ze gewassen. En ik ben niet verkouden. En ik heb geen griep.' Hij spoot een beetje lotion in zijn hand. 'Het zal even koud aanvoelen.' Hij begon de lotion in te smeren. 'Je hebt blauwe plekken op je rug, wist je dat?'

'Bloeduitstortingen. Ik heb te weinig trombo's.'

'Is dat gevaarlijk?'

'Als het gevaarlijk is, dan krijg ik er extra bij. Je kunt hier niet doodgaan. Alles wordt voortdurend gemeten en in de gaten gehouden. Je krijgt pillen voor dit en infusen voor dat. Sommige patiënten zijn al dood, maar ze worden nog in leven gehouden op voorwaarde dat niemand zegt dat ze dood zijn.

Ze doen hier niet aan dood.'

'Zal ik ook je buik insmeren?'

'Doe maar niet.' Ze zuchtte. 'Jij houdt veel van Didi, hè?'

'Ja. Maar ik hou ook veel van jou.' Hij spoot meer lotion in zijn handpalm en begon haar linkerarm in te smeren. Ook die zat onder de blauwe plekken.

'Ze zegt dat ze het met jou heeft uitgemaakt omdat je te jong voor haar was.'

'Zegt ze dat?'

'Geloof je het niet?'

'Ik denk dat ze me beu was.'

'Dat kan ik niet geloven.' Ze reikte hem haar andere hand. 'Ik wou zo graag dat Titus dit deed. Hij kent mijn HLA-typering en mijn bloedwaarden uit het hoofd, en hij weet welke dosissen van welke medicijnen ik moet krijgen, maar hij raakt me niet meer aan. Ik denk dat ik hem afstoot. Het is ook niet mooi.' Ze greep naar haar kale, rode schedel. 'En dan dat kotsen en die diarree. Hij walgt van me.'

'Hij walgt niet van jou.'

'Als het erger wordt, doen ze me een luier om. Kun je je dat voorstellen? Ik met een luier.'

'Dat is tijdelijk, Roos. Een tijdelijk ongemak. Jij bent mooi. Jij bent altijd mooi geweest en je zult het altijd blijven. Zelfs zonder haar.'

'Waarom zegt hij dat nooit?'

'Hij houdt van jou, Roos. Het zit binnen in hem opgesloten. Hij kan het niet laten zien. Het zit heel diep.'

'Hij bloost als Didi iets tegen hem zegt. Was hij ook verliefd op haar?'

'Titus? Nee!' Hij hoopte dat het overtuigend klonk. 'Jij moet nu slapen. Morgen is een grote dag. Dan worden Didi's stamcellen geoogst.'

'Morgen al?'

'Ja, morgenvroeg. En om drie uur maakt Tunick zijn foto. Volgens mij brengt hij geluk. Gisteren is hij met zijn team in Leuven gearriveerd. Spencer Tunick is in Leuven. Voel je zijn vibes?'

'Wat doet hij als het regent?'

'Wachten tot het ophoudt, veronderstel ik. Maar het zal niet regenen.'

Hij herinnerde haar er niet aan dat de zomer over een uurtje begon. Op de afdeling bestonden geen seizoenen. Winter en zomer zorgde het overdruksysteem voor dezelfde schone lucht. De lucht kon van binnen naar buiten, maar niet omgekeerd. Zo werden schimmels, bacteriën en virussen buiten de afdeling gehouden. Of dat hoopte men toch.

'Ik was er zo graag bij geweest. Doet Titus mee?'

'Dat denk ik niet.'

Hij zette de bus bodylotion op haar nachtkastje en kuste haar droge, gekloofde lippen. Hij proefde noch rook kots. Ze waste zich obsessief en spoelde voortdurend haar mond. Anders walgde ze van zichzelf.

Hij haastte zich door de uitgestorven gangen naar de lift. Als hij ooit in een ziekenhuis werkte, zou hij ervoor zorgen dat hij altijd nachtdienst had. Alleen dan vond hij het draaglijk in die fabriek.

Onderweg naar huis belde hij aan bij Virginie. Ze kwam openmaken met haar telefoon tegen haar oor geklemd. Ze legde een vinger op haar lippen. 'Spencer', fluisterde ze gewichtig.

'Ik kom later weleens terug', zei hij.

'Je komt toch morgen?'

'Natuurlijk.'

Hij wierp haar een kushandje toe en bukte zich om zijn fietsspelden weer vast te maken. Zijn liefdesleven zat blijkbaar even in een dip. Solidair met Roos. Zo hoorde het, dacht hij, al was het een beetje zonde van de midzomernacht. Ook in de Parkstraat werd die niet gevierd. Patricia keek naar een documentaire over straatkinderen in Sao Paulo. Hij nam een biertje en ging naast haar op de bank zitten. Zou ze lesbisch blijven nu het uit was met haar minnaressen?

'Waar is Titus?' vroeg hij.

'Op zijn kamer. Iemand zou hem die laptop moeten afnemen. Of alle websites over bloed en immuniteit en stamceltransplantaties moeten blokkeren. Hij wordt gek als het fout gaat.'

'Het gaat niet fout.'

'Als jij het zegt. Frans is bij de Aardbeienkoningin. Volgens mij heeft ze eindelijk beseft hoe rijk zijn familie is. En hoeveel vastgoed Frans zal erven.'

Ze glimlachte naar hem. Daarna slokte het programma haar aandacht weer op.

13

Geeuwend wachtte Edith tot de slagboom van de parking omhoogging. Ze had zich voor het leukaferesefeestje in een nieuwe jurk uitgedost, een rode, net als haar schoenen. En ze had haar lippen bloedrood gestift. Dat allemaal ter ere van de stamcellen die uit haar bloed zouden worden gevist. Het viel te vergelijken met een centrifuge, was haar gezegd. Of een sorteerapparaat. Via de ene arm stroomde het bloed uit haar, via de andere ging het er weer in. Minus wat stamcellen. Nou ja 'wat'. Ze moesten er heel veel hebben in de hoop een tiental hematopoëtische te vangen. Vier, misschien zelfs vijf uur zou ze moeten liggen met in elke onderarm een katheter. Maar het deed geen pijn en met een beetje geluk was ze morgen van de hoofdpijn verlost. Die was een venijnig presentje van de neupogen, de groeifactor die haar de afgelopen dagen was toegediend om haar stamcellen naar haar bloed te lokken.

Wat betekende een beetje hoofdpijn als ze een mensenleven kon redden? Niet zomaar een mensenleven, maar dat van haar zusje? Ze wilde er geen cadeau voor. Geen juwelen, geen geld, niets. 'Maar ze willen jou zo graag iets geven', had Jasmien gezegd. 'Je moet hun dat gunnen.' Koppig had ze haar hoofd geschud. Het enige cadeau dat ze wilde was Roos' genezing. In ruil daarvoor mochten haar ouders voor de rest van hun leven bij haar in het krijt staan. Jasmien had haar dan maar een schedelmassage gegeven om de hoofdpijn te verzachten. En ze had voorgesteld dat zij zich ook kaal zouden scheren. Uit solidariteit met Roos. Alsof Roos daarmee geholpen was. Ze piekerde er niet over haar haar af te scheren, en ze hoopte dat Jasmien het ook niet deed. Kale schedels waren niet mooi. Zelfs niet bij fotomodellen. Punt. Uit.

Jasmien was zo radicaal. Zo theatraal. Had zij dat ook? Ze vreesde van wel. Ze hadden het van hun vader. Terugsturen, die makakken, allemaal! Dacht Pieter anders over haar nu hij wist uit wat voor een nest ze kwam? Een zwart nest. Boven Gent rijst, eenzaam en grijs ... Sinds de reünie met haar familie doken die liedjes weer op in haar hoofd. Mijn name is Roeland, ik kleppe brand, en luide storm in Vlaanderland! Het was zo gênant dat ze die kende. En had meegezongen. Op het Vlaams Nationaal Zangfeest nog wel. Nu het lied der Vlaamsche zonen, nu een dreunend kerelslied. Wat zou ze er niet voor geven om het ongedaan te kunnen maken. Ze had zich trots gevoeld. Geprivilegieerd omdat ze erbij hoorde. Hoe oud was ze geweest toen ze voor het eerst had geweigerd mee te gaan? Veertien? Vijftien?

De slagboom ging omhoog en ze reed het halflege parkeerterrein op. Otto wist niet wat 'zwart' in Vlaanderen betekende en ook over het Vlaams Nationaal Zangfeest had hij nooit gehoord. Hij vond het 'geinig' als ze die liedjes zong en probeerde ze mee te zingen. Voor hem was het Vlaamse folklore. Vergelijkbaar met frites en bier. Vliegt den Blauwvoet, storm op zee! Gisteren was hij na middernacht haar slaapkamer binnengekomen. Hij had nog iets willen eten en hij had haar veel te vertellen over de scheiding en daarna had hij willen vrijen, hoewel ze hoofdpijn had. En ze moest er al om zes uur uit! 'Dan staan we gezellig samen op', had hij vrolijk gezegd. De man was onvermoeibaar. En niet uit het lood te slaan. Ze had de zoveelste paracetamol geslikt en hem zijn zin gegeven, anders had hij haar de rest van de nacht wakker gehouden. Nog voor de wekker afliep was hij uit bed geveerd. Zingend had hij onder de douche gestaan. Hij had koffiegezet en sinaasappels geperst en brood getoast. Hij had haar veel succes met 'het akkefietje' gewenst. Fris als een hoentje was hij weggereden. Waren alle Nederlanders zo energiek? Zo opgewekt?

Met barstende hoofdpijn had ze Sven naar Mona gebracht. Die zat gewassen en gekleed op hen te wachten en verzekerde haar zoals altijd dat ze met plezier voor Sven zorgde. 'Hij is hier welkom, dat weet je.' Mona gedroeg zich meer en meer als een heilige. Of als een goeroe met een grote innerlijke kracht. Santa Mona. Ze had Titus' jeansjasje meegegeven, want met dit weer zou hij dat wel willen dragen. Ze had het tegen zich aan gedrukt en eraan geroken. 'Er hangt minder en minder geur van hem in dit huis', had ze weemoedig gezegd.

Zou zij later kleding van Sven koesteren? Hield ze wel genoeg van hem? 'Soms is het makkelijker om van de kinderen van een ander te houden.' Dat had haar moeder ooit gezegd. Ze bedoelde er de kinderen van hun vrienden mee, die Harry en Gonda. Vreemd dat ze die twee nog niet in het ziekenhuis had gezien. Bij hen thuis waren ze vroeger niet weg te branden. Volgens Jasmien waren ze nog altijd erg close. Maar dus niet in Roos' ziekenhuiskamer. Vreesden ze dat het besmettelijk was?

Snel gooide ze een blik op de achterbank. Titus' jasje lag op de kimono die ze had meegebracht voor de blote fotoshoot. Als ze klaar was, moest ze Pieter sms'en en dan kwam hij haar ophalen. Hij had aangeboden om voor chauffeur te spelen.

'De ervaring leert dat na de bloedstamceldonatie donors vermoeid zijn. In verband met mogelijke vermoeidheid mag u zelf niet naar huis rijden.' Zo stond het in de folder die ze wel tien keer in de handen gestopt had gekregen, want 'de donor moet goed zijn geïnformeerd'.

Ze zou hem moeten zeggen dat ze geen seks meer konden hebben. Ze wilde bevriend met hem blijven, maar seks behoorde tot het verleden. Hun verleden, dat prachtig was geweest. Ze kon Otto onmogelijk voor haar een einde aan zijn huwelijk laten maken en intussen met een ex liggen stoeien. En er was ook de kwestie van aids. Otto was er als de dood voor. En zij ook natuurlijk, maar hoe kon ze Pieter plotseling vragen een condoom te gebruiken? Gebruikte hij een condoom bij zijn vriendinnetjes in Leuven? Het was haar probleem niet meer. Ze was clean en ze wilde clean blijven. Terwijl ze naast een BMW cabriolet parkeerde dacht ze tevreden aan alle ziektes die ze niet had: hepatitis-B en -C, aids, syfilis, longontsteking, blaasontsteking, keelontsteking. Niets van wat ontstoken kon zijn, was ontstoken. Haar bloed telde de juiste hoeveelheid bloedplaatjes, en rode en witte bloedcellen. Haar lever, nieren, longen en hart werkten perfect. Het ziekenhuis had haar binnenstebuiten gekeerd en gezond verklaard. Gaaf. Als een pasgeboren baby. Alles was in evenwicht en harmonie. Ze was van plan het zo lang mogelijk zo te houden. Geen risico's meer.

Twintig over acht. Het ziekenhuis zou er geen opmerking over maken dat ze te laat was. Donoren werden met fluwelen handschoenen behandeld. Iedereen wilde vermijden dat ze afhaakte. Tegelijkertijd werd ze er om de haverklap aan herinnerd dat ze dat recht had. Het was haar keuze, haar vrije keuze. Ze mocht zich niet onder druk gezet voelen. Alsof ze tegen Roosje had kunnen zeggen: sorry, zus, ga jij maar lekker dood, ik zie dit niet zitten.

Zo belangrijk was ze trouwens niet. Ze konden een andere donor voor Roos zoeken. En vinden.

'Wanneer kom jij naar huis?' had Sven haar daarnet gevraagd. Had ze zich ingebeeld dat hij verontwaardigd klonk? Volgende keer zou ze hem meenemen. Het zou Roos deugd doen haar neefje te zien. Tante Roos. En tante Jasmien. Als haar ouders beloofden geen opmerkingen over zijn brilletje en allergieën te maken, mochten ook zij hem zien. Hij was tenslotte hun bloed.

Ze hoopte dat ze tijdens het leukaferesen een beetje kon dutten.

In de cafetaria van het ziekenhuis zat Titus tegenover de ouders van Roos, hoewel hij nu liever alleen wilde zijn. Op het bord voor hem lag een croissant waarvan hij nog geen hap genomen had. En ook zijn koffie was onaangeroerd. Naast het bord lag zijn gsm en ook Roos' ouders hadden elk hun gsm naast hun kop koffie gelegd. Ze waren als maffiabazen die met de wapens ontbloot op tafel onderhandelden. De moeder hield hem angstvallig in de gaten. Ze zag er niet minder afgepeigerd uit dan hij.

'Heb je er geen goed oog in?' vroeg ze.

Hij haalde zijn schouders op.

'Je kunt ons de waarheid vertellen, Titus.'

'Die ken je toch.' Net als hij hadden ze elke website over stamceltransplantatie gelezen. 'Niets is zo tegennatuurlijk als een transplantatie. Je vraagt van een lichaam dat het vreemd als eigen aanvaardt. Dat druist in tegen alle wetten van de natuur. En van de immuniteit.'

'Didi is niet vreemd', zei de vader.

'Ze is minder vreemd dan een onbekende donor zou zijn. Maar ze is vreemd. Alles wat niet Roos is, is niet eigen aan Roos. En kan haar kapotmaken. Ook Ediths stamcellen kunnen dat doen, zelfs al heeft ze dezelfde HLA-typering.'

'Waarom transplanteren ze dan?' vroeg de moeder.

'Er is geen alternatief.'

Hij keek naar de croissant.

Alle mensen stamden van zeven oermoeders af. Er bestonden slechts zeven verschillende soorten mitochondriaal DNA, dat was DNA dat van moeder op dochter werd overgedragen. Als je ver genoeg terugging was iedereen familie van elkaar. Heerlijk om te weten voor Pieter, maar Roos had er op dit ogenblik geen enkele boodschap aan.

Hij moest niet hier zijn, maar bij haar. Hij kon het niet. Niet terwijl Ediths stamcellen werden geoogst. Edith was CMV-positief. Dat virusje kon straks Roos' dood worden. Het risico moest worden genomen. Er was inderdaad geen alternatief. Het besef maakte het risico er niet kleiner op. 'Bij een allogene stamceltransplantatie overlijdt ongeveer 20 à 25 procent van de patiënten ten gevolge van complicaties.' Hij had het zinnetje al honderd keer gelezen. Was hij de enige die de informatiebrochures van het ziekenhuis las? Of lazen de anderen ze en vergaten ze het vervolgens meteen?

Op zijn kamer in de Parkstraat hield hij het niet uit. En bij zijn studie kon hij allang zijn aandacht niet meer houden. Hij had nauwelijks examens afgelegd. Dus zat hij op een lelijke plastic stoel in die vreselijke cafetaria waar gruwelijke muzak werd gespeeld tegenover twee mensen die hem observeerden alsof ze zijn gedachten uit hem wilden zuigen. De hele nacht had hij gedroomd over het lijk dat hij jaren geleden met zijn grootvader was gaan groeten, het lijk waarin Leonardo da Vinci's bloed werd bewaard. Nat van het zweet was hij wakker geschrokken. Hij was beneden gaan zitten wachten tot het weer licht werd, maar hij kon de beelden niet van zich afschudden. De nachtmerrie kleefde aan hem. Overal bloed, overal bloed. Waarom was hij niet optimistisch zoals Pieter?

Waarom geloofde hij niet? Maar hij was niet zoals Pieter. Hij was anders. Pieter was in zijn leven gekomen om hem duidelijk te maken wie hij was en wie hij niet was.

'Gaat het?' vroeg de moeder.

Hij knikte, maar het ging niet. Hij verlangde naar zijn oude kamertje bij zijn moeder thuis, het kamertje van waaruit hij naar Edith en de kleine Sven had gekeken. Daar was hij gelukkig geweest. Daar had hij in alle rust kunnen studeren en fantaseren.

'Waarom zitten jullie hier?' vroeg hij. 'Waarom zijn jullie niet bij Edith?'

'Didi heeft ons er liever niet bij.' De vader keek naar het tafelblad. 'Het blijft moeizaam. En delicaat. We willen liever geen ruzie. Niet hier. Niet nu. Didi en ik hebben onze meningsverschillen. Over politiek en zo.'

'O, ja', zei Titus. 'Eigen volk eerst. Bloed en bodem. Hier is ons bloed, waar is ons recht.'

'Didi overdrijft. Ik ben geen fascist.'

'Anders was ik nooit met hem getrouwd', zei de moeder. 'En zeker was ik niet al die jaren bij hem gebleven. Wij hebben respect voor iedereen.'

'Wij gaan ieder jaar naar de IJzerbedevaart. En naar de IJzerwake. En het Vlaams Nationaal Zangfeest. Vroeger namen we de meisjes mee. Wat is daar verkeerd mee? Didi deed dat graag. Jasmien en Roos ook.'

'Misschien schaamt ze zich er nu voor.'

'Waarom zou ze zich schamen? Zingen is gezond. Wie last heeft van sombere gedachten, moet bij een koor gaan. En lopen. Lopen is daar ook heel goed voor. Net als tennissen.'

'Dat is bewezen', zei de moeder.

'Wetenschappelijk', zei de vader.

'Wij hebben haar nooit gedwongen zich met koud water te wassen. En wij hebben nooit het woord "makak" gebruikt. Ik krijg het bijna niet uit mijn mond. Zij zegt dingen over ons die niet waar zijn om haar gelijk te bewijzen. Arme Didi met zulke karikaturen van ouders! En wat dapper van haar dat ze met hen gebroken heeft! Wij hebben de kinderen geleerd dat iedereen recht heeft op respect. Iedereen die dat verdient.'

'Respect moet je verdienen', zei de vader. Hij pakte zijn kop en dronk hem in één teug leeg. 'Wie respect verdient, hoeft het niet te vragen. Die krijgt het zo. En wie het niet verdient, moet niet janken omdat hij het niet krijgt.'

Titus staarde naar de croissant. Ook de tarwe waarvan het deeg was gemaakt had DNA. En de planten in de bakken waarmee de cafetaria werd opgevrolijkt. Hadden die ook recht op respect?

'Het Vlaams Belang staat voor een sterk en onafhankelijk Vlaanderen. Vlaanderen voor Vlamingen. Wat is daar verkeerd mee? De Fransen hebben Frankrijk, de Duitsers hebben Duitsland, de Nederlanders Nederland. Waarom mogen wij Vlaanderen niet hebben? Dankzij de Vlaamse strijd kunnen jullie in je moedertaal studeren. En worden de beste kamers hier in Leuven niet ingepikt door franskiljons. Daar hebben wíj voor gevochten.'

Titus knikte. Het laatste, werkelijk het allerlaatste waar hij nu behoefte aan had was een gesprek over de Vlaamse strijd. Of over migranten. Nooit eerder had hij iemand ontmoet die openlijk toegaf voor het Belang te stemmen. Hij probeerde het interessant te vinden.

'Wij hebben niet vergeten wat er na de oorlog is gebeurd. De Belgische staat heeft ons behandeld als misdadigers. Als vee. Crapuul werd beter behandeld.'

'Niet zo luid, Lukas.'

'Het is toch waar! De grootmoeder van Gonda hebben ze kaalgeschoren in het cachot bij de hoeren gezet.' Hij wees met zijn wijsvinger naar een plantenbak alsof het bewuste cachot zich daar bevond. 'Ze hebben de oorlog als alibi gebruikt om de Vlamingen te treffen!'

Roos' moeder legde haar hand op de arm van haar man. 'Rustig.'

'Ze leren die kinderen de waarheid niet op school. Hier is ons bloed, waar is ons recht. Welk bloed, Titus? Vlaams bloed, verdomme! Van jongens die niet ouder waren dan jij. Soms zelfs jonger.'

'Genoeg, Lukas.' Ze wendde zich tot Titus. 'Mijn man en ik zouden je moeder graag bedanken voor wat ze voor ons kleinkind doet.'

'Uw kleinkind?'

'Didi's kindje. Sven.'

'Ja, natuurlijk. Uw kleinkind.' Hij dacht aan het gras dat Pieter en hij voor het jongetje hadden gezaaid. Het leek lichtjaren geleden. 'Mijn moeder doet dat graag. Ze houdt van kinderen.' Was dat waar? Hij had geen idee. Zijn moeder was veel te goed. Edith vond dat allemaal vanzelfsprekend. Iedereen vond alles vanzelfsprekend. Hij niet.

'Je moet eten, Titus', zei de moeder.

'Roos had beter op haar voeding moeten letten', zei de vader.

Hij had geen zin hun voor de zoveelste keer uit te leggen dat het daar niets, maar dan ook niets mee te maken had.

Was het maar zo eenvoudig, dacht hij.

Drie uur later zaten Pieter en Edith aan hetzelfde tafeltje en klonken op de bloeddichters. De kruimels van Titus' croissant, die hij na lang aandringen van Roos' moeder had opgegeten, waren weggeveegd en ook van de koffie die Ediths moeder had gemorst was geen spoor te bekennen. Edith zag nog bleker dan anders. Waar ze was geprikt zaten pleistertjes.

'Het zijn geen dichters', zei Edith terwijl ze met haar glas tegen dat van Pieter tikte. 'Het zijn tovenaars.'

'Jij bent de tovenaar. Het zijn jouw stamcellen die straks bloed voor Roos gaan aanmaken. Vers bloed.'

'Roosje is zo gelukkig. Ze moest almaar kotsen, maar ze was euforisch.' Edith keek naar haar glas. 'Als ik hier nu één slok van neem, ben ik meteen dronken.'

'We kunnen een uurtje slapen voor we gaan poseren. Er is nog tijd.'

'We.'

'Jij in het bed van Roos. Ik in het mijne.'

'Geloof je dat zelf?' Over de rand van haar glas keek ze hem in de ogen.

'Als je hard aandringt, wil ik bij je komen liggen. Je moet het dan wel heel lief vragen.'

'Volgende week word ik dertig.'

'Geef je een feestje?'

'Jij bent een snotneus van net negentien.'

'Sinds wanneer is dat een probleem? Over tien jaar en elf maanden en twee weken heb ik je ingehaald.'

'Zeg eens eerlijk, Pieter Kalhorn, heb jij ooit met mijn zusje geslapen?'

'Geen indiscrete vragen, Didi.'

'Ik hoor hoe ze over jou praat, en hoe ze over Titus praat, en ik zie hoe jullie je allebei voor haar uitsloven, en ik vraag mij af wie verliefd is op wie.'

'Misschien zijn we allemaal op elkaar verliefd. Ik ben in ieder geval verliefd op jou.'

'Otto gaat scheiden', zei ze kort.

'Dat heb je me al drie, vier keer verteld, dus moet het waar zijn.'

'Geloof je het niet?'

'Mensen scheiden, Didi. Waarom zou hij het niet doen? Mogen je ouders en zussen dit keer naar de bruiloft komen?'

'Je bent gemeen.'

'Ik stel gewoon een vraag.'

'Het is een gemene vraag. De toon is gemeen. Jij hebt Otto nog nooit ontmoet. Je kunt hem niet beoordelen.'

'Stel hem dan eens aan me voor.'

'Dat zal ooit wel gebeuren.' Kregelig gooide ze haar hoofd in haar nek. 'Ik moet iets eten. Ik heb honger.'

Heupwiegend liep ze op haar bloedrode hakken naar het buffet. Hij pakte haar gsm, die ze op tafel had laten liggen, en checkte haar sms'jes. Eentje van Mona om te zeggen dat ze Sven naar school had gebracht, eentje van Jasmien om haar succes te wensen met de leukaferese, nog eentje van Mona om te zeggen dat Sven bij haar kon blijven slapen als ze niet naar huis kon rijden, eentje van haar moeder met alleen maar 'dank je, mama', maar niets van Otto. Tevreden leunde hij achterover. Edith zou minder dan de helft van haar bord opeten. De rest was gewoontegetrouw voor hem. Het waren geen grote eters, de zusjes Donckers. Straks zouden hij en zij samen poseren. In hun blootje. Of ze nu wilde of niet, ze zou haar kleren moeten uittrekken. Geen tien Otto's konden dat verhinderen. Waarom moest hij uitgerekend voor Edith gaan scheiden? Waren er niet genoeg grote blonde vrouwen in Nederland?

Straks, dacht hij. Straks.

De weg naar het Ladeuzeplein was door politiecombi's versperd. Mensen in badjas en op slippers liepen nonchalant de agenten voorbij. Ze werden met rust gelaten. Dit was een dag waarop schaars gekleed in het openbaar mocht. En zo meteen was zelfs bloot toegestaan.

Zonder met Edith te overleggen sloeg Pieter links af, richting Parkstraat.

'Kom je?' vroeg hij terwijl hij uitstapte. Hij ging het huis in zonder te kijken of ze hem volgde. Als ze bang was dat hij haar zou bespringen, moest ze maar in haar auto blijven zitten. Hij liet de deur op een kier staan. Ze was welkom.

'Iedereen loopt in badjas op straat!' riep Patricia. 'Ook in het park liggen mensen in badjas. En die is niet altijd goed dichtgeknoopt.'

'Waar is Frans?' Hij schopte zijn schoenen uit en maakte zijn broekriem los.

'Bij Miss Strawberry. Ze gaan samen poseren. Alle vrijwilligers moeten zich op het Hooverplein opnieuw inschrijven. Of de oude inschrijving bevestigen. Daar moet je je kleren achterlaten en dan gaat het naakt naar het Ladeuzeplein. Er doen ook proffen mee. En politici. En de zon schijnt. Is het niet fantastisch? Iedereen bloot!'

De voordeur sloeg dicht. Edith kwam de woonkamer binnen met haar rode kimono over de arm.

'Jij bent Didi', zei Patricia blij. 'Dat zie ik. Heb je veel stamcellen gegeven?'

'Ik hoop het. En jij bent ...'

'Patricia.' Lichtjes formeel schudden ze elkaar de hand.

'Waar kan ik me omkleden?'

'Hier. Of in de badkamer. Of op de kamer van je zus.'

'Heb jij een badjas voor me?' vroeg Pieter.

Patricia schudde haar hoofd.

'Zo'n groot huis!' zei Edith.

'Als je wilt laat ik je Roos' kamer zien, dan kun je je daar rustig omkleden.'

De vrouwen verdwenen naar boven. Pieter knoopte zijn broek weer dicht. Hij zou zijn kleren op het Hooverplein uittrekken. Virginie had hem de raad gegeven een opvallend tasje mee te brengen om ze in op te bergen. Blijkbaar waren er achteraf altijd mensen die hun spullen niet terugvonden en dan maar lukraak iets aantrokken dat daar slingerde. Ook huissleutels en gsm's geraakten zoek. Tunick kon zich daar niet mee bezighouden. Hij wilde het ook niet. Mensen waren oud genoeg om zelf oplossingen te bedenken.

Zes maanden geleden had Virginie op een berichtje van Tunick op Facebook gereageerd. Intussen praatte ze over hem alsof ze zijn rechterhand was. Hier was ze dat ook een beetje. Ze had Pieter uitgenodigd op de afterparty die ze voor Tunick had georganiseerd. Hij zou het van Edith laten afhangen of hij ging.

De fotograaf stond op een omgekeerde bierbak met zijn rug naar de universiteitsbibliotheek. In zijn hand hield hij een ouderwetse megafoon. Naast hem stond Virginie, ook met de rug naar de bibliotheek, ook met een megafoon, ook op een omgekeerde bierbak. Tunick zag er precies uit zoals in de You-Tube-filmpjes die Pieter zijn huisgenoten had laten zien, maar anders dan op de gletsjer in Zwitserland droeg hij geen dikke jas. Dat zou al te gek zijn geweest op de eerste dag van de zomer. Hij en Virginie waren de enige geklede mensen op het plein. Beseften ze dat de bibliotheek tot twee keer toe door oorlogsgeweld was vernield en telkens met Amerikaans geld weer was opgebouwd? Patricia betwijfelde het. Het was hun om het hier en nu te doen. Dat mocht. En ook naar het blote vlees kijken mocht. Naar het schaamhaar in alle tinten, hoeveelheden en densiteiten. Naar de billen, borsten en penissen in vele maten en vormen. Geen twee exemplaren waren identiek. Her en der hield een vrouw een beschermende arm voor haar borsten of een hand voor haar geslacht. Zij waren de uitzonderingen. Op bijna alle gezichten lag een brede lach. Iedereen leek onbekommerd en vrij, en ook Patricia voelde zich onbekommerd en vrij. Wat was er natuurlijker dan naakt te zijn? Zelfs in deze stad, waar hersenen eerder dan spieren geoefend werden, leek het doodnormaal. Om de hoek werden de colleges filosofie gegeven. In het Hoger Instituut voor

Wijsbegeerte. Dat was bijna een heiligdom. Van het woord. Van wijsheid en kennis. Van de rationaliteit. Ze dacht niet dat haar docenten hun kleren voor Tunick hadden uitgetrokken. Zij waren hogepriesters in de cultus van de geest. Die geest vergat Pieter weleens. En ook Titus stond er nooit bij stil. Het immateriële. Dat wat niet van atomen was gemaakt en ook niet door DNA werd aangestuurd. Waardoor dan wel?

Zou het voor hen iets betekenen? Geloofden ze in het bestaan ervan? Om niet te vergeten de ziel, nee, daar zou ze het zelfs in haar stoutste dromen nooit met hen over hebben. En Tunick? Was hij op zoek naar de ziel? Was het uiteindelijk dat immateriële dat hij hoopte vast te leggen? Maakte hij obsessief foto's van naakte mensen om te zien of te laten zien wat niet gezien kon worden?

Of moest dat hele onderscheid worden verwezen naar de prullenmand? Net als het onderscheid tussen lichaam en hoofd? Dat was wel heel idioot. Alsof je hoofd geen deel van je lichaam was.

Het lichaam was niet de drager van de geest, of van de vrije wil. Het was niet het huis waarin de ziel woonde. Een mens was zijn lichaam, was haar lichaam, en dat lichaam was ook ziel, was ook geest. Stierf het lichaam dan stierf de geest, en ook de ziel.

De mens is een zak moleculen. Een bak cellen.

Ja, dacht ze. Zo was het. Dat was de essentie.

Het was alleen stom dat er op die bak cellen werd neergekeken, alsof die iets minderwaardigs was, iets van ondergeschikt belang. Hij volstond niet op zich, er moest iets anders bij: geest, ziel, vrije wil, persoonlijkheid.

Terwijl die bak cellen een wonder was, een mirakel, iets waarvan zelfs de schranderste wetenschappers het geheim nog altijd niet hadden doorgrond. En waarschijnlijk nooit zouden doorgronden.

Ik moet biologie gaan studeren, dacht ze.

Bewust verloor ze Pieter en Edith uit het oog. Ze wilde opgaan in de massa. Voelen hoe het was om niemand te zijn. Louter moleculen. Atomen. Eiwitten. DNA.

Spencer Tunick bracht de megafoon naar zijn mond en richtte het woord tot zijn blote vrijwilligers. De shoot zou niet lang te duren, zei hij. Minder lang dan bij de dokter. Over tien minuten al mochten ze hun kleren weer aantrekken. 'But I need you to be quiet. Nakedness is a serious business.' – 'Jullie moeten stil zijn', vertaalde Virginie. 'Naakt zijn is een ernstige aangelegenheid.' Er werd gegrinnikt. 'Sst', zei Tunick door de megafoon. 'Sst', zei Virginie. 'Sst', klonk het uit de massa.

Eerst moesten ze met hun rug naar hem gaan staan en hun handen op de schouders van de man of vrouw voor hen laten rusten. Voor een tweede foto moesten ze gehurkt zitten met hun hoofd tussen hun armen. 'The airplane crash position' noemde Tunick het. En ten slotte vroeg hij hun om de benen te spreiden en de armen omhoog te steken. Het was tijdens die derde pose dat Pieters penis in opstand kwam. Tot dat moment had hij zich voorbeeldig gedragen. Pieter was bijna vergeten dat Edith naast hem stond. De mensenzee overweldigde hem, en de haast gewijde stilte waarin Tunicks instructies werden uitgevoerd, de discipline die iedereen zichzelf spontaan oplegde. Nooit eerder had hij zich zo samen gevoeld, zo verbonden met zijn medemens, niet alleen met Edith, maar met alle mensen, de grote, de kleine, de dikke, de dunne, de blanke, de bruine, de mooie, de lelijke, de laffe, de moedige, de slimme, de slome. En ook met de aarde voelde hij zich één. Haar energie welde in hem op. Zijn voetzolen tintelden. Wat was het heerlijk te leven, te zijn! Met gretige handen greep hij naar de lucht. Nee, niet naar de lucht, naar de zon!

Solidair met de opwaartse beweging richtte ook zijn penis

zich op. Nou ja, dacht hij, hij zou wel niet de enige zijn bij wie dat gebeurde. Hij was een mens. Wat was er menselijker dan dat? Het voortbestaan van de mensheid hing van erecties af. Edith schoot in de lach. Het was een geile lach die hij maar al te goed kende. Intussen riep Tunick zijn modellen op de armen goed te strekken en de vingers te spreiden. 'Higher,' zei hij, 'higher and higher'. 'Hoger', vertaalde Virginie ijverig. 'Hoger en hoger.'

Edith werd slap van het lachen.

'Beheers je', zei Pieter streng.

'Dat moet jij vooral zeggen.'

'Sst', zei de man naast hem.

'Sst', siste een vrouw.

Edith legde een arm om Pieters hals en drukte een kus op zijn mond. 'Ik hou van jou', zei ze. Zo hoog als ze kon strekte ze haar armen. 'Voor Roos!' riep ze uitbundig. En ook Pieter riep uit volle borst: 'Voor Roos!' Mensen in hun buurt kcken verstoord, maar anderen namen het over. 'Voor Roos', riepen ze. Als een kei in een vijver viel Ediths kreet in de massa. Steeds breder werden de kringen die hij trok. Bijna hadden ze de randen van het plein bereikt. 'Voor Roos!' Tunick en Virginie keken elkaar aan. Virginie bracht de megafoon naar haar mond, maar Tunick hield haar tegen. Gefascineerd keek hij naar de opengesperde monden. Over het hele plein galmde de kreet. 'Voor Roos!' Uit sommige monden klonk het als 'verroos' of zelfs 'vroos'. Was het een juichkreet? Een smeekbede? Zelfs Edith had het niet kunnen zeggen. Harder en harder riep ze de naam van haar zus. Alles gooide ze eruit, zonder te weten wat 'alles' was. Maar het moest eruit. En ook Pieter riep zo hard als hij kon. 'Voor Roos, voor Roos!' Tranen sprongen in zijn ogen. Laat haar niet sterven, dacht hij. Laat haar alsjeblieft niet sterven. Ik wil niet dat ze sterft, het zou volstrekt ondraaglijk zijn als ze stierf. En ook Edith moest leven, het maakte niet uit met wie, als ze maar leefde. De tranen stroomden over zijn wangen. Hij wilde leven, hij wilde leven, hij wilde leven.

'Done! Thank you very very much! You were brilliant!' riep Tunick. 'Klaar. Heel erg bedankt. Jullie waren fantastisch', vertaalde Virginie. Het gejuich ging over in applaus. Edith en Pieter vielen elkaar in de armen. Hij voelde haar zachte, warme lijf. Ook háár wangen waren kletsnat.

14

In de stilteruimte van het academische ziekenhuis ontstak Roos' moeder een theelichtje en plaatste het voorzichtig tussen de andere. Het kaarsje zou niet lang branden. Dat maakte niets uit. Ze kwam hier nu bijna iedere dag, ook op dagen dat ze Roos niet naar het ziekenhuis hoefde te vervoeren. Hier kon ze denken wat ze dacht. Hier hoefde ze haar gedachten niet weg te duwen. En ook hoefde ze zich er niet voor te schamen.

Ze vouwde haar handen en sloot haar ogen. Zo meteen zou ze in de lift stappen. Daar zou ze haar gezicht in een serene glimlach dwingen, precies zoals ze vroeger had gedaan wanneer ze de woonkamer binnenging nadat ze met Harry in de keuken had staan zoenen. De glimlach had niet kunnen verhinderen dat de schaal met hapjes of met het vlees of de vis in haar handen trilde. Maar ze had hem nooit laten vallen. Ook had ze het eten niet in het gezicht van haar man gegooid. Of in dat van Gonda. Zo gek was ze goddank niet geweest.

Roos had haar en Harry ooit betrapt. Ze had Roos gezegd

dat ze moest zwijgen en Roos had gezwegen. Didi zou het haar allang voor de voeten hebben gegooid als ze het wist, en ook Jasmien zou het niet voor zich hebben kunnen houden. Had die zwijgplicht Roos ziek gemaakt? Wat een voorbeeld was het voor het kind geweest! Want Roos was toen een kind. Maar ook geen kind meer.

Het lag begraven in een ver verleden. Begraven, maar niet vergeten. Had het aan Roos geknaagd?

Ze was blij dat ze het nooit aan Lukas had opgebiecht, zodat hij nu niet kon zeggen: 'Zie je wel. Het is jouw straf.' Ze wilde liegen en blijven liegen om die woorden niet te hoeven horen. Niet uit de mond van haar man, niet uit Harry's mond, en ook niet uit die van Gonda. Sinds Roos ziek was lieten Harry en Gonda niet veel van zich horen. Dat was pijnlijk, heel erg pijnlijk, maar het verhinderde ook dat ze dingen zeiden die ze niet wilde horen.

Elk nadeel heb zijn voordeel.

Zou Roosje zieker en zieker worden tot zij eindelijk de waarheid zei? Ja, ik heb mijn man met zijn beste vriend bedrogen. In de keuken, altijd in de keuken, waarom wist ze niet. Of ze wist het wel. Geen van beiden hadden ze ooit afspraakjes met elkaar gemaakt. Dan werd het een verhouding en dat wilden ze niet. Zij wilde het niet, en ze veronderstelde dat ook Harry het niet had gewild. Anders had hij haar wel gevraagd of hij haar kon zien in een hotel. Of bij haar thuis als Lukas er niet was. Of hij zou haar hebben gebeld wanneer hij wist dat de kust veilig was. Bestond er een woord voor wat ze hadden? Ze was zelfs niet zeker of ze hadden geneukt. Kon je het neuken noemen, zijn vinger in haar, haar hand rond zijn penis, eraan rukken alsof haar leven ervan afhing, soms met in de andere hand een vaatdoek of een houten lepel of de pepermolen? Hormonen moesten haar verstand hebben beneveld. En het zijne. De risico's die ze hadden genomen! Stel dat Roos was binnengekomen terwijl ze in elkaars ondergoed stonden te graaien. Of dat Gonda of Lukas daar plotseling had gestaan. Diep dankbaar was ze dat dat nooit was gebeurd. Tegelijkertijd vond ze het vreemd dat het niet was gebeurd. Wisten ze hoe woest de passie oplaaide tussen aanrecht en fornuis? Bleven ze daarom uit de buurt? Wierpen ze elkaar aan tafel betekenisvolle blikken toe?

Zelfs nu Roosje zo ziek was, kon ze er niet met haar over praten. Ze schaamde zich te diep om het op te rakelen. Ze had er geen woorden voor en ze wilde er geen woorden voor vinden. En dus bleef het liggen op de bodem van een diepe schacht. Jaren was ze erin geslaagd te vergeten dat het er lag. En toen was Roosje ziek geworden. Ongeschikt bloed. Daarmee was het begonnen. Woedend had die brief Lukas gemaakt. 'Met welk recht noemt het Rode Kruis het bloed van mijn dochter ongeschikt?' Het antwoord kenden ze nu. Intussen ging het met Roos van kwaad naar erger. Soms dacht ze, en het was een vreselijke gedachte, een gedachte die ze zich alleen hier in de stilteruimte kon veroorloven, dat het beter was geweest als Roos die blastencrisis niet had overleefd. Of als de chemokuur niet had aangeslagen. Of de transplantatie. Of als de longontsteking haar had geveld waartegen ze de hele bitterkoude decembermaand lang gevochten had. En de bloeduitstortingen en de schimmels en de nierinsufficiëntie. Telkens opnieuw was ze langs de rand van het ravijn gelopen zonder erin te storten. Of te vallen of te glijden. Door elke crisis had ze zich gesparteld als een kat met negen levens. Steeds gehavender kwam ze eruit. Wat er de laatste weken met haar gebeurde tartte alle verbeelding. De dood was minder erg dan dit. Ze had niet geweten dat een mens zoiets kon overkomen. Had Titus het geweten? Echt geweten? Dan was het misdadig dat hij er geen stokje voor gestoken had. Hij had de transplantatie moeten verbieden. Zoiets doe je niet.

Zoiets richt je niet willens en wetens aan.

Roos' huid was stug als leer. En kleurde donker. Sclerodermie. Weefselverharding. En haar heupen waren door de prednison aangevreten. Dat zeiden ze er niet bij als ze die rommel voorschreven! Roos kon haar knieën niet meer buigen. En haar enkels ook niet. Ze liep met krukken en moest vaker en vaker een rolstoel gebruiken. Kanker had ze niet meer. Alle slechte cellen en eiwitten waren uit haar bloed gezuiverd. Maar ze was een wrak. Een menselijk wrak.

Ze hadden haar ene kind gebruikt om het andere kapot te maken. Zij als moeder moest dat allemaal maar toestaan. Ze mocht zelfs niet zeggen dat het een ramp was. Ze moest de artsen en de verpleging dankbaar zijn, want ze deden werkelijk alles wat ze konden voor Roos' comfort. Nu hadden ze weer iets nieuws bedacht. Lichttherapie. Fotoferese. Die maakte de T-cellen minder agressief. Beweerden ze. Hopelijk zou Roos' huid weer wat soepeler worden. Genezen zou het niet, maar ze hadden goede hoop de graft versus host onder controle te krijgen. Dat noemden ze 'onder controle'. Een dochter die op krukken liep, en haar knieën en enkels nauwelijks kon bewegen. Dank u, dokter Van Dijck. Dank u zeer.

Als iemand dood was kon je om hem of haar rouwen. Je kon herinneringen bewaren en koesteren.

Roos was dood en niet dood. Haar Roosje was dood. Wat overbleef was Roos niet meer. Maar het werd haar niet gegund te rouwen. Ze moest blij zijn dat de kanker overwonnen was.

Ook Roos moest ze opgewekt tegemoettreden. Geen seconde mocht ze laten merken hoe verschrikkelijk ze het vond. Thuis moest ze geduldig luisteren naar het gesakker van Lukas. Hij wilde tegen het ziekenhuis een proces aanspannen. Niet alleen tegen het ziekenhuis in Leuven, maar tegen alle ziekenhuizen die allogene stamcellen transplanteerden. En ook

Didi en Titus moest ze opmonteren, terwijl ze eigenlijk haar wanhoop van de daken wilde schreeuwen.

Hier mocht het. In stilte. Soms probeerde ze iets te schrijven in het gastenboek. Verder dan: 'Laat Roos alsjeblieft ...' kwam ze niet. Dus las ze de woorden van dank en hoop en woede en troost en pijn die er in grillige letters geschreven stonden.

Ze was niet alleen. Andere mensen waren haar in de donkere tunnel voorgegaan. Ze probeerde hen te voelen. Hun handen te grijpen. Misschien konden zij haar verzekeren dat het niets met haar en Harry te maken had. Dat Roos niet meer of minder ziek geworden zou zijn als ze hen die dag in de keuken niet had betrapt.

Als er ook maar iets was wat ze kon doen. Maar er was niets, helemaal niets. Ze moest zich beheersen, glimlachen, geduld hebben. Ze moest zwijgen.

Edith werkte aan een lijst met alle dingen die ze verkeerd had gedaan. Het was een lange lijst. Alles waarover ze de waarheid ooit geweld had aangedaan, noteerde ze. De versie Edith week nogal eens af van de feiten. Haar vader had haar nooit gedwongen een koude douche te nemen. En ook zelf had hij zich niet met koud water gewassen. Ooit was de boiler kapot geweest. Hij had haar gezegd dat ze daar niet over hoefde te zeuren. Nog niet zo gek lang geleden hadden mensen helemaal geen boilers of geisers gehad. Ze wasten zich met koud water, wat trouwens veel gezonder was. 'Probeer het maar eens!' En ze had het geprobeerd. Lang had ze het onder die koude straal niet uitgehouden.

Dat hij zijn naam met k schreef terwijl die op zijn identiteitskaart met c werd gespeld had ze niet verzonnen. Ook niet dat hij Marokkanen 'makakken' noemde. Hij en die vriend van hem, die Harry, met wie hij marathons liep en die bij de eerste zonnestraal in short rondliep om zijn gespierde kuiten te showen. IJdeltuit.

'Misschien hebben ze zich dat één keer laten ontvallen', had haar moeder gezegd. 'Voor de grap of zo.'

Met mensen die zulke grappen maakten wilde ze niets te maken hebben. Ook nu niet, nu ze probeerde meer oog te hebben voor het standpunt van anderen. Oog en respect.

Wat haar moeder ook zei, ze bleef het griezelig vinden dat haar vader het Belang steunde. Veel mensen waren daarmee opgehouden. Die stemden nu voor de N-VA. Waarom kon hij dat niet doen? Hij wilde zijn huik niet naar de wind hangen, zei hij. Hij huilde niet mee met de wolven in het bos. Hij was geen opportunist.

Nou ja.

Maar hij deed zijn best om een goede opa te zijn. Hij had een fietsje voor Sven gekocht en bij hen thuis in de tuin de schommel weer opgehangen. Hij had zelfs pannenkoeken voor Sven gebakken. Ze had niet geweten dat hij dat kon. En hij had geen enkele opmerking over Svens brilletje gemaakt. Ze veronderstelde dat Jasmien hem had gebrieft. Of mama. Tegen haar zei hij wat ze zelf niet geloofde, dat het haar schuld niet was wat er nu met Roos gebeurde. De dokters hadden geknoeid, zei hij. Die hadden het eerder moeten zien aankomen. Ze hadden veel te lang met ingrijpen gewacht. 'Jij hebt goed bloed', zei hij. 'Net als ik. Zuiver en goed.' Hij bleef erbij dat Roos haar gezondheid verwaarloosd had. Toen Jasmien studeerde, kwam ze ieder weekend naar huis om haar batterijen op te laden en gezonde kost te eten. Maar Roos dacht in de Parkstraat een nieuwe thuis te hebben gevonden. Die was daar niet weg te slaan. Zelfs met Kerstmis zou ze er zijn gebleven als hij niet met de vuist op tafel geslagen had. Tot ze ziek werd natuurlijk. Toen had ze haar eigen bloed nodig. En ze had het gekregen. Van Didi. Maar de dokters hadden ermee geknoeid.

Hij had haar het adres gegeven van de specialist die zijn zus behandelde. Blijkbaar werd die ook door allergieën geplaagd. Dat had ze nooit geweten. En dat kwam, zo sprak ze zichzelf streng toe, omdat ze nooit veel aandacht voor andere mensen had gehad. Ze had nauwelijks naar hen geluisterd. Daar moest dringend verandering in komen.

Hoeveel mannen had ze niet gedumpt? Ook de papa van Sven, over wie ze rondstrooide dat hij haar en Sven zonder iets aan de deur had gezet. In werkelijkheid had ze niets willen meenemen dat haar aan hem herinnerde, met uitzondering van Sven. Die de slechte ogen en de allergieën van zijn vader had en haar dus dagelijks aan hem herinnerde. Bizar genoeg tastte dat haar liefde voor het ventje niet aan, waardoor ze geloofde dat het zelfs mogelijk moest zijn te houden van een kind dat uit een brutale verkrachting geboren was. Svens vader had haar nooit verkracht. Hij vrijde volgens het boekje. En was er niet voor beloond. De scheiding had hem een depressie bezorgd waarvan hij nog altijd niet was hersteld. Als ze bij hem gebleven was, had zij de depressie gekregen.

You can't win.

En Otto, ja, waarom had ze die gedumpt? Ze herinnerde het zich niet meer. Of ze herinnerde het zich wel. Het had met Pieter te maken, en zijn mooie naakte lichaam, zijn prachtige penis, zijn levensvreugde. Ergens in huis had ze nog een print liggen van een foto die Tunick had gemaakt. Je kon hen er niet op zien staan, maar je zag de open monden, die zij aan het schreeuwen had gebracht. Daar was ze nog altijd een beetje trots op.

Geen mannen meer voor haar. Ze moest er nu zijn voor Roos. En voor Sven, die door haar schuld geen vader had. Of een vader die het niet aankon hem te zien, want dan werd hij herinnerd aan het verloren huwelijksgeluk. Goddank had hij nu een oma en een opa. En tantes. Het klonk lief uit zijn mondje. Opa. Oma. Tante.

Straks ging ze met Roos zwemmen bij de fysiotherapeute. Ze mochten zo dikwijls komen als ze wilden en ze hoefden niet te betalen. Het waren heiligen in dat ziekenhuis. Zwemmen was goed voor Roos. Hoe meer ze zwom, hoe beter. Roos was een vis geworden. Met schubben. Op het land zaten die haar in de weg. In het water niet. Misschien krijg ik ze ook, dacht Edith. Tenslotte zijn het mijn stamcellen die Roos met schubben bedekken. Beschubde Roos.

Ze nam de cake die ze had gebakken uit de oven en zette hem op een bord. Als de cake was afgekoeld zou ze ermee naar Mona gaan. Lieve Mona. Ze zou haar missen als ze verhuisde, maar ze wilde niet in Zwelegem blijven. Hier zou ze nooit een baan vinden. Ze had in alle eerlijkheid nooit hard gezocht. Ook daarover had ze gelogen. Foei, Edith! Het was nooit te laat om je leven te beteren. Een schone lei, een nieuw begin.

Ze snuffelde aan haar huid. Die rook precies zoals altijd.

Iedereen zei dat ze zich niet schuldig mocht voelen. Dat was gemakkelijk gezegd. Hun cellen hadden geen ravage in het lichaam van een ander aangericht. Ze hadden haar gefêteerd als een prinses. Ze wilden haar met cadeaus overstelpen. Zij ging het leven van Roos redden! Hoe slecht moest ze niet zijn dat de transplantatie zo'n rampzalig effect had gehad? En nu konden haar stamcellen onmogelijk uit Roos worden gehaald, en ook de T- en B-cellen niet die de aanval op haar huid hadden ingezet. Haar mooie, zachte huid. Bleek als de maan. Waarom werden mensen geboren als ze zulke afschuwelijke transformaties konden ondergaan? Haar straf was heel subtiel: ze moest toezien hoe Roos' huid kapotging, terwijl de hare bleef gespaard.

Ze draaide de kraan open en hield haar hoofd onder de

koude straal. Met natte haren liep ze de trap op naar de badkamer. Ze trok haar kleren uit en stapte onder de douche. Het
koude water striemde haar huid. Haar gezonde, gave, soepele
huid. Bleek als de maan.

Roos zat naakt voor de spiegel in de badkamer. De sclerodermie had haar armen en benen aangetast, maar niet haar gezicht en ook niet haar buik of borsten of schouders of rug. In
het ziekenhuis was er een jongen die het ook in zijn gezicht
had. Hij hield altijd de oortjes van zijn iPod in. Ze hadden
nog nooit met elkaar gepraat, hoewel ze al dikwijls op hetzelfde moment lichttherapie hadden gekregen. Lotgenoten konden je steunen, maar ook doodsbang maken. Het kon altijd
erger. En het was al erg genoeg.

Hij zou haar vast zielig vinden met haar krukken en haar
rolstoel; zij vond zijn gezicht niet om aan te zien. Zolang het
hare gaaf bleef, had ze er vrede mee. Haar gezicht en haar
borsten en haar buik. Dan kon ze geloven dat Titus niet uit
plichtsbesef bij haar bleef. En dat hij met haar vrijde omdat
hij dat wilde.

Zij begreep niet waarom hij bij haar bleef. Zij zou niet bij
zichzelf blijven. Hoe hard zou ze niet van zichzelf weglopen
als ze het kon. Weer de oude Roos zijn. De Roos die griezelde
van bloed en die er liever zo weinig mogelijk over wilde weten.
Niemand had haar laten vallen. Zij en Titus woonden niet
meer in de Parkstraat, waar het met die trap onhandig voor
haar was, maar Frans, Patricia en Pieter kwamen vaak langs.
Of ze namen haar mee naar de bioscoop of de kroeg. En ze
gaven Titus op zijn kop omdat hij zich opsloot in de flat. Ze
kon in haar eentje naar buiten maar ze voelde zich veiliger met
Titus erbij.

Hij zou nooit van haar weggaan. Wat er ook gebeurde. Hoe
lelijk ze ook werd.

Misschien kwam dat omdat hij zo jong zijn vader verloren had, zelfs al herinnerde hij zich dat niet. Hij noemde die verklaring goedkoop. Psychologie van de koude grond. Misschien was ze dat ook.

Als kind was hij door zijn moeder naar therapeuten gestuurd. Hij had er een aversie aan overgehouden. Blijkbaar had hij hen gek gemaakt met zijn koppige zwijgen.

Welke man zou blijven houden van een vrouw die eruitzag als zij? Een vrouw met kapotte eierstokken en een eeuwig droge kut? Met knieën die weigerden te buigen, met heupen die haar kwelden?

In het ziekenhuis hadden ze zoiets nog nooit meegemaakt. *The Lancet* had een artikel over haar gepubliceerd met foto's van haar armen en benen erbij. Ze had er toestemming voor moeten geven. Ongeneeslijk. 'Incurable'. Zo stond het in het artikel. 'Extreme case of Chronic Graft Versus Host Disease'.

Misschien zou Titus ooit een medicijn ontdekken dat haar kon genezen. Misschien studeerde hij daarom zo hard. Zo verbeten.

Hij had gehuild toen de diagnose werd gesteld. 'Wat hebben we je aangedaan?' had hij gejammerd. Wij, de artsen. Hij was nog lang niet afgestudeerd. Hij moest nog veel studeren voor hij zelf bloed kon maken. Bloeddichter Titus. Ondanks alles bleef het een wonder. Didi's bloed stroomde nu in haar aders. Ze waren bloedzusjes.

Zelfs Pieter had voor één keer zijn optimisme verloren. Al het bloed was uit zijn gezicht weggetrokken.

Dacht híj nog aan hun trede? Aan het soezen op zijn bed? Het lome strelen? Bij hem was ze louter lichaam geweest, een lui verzadigd lichaam.

Raak ze aan. Ze zijn onrustig.

En hij had ze aangeraakt.

Nu streelde hij haar niet meer.

Alleen Titus deed dat. Ze had zijn hand genomen en hem geleerd hoe het moest. Hoe kapotter haar lichaam, hoe beter hij het bespeelde.

Ze moest Didi zeggen dat Pieter van haar hield. Straks als ze kwam, zou ze het haar zeggen.

Didi, je moet iets voor me doen.

Wat?

Eerst moest je beloven dat je het doet.

Ik doe alles wat je vraagt.

Alles?

Alles.

Echt waar?

Didi zou knikken. Ze zou zelfs stralen omdat ze voor haar gammele zusje iets kon doen.

En dan zou ze haar haar gsm in de handen stoppen en haar zeggen dat ze Pieter moest bellen en zeggen, tja, wat moest ze hem zeggen? Dat kon Didi zelf bedenken.

Die twee hoorden bij elkaar. Dat kon een blinde zien.

Kom nu, Didi. Alsjeblieft.

Rustig dobberde het lijk van Leonardo da Vinci's nazaat in Titus' hoofd. Nog altijd was het niet weggerot of weggeteerd. Leonardo's bloed! Destijds had hij het geloofd. En ook de bewoners van het dorp hadden aan het fabeltje geloof gehecht. Het was geen dorp, maar een gehucht, kleiner nog dan Zwelegem.

Die dag was alles begonnen. Hij had zich bijzonder gevoeld; anders, uitverkoren. Alsof Leonardo's bloed in zíjn aders stroomde.

Maar ook angstig en klein.

De les van het bloed. Er bestaat goed bloed en er bestaat slecht bloed. Goed bloed kan ziek zijn; slecht bloed kan gezond zijn.

Aldus zijn opa. God hebbe zijn ziel.

De les was aan hem toevertrouwd. Omdat hij schrander was. En goed bloed had. Zijn opa's bloed.

Iedereen van hetzelfde bloed.

Aldus Pieter, zijn vriend, zijn vijand.

Hij, Titus, had gelijk gekregen. Niemand had hem dat gelijk gegeven. Niemand had gezegd: o ja, Titus, je had gelijk, je moet voorzichtig zijn met bloed. Je kunt niet ongestraft cellen transplanteren. Niet iedereen is van hetzelfde bloed. Er bestaan verschillen die niet kunnen worden genegeerd. Vreemd zal eigen aanvallen, vernielen. Vreemd zal proberen te overheersen. Graft versus host. Soms zijn het de longen die sneuvelen, soms is het de dunne darm, soms de lever, soms de huid.

Te veel is te veel. Dat was waar. Als je het over bloed had.

Er moet diversiteit zijn. Ook dat was waar, als je het over bloed had.

Er is eigen en er is vreemd. Andermaal waar, als je het over bloed had.

Ook Pieter had hem geen gelijk gegeven. Mister let's all love each other. We are the world, we are one, we are each other.

Ja, ja.

Het hoefde niet te worden gezegd. De feiten bewezen zijn gelijk.

Maar ook zijn ongelijk.

Zonder Ediths stamcellen was Roos gestorven. Edith had haar gered.

Hij had zichzelf verfoeid omdat hij haar niet had gezegd wat er kon gebeuren. En ook Edith had hij niet gewaarschuwd.

Zouden ze hebben geluisterd? Hij betwijfelde het. Ze zouden het risico hebben genomen. Hij misschien ook. Iedere dag werd het wel ergens op aarde genomen. Want het hoefde niet zo desastreus af te lopen. Dikwijls liep het goed af. Roos had pech gehad. Brute pech. Maar ook geluk. Ze was er nog. Ze leefde. En ze leefde graag.

De ziekte had haar sterker gemaakt. Weerbaarder. In niets leek ze nog op het angstige vogeltje dat zich aan hem had vastgeklampt. Toen was ze bang geweest dat haar bloed ziek was. En ook hij was bang geweest.

Het leek grappig nu, die angstjes. Luxe-angstjes.

Hij had zijn tranen niet kunnen verbijten. Zijn Roos, chronische graft versus host disease. Dat was het ergste wat een leukemiepatiënt kon overkomen. Erger dan de dood, had hij gedacht.

Gisteren, toen ze haar verjaardag vierden, had zijn moeder hem verteld dat zij en Nicole besloten hadden om samen te gaan wonen. Het was begonnen met Edith, zei ze. Edith had verlangens in haar gewekt die jaren hadden geslapen of misschien nooit wakker waren geweest. En of hij blij was voor haar? Ja, had hij gezegd. Heel erg blij. Hij had haar omhelsd. Hij had haar lichaam gevoeld. Ze had hem over het miskraam verteld dat ze op huwelijksreis had gekregen, over de gang in het ziekenhuis waar ze uren alleen had gelegen, over de oranje plastic stoel waarop zijn vader had gewacht, over het bloed dat haar witte nachthemd had besmeurd, over het ongeboren kind wiens naam hij had gekregen. 'Het moest zo gebeuren,' zei ze, 'anders was jij niet geboren. Jij moest er zijn voor Roos. En ik moest er zijn voor jou. En nu ben ik er voor Nicole. Maar ook nog altijd voor jou.'

En hij was er voor Roos. Niet altijd zoals zij het wilde, maar hij was er. Hij deed zijn best om háár te zien, niet haar huid of haar knieën of haar bloed. Hij probeerde te leren hoe het moest. Ze had geduld met hem. Veel geduld. Hij probeerde te begrijpen waarom zij er vrede mee had. Want ze had er vrede mee. Hij niet. Nooit zou hij er zich bij neerleggen. Altijd zou hij blijven zoeken naar een middel om om te keren wat onomkeerbaar werd genoemd.

In de man die we zo meteen zullen zien, Titus, zit het bloed van een van de grootste genieën ooit. Als iemand die wil laten herrijzen, moet hij vertrekken van dit bloed.

Aldus opnieuw zijn opa.

Zou hij op een dag de oude Roos kunnen laten verrijzen?

Alles kan waarin mensen geloven, Titus, op voorwaarde dat ze het geloven. Het begint met geloof. Echt geloof. Alles is uitgevonden, maar niet alles is gevonden. Je moet goed kijken. Geef je ogen de kost.

Ja, opa.

Hij zou kijken en blijven kijken, studeren en blijven studeren. En geloven waarin niemand anders geloofde. Harder en harder zou hij studeren, beter en beter zou hij observeren. En geloven. Het begon met geloof.

Waar was het jongetje dat aan de hand van zijn opa het lijk was gaan groeten? Het jongetje dat in zijn ijlkoorts overal bloed had gezien? Tegen wie was gezegd dat hij bijzonder was? Het had hem het gevoel gegeven dat hij bijzonder móést zijn. Hij mocht zijn opa niet ontgoochelen. Dat was zijn eerste angst geweest. Zijn oerangst.

Bleef wie we vroeger waren ook vandaag bestaan?

Was hij bijzonder?

Misschien wel, misschien ook niet.

Pieter was bijzonder. En wilde het niet zijn. Dat maakte hem bijzonder.

En ook zijn moeder en Nicole waren bijzonder. Zij hadden de moed om Zwelegems hoon te trotseren. En Yvans toorn.

Het bijzonderste van alles en iedereen was Roos, die 'het ongemak' minimaliseerde. Dat was het woord dat ze gebruikte: ongemak. De krukken: een ongemak. De therapieën: een ongemak. De rolstoel: een ongemak. Haar kapotte huid, de droge vagina, de steriliteit, de pijn: een ongemak.

Ik ben het toch, zei ze. Ik ben niet veranderd. Ik ben het, Roos. Jouw Roos.

En dan zei hij: ja. Jij bent Roos. Mijn Roos.

Jij bent mijn Roos.

Kristien Hemmerechts bij De Geus

De dood heeft mij een aanzoek gedaan
In een dagboek noteerde Kristien Hemmerechts negen maanden lang openhartig gebeurtenissen, anekdotes, bespiegelingen, nieuwsfeiten en uitspraken over de thema's dood, leven en liefde. Het dagboek is een voortdurende poging woorden te geven aan wat ongrijpbaar en toch realiteit is.
In *De dood heeft mij een aanzoek gedaan* wisselen verlangen naar de dood en levenslust elkaar af.

Gitte
Gitte woont met haar ouders en broers in een prachtig huis op een heuvel. Hun tuin grenst aan een bos, waar haar overgrootvader Lionel door stropers is vermoord. Het gezin leeft in paradijselijke onschuld, tot de oudste zoon, Woud, waanbeelden krijgt over het verleden. Het verbond tussen de drie kinderen valt uit elkaar. Gitte, die niet zonder Woud dacht te kunnen, is nu gedwongen haar eigen weg te gaan.

Ann
In *Ann* portretteert Kristien Hemmerechts een vrouw die aan een ongeneeslijke vorm van anorexia lijdt. Ze krijgt haar familie maar niet overtuigd van haar incestverleden en haar uitgemergelde lichaam is een schreeuw om aandacht. Ann kan haar leven niet meer aan en overweegt zelfmoord. Met dit boek zoekt Hemmerechts naar de maatschappelijke oorzaken van anorexia, en naar de betekenis van Anns verhaal voor haarzelf.